주한미군지위협정(SOFA)

주한미군 한국인 고용원 문제

주한미군지위협정(SOFA)

주한미군 한국인 고용원 문제

한국학술정보

| 머리말

미국은 오래전부터 우리나라 외교에 있어서 가장 긴밀하고 실질적인 우호 · 협력관계를 맺어 온 나라다. 6 · 25전쟁 정전 협정이 체결된 후 북한의 재침을 막기 위한 대책으로서 1953년 11월 한미 상호방위조약이 체결되었다. 이는 미군이 한국에 주둔하는 법적 근거였고, 그렇게 주둔하게 된 미군의 시설, 구역, 사업, 용역, 출입국, 통관과 관세, 재판권 등 포괄적인 법적 지위를 규정하는 것이 바로 주한미군지위협정(SOFA)이다. 그러나 이와 관련한 협상은 계속된 난항을 겪으며 한미 상호방위조약이 체결로부터 10년이 훌쩍 넘은 1967년이 돼서야 정식 발효에 이를 수 있었다. 그럼에도 당시 미군 범죄에 대한 한국의 재판권은 심한 제약을 받았으며, 1980년대 후반 민주화 운동과 함께 미군 범죄 문제가 사회적 이슈로 떠오르자 협정을 개정해야 한다는 목소리가 커지게 되었다. 이에 1991년 2월 주한미군지위협정 1차 개정이 진행되었고, 이후에도 여러 사건이 발생하며 2001년 4월 2차 개정이 진행되어 현재에 이르고 있다.

본 총서는 외교부에서 작성하여 최근 공개한 주한미군지위협정(SOFA) 관련 자료를 담고 있다. 1953년 한미 상호방위조약 체결 이후부터 1967년 발효가 이뤄지기까지의 자료와 더불어, 이후 한미 합동위원회을 비롯해 민 · 형사재판권, 시설, 노무, 교통 등 각 분과위원회의 회의록과 운영 자료, 한국인 고용인 문제와 관련한 자료, 기타 관련 분쟁 자료 등을 포함해 총 42권으로 구성되었다. 전체 분량은 약 2만 2천여 쪽에 이른다.

2024년 3월

한국학술정보(주)

| 일러두기

· 본 총서에 실린 자료는 2022년 4월과 2023년 4월에 각각 공개한 외교문서 4,827권, 76만 여 쪽 가운데 일부를 발췌한 것이다.

· 각 권의 제목과 순서는 공개된 원본을 최대한 반영하였으나, 주제에 따라 일부는 적절히 변경하였다.

· 원본 자료는 A4 판형에 맞게 축소하거나 원본 비율을 유지한 채 A4 페이지 안에 삽입하였다. 또한 현재 시점에선 공개되지 않아 '공란'이란 표기만 있는 페이지 역시 그대로 실었다.

· 외교부가 공개한 문서 각 권의 첫 페이지에는 '정리 보존 문서 목록'이란 이름으로 기록물 종류, 일자, 명칭, 간단한 내용 등의 정보가 수록되어 있으며, 이를 기준으로 0001번부터 번호가 매겨져 있다. 이는 삭제하지 않고 총서에 그대로 수록하였다.

· 보고서 내용에 관한 더 자세한 정보가 필요하다면, 외교부가 온라인상에 제공하는 『대한민국 외교사료요약집』 1991년과 1992년 자료를 참조할 수 있다.

| 차례

머리말 4

일러두기 5

SOFA-주한미군 한국인 고용원 문제, 1972-73 7

SOFA - 주한미군 한국인 고용원 문제, 1985-91. 전2권 (V.1 1985-87) 197

SOFA - 주한미군 한국인 고용원 문제, 1985-91. 전2권 (V.2 1988-91) 361

정/리/보/존/문/서/목/록					
기록물종류	문서-일반공문서철	등록번호	15656 6115	등록일자	2000-02-18
분류번호	729.42	국가코드		주제	
문서철명	SOFA-주한미군 한국인 고용원문제, 1972-73				
생산과	북미2과	생산년도	1972 - 1973	보존기간	영구
담당과(그룹)	미주	안보	서가번호	--	
참조분류					
권차명					
내용목차	1. 태평양지역 주둔 미군 공병단 개편에 따른 한국인 고용원 문제, 1972 2. 미군직속 경비원 해고 및 하청 전환 문제, 1973				

마/이/크/로/필/름/사/항				
촬영연도	*롤 번호	화일 번호	후레임 번호	보관함 번호
	2007-9/RE-07-12	2	1-178	

1. 태평양지역 주둔 미군 공병단 개편에 따른 한국인 고용원 문제, 1972

2

JOINT COMMITTEE
UNDER
THE REPUBLIC OF KOREA AND THE UNITED STATES
STATUS OF FORCES AGREEMENT

14 February 1972

Dear Mr. Kim:

The Embassy has asked me to inform you of a realignment within the organizational structure of the Pacific Ocean Division, United States Army Corps of Engineers.

The Pacific Ocean Division is currently organized with its headquarters in Honolulu, Hawaii, a subordinate office in Okinawa primarily to perform design work, and sub-offices at various locations including the Republic of Korea, to carry out assigned construction work.

Under this realignment, certain contract administration and other support functions now provided by the Okinawa office will be transferred from Okinawa to Honolulu. However, adequate capability for engineering design support of using agencies in the Far East will be retained in Okinawa.

These changes will primarily affect Japan and Okinawa and will have little impact on the Far East District operations within the Republic of Korea. Reductions in Korean national employees of the Far East District took place in Fiscal Year 1971 when the number of Korean national employees was reduced from 213 to 94. Construction for Fiscal Year 1972 within the Republic of Korea is projected to be in excess of $20 million. This is a substantial increase in construction over the last fiscal year, and no personnel cuts are contemplated. At this time, projected construction for the next fiscal year is estimated to at least equal that of the current fiscal year.

3

It would be appreciated if you would inform the ROK Chairman of the Commerce Subcommittee of this information as well as any other officials of your Government who might be interested in these developments.

Sincerely,

Caplain F. M. Romanick USN

for ROBERT N. SMITH
Lieutenant General
United States Air Force
United States Representative

Mr. KIM Dong-Whie
Republic of Korea
Representative

2

4.

협 조 문	응신기일	
분류기호 및 문서번호	미이 723 -	제 목: 태평양지역 주둔 미 공병단 개편에 따른 한국인 고용원 문제
수 신	통상국장	발신일자: 72. 3. 15. (협조제의)

과	기안	담당	과장	국장

발신명의 구미국장

(제 1 의 견)

주한 미군당국은 태평양지역 주둔 미 공병단 개편에따른 한국인 고용원 문제에 관하여 아래와같은 내용을 통보하여 왔는바, 업무에 참고 하시고 필요한 조치를 취하여주시기 바랍니다.

- 아 래 -

1. 미 육군 공병단 태평양사단이 최근 조직되어 하와이 호노루루에 본부를, 오끼나와에 예하부대를 설치하였음. 이 부대는 주로 설계

(제 2 의 견)

업무를 담당하고 있으며, 설계된 건설업무를 담당하기위한 시설부대가 한국에도 설치되었음.

2. 이 개편에 따라 몇몇 계약기관 및 기타 지원부대가 오끼나와에서 호노루루로 이전할 예정이나 극동지역 시설기관을 지원하기위한 부대는 계속 존속할것임.

0201－1－2B 190mm×268mm (신문용지)
1969.11.10승인 (조달청) (100,000매인쇄)

3. 상기 변화는 주로 일본과 오끼나와에 영향을 미칠것이며, 한국내 극동지역구 운영에는 별 충격이 없을것임. 71회계년도중 극동지역구 한국인 고용원은 213명에서 94명으로 감소되었으나, 72회계년도에는 한국내 건설사업을 위한 예산이 2천만불을 상회하며, 이는 전년도 건설예산보다 증액된것이므로 감원은 고려되고있지 않음.

4. 현재로 보아 차기 회계년도 건설계획은 최소한도 현년도 수준으로 유지될것임. 끝.

6

기 안 용 지

분류기호 문서번호	미이 723 -	(전화번호)	전결규정 조 항 장관 전결사항
처리기간			
시행일자			
보존년한		차 관	장 관
보조기관	차관보		협조
	국 장		
	과 장		
기안책임자	정태익	북미 2과 (72. 3. 8)	
경유 수신 참조	수신처 참조	발신	발송 No. 8102 1972. 3. 15 외무부
제 목	태평양지역 주둔 미 공병단 개편에 따른 한국인 고용원 문제		

주한 미군당국은 태평양지역 주둔 미 공병단 개편에따른 한국인 고용원 문제에 관하여 아래와같은 내용을 통보하여 왔는바, 업무에 참고 하시고 필요한 조치를 취하여주시기 바랍니다.

- 아 래 -

1. 미 육군 공병단 태평양사단이 최근 조직되어 하와이 호노루루에 본부를, 오끼나와에 예하부대를 설치하였음. 이 부대는 주로 설계업무를 담당하고 있으며, 설계된 건설업무를 담당하기위한 시설부대가 한국에도 설치되었음.

2. 이 개편에 따라 몇몇 계약기관 및 기타 지원부대가 오끼나와에서 호노루루로 이전할 예정이나 극동지역 시설기관을 지원하기위한 부대는 계속 존속할것임.

3. 상기 변화는 주로 일본과 오끼나와에 영향을 미칠것이며, 한국내 극동지역구 운영에는 별 충격이 없을것임. 71회계년도중 극동지역구

정서 / 관인 / 발송

7

공통서식1-2(갑)
1967. 4. 4. 승인

190mm×268mm (1급인쇄용지70g/m²)
조달청 (500,000매인쇄)

한국인 고용원은 213명에서 94명으로 감소되었으나, 72회계년도에는 한국내 건설사업을 위한 예산이 2천만불을 상회하며 이는 전년도 건설예산보다 증액된것이므로 감원은 고려되고 있지 않음.

4. 현재로 보아 차기 회계년도 건설계획은 최소한도 현년도 수준으로 유지될것임. 끝.

수신처 : 상공부장관, 노동청장, 건설부장관, 국방부장관.

0105

74

외 무 부

미이 723 - 72. 3. 15.

수신 : 상공부장관, 노동청장, 건설부장관, 국방부장관

제목 : 태평양지역 주둔 미 공병단 개편에 따른 한국인 고용원문제

주한 미군당국은 태평양지역 주둔 미 공병단 개편에따른 한국인 고용원 문제에 관하여 아래와같은 내용을 통보하여 왔는바, 업무에 참고하시고 필요한 조치를 취하여주시기 바랍니다.

- 아 래 -

1. 미 육군 공병단 태평양사단이 최근 조직되어 하와이 호노루루에 본부를, 오끼나와에 하부대를 설치하였음. 이 부대는 주로 설계업무를 담당하고 있으며, 설계된 건설업무를 담당하기위한 시설부대가 한국에도 설치되었음.

2. 이 개편에 따라 몇몇 지휘기관 및 기타 지원부대가 오끼나와에서 호노루루로 이전할 예정이나 극동지역 시설기관을 지원하기위한 부대는 계속 존속할것임.

3. 상기 변화는 주로 일본과 오끼나와에 영향을 미칠것이며, 한국내 극동지역구 운영에는 별 영향이 없을것임. 71회계년도중 극동지역구 한국인 고용원은 213명에서 194명으로 감소되었으나, 72회계년도에는 한국내 건설사업은 외환 예산이 2천만불을 상회하며, 이는

8

전년도 건설예산보다 증액된것이므로 감원은 고려되고 있지 않음.

4. 현재로 보아 차기 회계년도 건설계획은 최소한도 현년도 수준으로 유지될것임. 끝.

외 무 부 장 관

9

2. 직속 경비원 하청 전환 문제, 1973

10

노동청 노정과 : Asked 비공개로 OKed 73.1.17

LABOR-MANAGEMENT AGREEMENT

BETWEEN

UNITED STATES FORCES, KOREA

AND

FOREIGN ORGANIZATIONS EMPLOYEES UNION

4 JANUARY 1973

CONTENTS

Article 1. General Objectives and Policies

Article 2. Definitions

Article 3. Controlling Authority

Article 4. Recognition of the Union

Article 5. Effective Date and Terms of Agreement

Article 6. Amendment and Renewal of Agreement

Article 7. Employer Responsibilities

Article 8. Union Responsibilities

Article 9. Employee Responsibilities

Article 10. Eligibility for Union Membership and Office

Article 11. Status of Union Officials

Article 12. Use of Official Time

Article 13. Limitations on Use of Official Time

Article 14. Use of Official Facilities

Article 15. Voluntary Union Dues Allotment

Article 16. Procedures for Labor-Management Relations

Article 17. Meetings and Other Union-Management Activities

12

Article 1. General Objectives and Policies

a. This agreement is made by and between the United States Forces, Korea (USFK), hereinafter referred to as the "Employer" and the Foreign Organizations Employees Union (FOEU), hereinafter referred to as the "Union." The parties to this agreement recognize that they have a mutual and cooperative interest in the effective accomplishment of the assigned responsibilities of the USFK, better employee-management communications and improved working conditions. Their mutual interests will be furthered by the establishment and maintenance of employee-management cooperation pursuant to the Labor Article, US-ROK Status of Forces Agreement (SOFA) or such directives as may become applicable.

b. This agreement and such amendments and supplementary agreements as may be agreed upon hereunder from time to time will constitute a Labor Management Agreement between the Employer and the Union. Both the Employer and the Union will undertake necessary actions to assure compliance with this Agreement. In instances of non-compliance the involved party will take immediate steps to assure compliance with procedures for labor-management relations of this Agreement.

Article 2. Definitions.

For the purpose of this Agreement, the following definitions apply unless otherwise specified:

a. The Employer. USFK and its Army, Air Force and Navy components at all levels of command (including KRE, and other nonappropriated fund activities) and activities associated with or under the jurisdication of the USFK or one of its military components. Included are those organizations and persons (including invited contractors) designated under paragraph 1a of Article XVII of Part II of the US-ROK Status of Forces Agreement.

b. The Employee. Korean national employees assigned to USFK components and activities identified under paragraph a above.

c. The Union. An organized Korean employee group (Foreign Organizations Employees Union) which represents the employees of the Employer cited above.

Article 3. Controlling Authority

In the administration of all matters covered by this agreement, the Employer and the Union shall be governed by the Labor Article of the US-ROK SOFA. This agreement and any supplementary agreements, memoranda of understanding and amendments shall, at all times, be applied subject to US-ROK SOFA. Where there is any conflict between the provisions of this Agreement and the provisions of the SOFA, the provisions of the SOFA will prevail.

Article 4. Recognition of the Union

The Employer recognizes the Foreign Organizations Employees Union as the exclusive representative of the employees of the Employer provided the following requirements are met:

a. A copy of the Union's constitution, by laws, and a statement of objectives are presented to the Employer.

b. A current roster of the Union's officers and representatives is furnished the Employer.

c. The Union has a membership of not less than 50 percent of the employees of the employer.

d. Requirements of Republic of Korea labor laws pertaining to union certification and union activities are met.

Article 5. Effective Date and Terms of Agreement

a. The effective date of this agreement shall be the date of signature by both parties. It will remain in effect for one year from the effective date.

b. Previous memoranda of understanding or agreements exchanged relating to subjects herein shall be superseded by this Agreement.

Article 6. Amendment and Renewal of Agreement

a. The parties may mutually effect amendments of, or supplements to, this Agreement before the expiration date if such action is necessary to reflect legal or regulatory changes. For other than legal or regulatory changes either party may, 90 days after renewal of this agreement, and no more often thereafter than each succeeding 90 day period during the life of the Agreement, give written notice to the other party of its intention to reopen negotiations for the purpose of amending the agreement or to negotiate any supplement thereto. Amendment is defined as the adding of a new article to the Agreement. It is understood by both parties that introductions of amendments to the Agreement does not contemplate and is not intended to mean complete or even substantive revision of the approved Agreement. Any request to reopen the Agreement to amend same, or to negotiate a supplement thereto, shall be in writing, and must include a summary of the amendment or supplement proposed and the reasons therefore.

All meetings to consider a proposed amendment or supplement will be conducted within a reasonable time after receipt by either of the parties of the other party's desire to amend or supplement the Agreement, and in no case be later than 30 calendar days after receipt of the written request.

b. The Agreement will be automatically renewed on the anniversary date, and on each anniversary date thereafter, unless ninety (90) calendar days prior to such date either party gives written notice to the other of its desire to terminate the Agreement. The notice must be acknowledged by the other party within ten (10) working days upon receipt. Upon such notice being given, the agreement shall terminate on the anniversary date.

Article 7. Employer Responsibilities

a. In the administration of all matters covered by this Agrement, the Employer and employees are governed by the prevailing laws and regulations of appropriate authorities, including the US-ROK SOFA; by published USFK policies and regulations in existence at the time the agreement is approved; and by subsequently published USFK policies and regulations required by law or by the regulations of appropriate authorities.

b. The Employer retains the right, in accordance with applicable laws and regulations (1) to direct employees of the units covered by this agreement, (2) to hire, promote, transfer, assign and retain employees within the units covered by this agreement, and to suspend, demote, discharge, or take other disciplinary action against employees, (3) to relieve employees from duties because of lack of work or for other legitimate reasons, (4) to maintain the efficiency and security of the US Government operations, (5) to determine the methods and personnel by which such operations are to be conducted and (6) to take whatever actions may be necessary to carry out the mission of the Employer during emergency situations.

c. The Employer will consult or negotiate, as appropriate, with the Union prior to implementation of major policy changes.

d. When requests are appropriate and require changes in policy outside the Employer's authority, the Employer will endeavor to obtain higher authority determination without undue delay.

Article 8. Union Responsibilities

a. The Union may make special requests for consultation or negotiation on policies and procedures relative to personnel policy and working conditions. The employer will take final action upon receipt of such requests in a timely manner.

b. Requests for consultation or negotiation will include, but not be limited to, such matters as working conditions and facilities, labor-management relations, employee services, disciplinary procedures, methods of adjusting grievances and appeals, granting of leave, promotion plans, demotion practices, internal classification and pay practices, reduction in force procedures, and hours of work.

c. When a formal grievance or appeal has been submitted by the employee to the Employer in accordance with prescribed USFK procedures, the Union has the right to provide information on behalf of the employee. The Employer, in turn, also has the right to request information from the appropriate Union officials during adjudication of the grievance or appeal.

d. The Union will submit semi-annually a roster identifying all union official positions of the national, chapter and sub-chapter levels.

e. The Union will inform the employer before establishing any new or additional union chapters or subchapters to determine the applicability of this Agreement thereto.

Article 9. <u>Employee Responsibilities</u>

a. Employees have the right, freely and without fear of penalty or reprisal, to organize or join, or to refrain from joining, any lawful employee organization.

b. Employees have the right to designate Union representatives for the purpose of consulting with management officials on individual grievance and appeals or to handle their own grievances and appeals, and to choose their own representatives in accordance with applicable regulations. The Employer will not discipline or otherwise discriminate against any employee because he has filed a grievance, testified at a grievance hearing, or designated a Union official as his representative on individual grievances and appeals.

Article 10. <u>Eligibility for Union Membership and Office</u>

a. In the interest of the effective and efficient operation of the US Forces, Korea, the Employer recognizes the right of all employees represented by this Agreement to join any lawful union or to refrain from such activity, and to exercise these rights freely and without fear of penalty or reprisal.

b. Except as provided in para c below, the right to join and assist a lawful union shall extend to participation in its management and to acting as an official union representative.

c. The following individuals may join the Union but may not act as a representative or participate in the management of the Union:

(1) Management Officials: An employee with or without supervisory responsibilities whose authority includes recommendation of or participation in the: (a) Planning and revising organizational structure; (b) Planning, evaluating and revising program, including development of policies and regulations; (c) Coordinating program; (d) Planning general work flow and methods; (e) Deciding overall goals and standards; (f) Budgeting and accounting, procurement, contacting and property disposal; (g) Exercising fiscal control; (h) Determining program and organizational needs for space, personnel and equipment; and (i) Investigating and inspecting programs, and directing corrective actions.

(2) Supervisors: An employee having authority, in the interest of a command or activity, to hire, transfer, suspend, lay off, recall, promote, discharge, assign, reward, or discipline other employees, or responsibly to direct them, or to evaluate their performance, or to adjust their grievances, or effectively to recommend such action, if in connection with the foreoging the exercise of authority is not of a merely routine or clerical nature, but requires the use of independent judgment (Exclusion: Level I Supervisor as define under Appendix A, EA CPP 690-2).

(3) Employees engaged in personnel work in other than purely clerical capacity.

d. In those cases not specifically covered by the above criteria, final determination of eligibility for union official will be made in accordance with the duties and responsibilities officially assigned by the Employer.

e. No employee shall carry on any activities as an officer, agent or member of the Union which will conflict or give the appearance of conflicting with the proper exercise of, or be incompatible with his official duties and responsibilities. In the event such a conflict arises, the Employer will notify the Union and employee concerned who will be provided at least 30 calendar days to correct his performance.

f. Union officials who are promoted and/or reassigned into positions where they are not eligible to hold union office under the preceding criteria will be permitted to serve as Union officials until their current term of office expires. These employees will not be eligible to run for another term of office unless they request to be relieved of their supervisory or managerial responsibilities.

Article 11. Status of Union Officials

a. No union official acting in an official capacity will be discriminated against for his acts as a union official so long as such acts are in

17

accordance with this Agreement, the Labor Article of the SOFA, and ROK Labor Laws nor will there be any discrimination against any employee because of his authorized union activities.

b. The Union will not undertake any disciplinary measures or other actions intended to hinder any supervisor or employee in the discharge of his official duties.

c. The Employer will inform the Union about adverse personnel actions affecting union officials who are elected to an office in accordance with the Union constitution and this agreement.

Article 12. Use of Official Time

a. Union-management meetings will normally be conducted during regular working hours. Time spent by union officials in attendance at official union-management meetings and other joint union-management activities will be considered regular duty time. Participation by a union official in appeals board meetings also will be considered regular duty time, so long as the union officials are officially designated by employees concerned. The following criteria on use or time-off for union-management activities without charge to annual leave or loss of pay will apply:

(1) The National President -- up to 50%.

(2) Secretary General and Vice-Presidents at national level -- up to 40%.

(3) Chapter Presidents -- up to 40%.

(4) Subchapter Presidents, Vice-Presidents of Chapters and Chiefs of Departments at the national level -- up to 15%.

(5) Subchapter Vice-Presidents -- up to 10% of the regularly scheduled tour of duty during a pay period (limited to two vice-president per sub-chapter).

(6) Chiefs of Departments at the Chapter level may be granted time off on an occasional basis as needed, but normally not to exceed 10%.

(7) Those chapter presidents south of Pyongtaek will be permitted two-days time-off without charge to annual leave to attend the monthly FOEU Central Committee meeting. All other chapter presidents will be granted one day administrative leave to attend these meetings.

b. Time-off in excess of the above limits may be individually granted by the Employer to cover increased union-management activities which might abnormally occur during a peak period. Such approvals must be consistent with prevailing workload and mission-support needs.

c. In cases when a union official holds two or more union offices, use of time-off is limited to business of only one office whichever is greater.

d. Union officials will request time-off with adequate justification sufficiently in advance to permit rescheduling of work. Time-off described above will not be denied by supervisors except for immediate and temporary reasons of urgent workload for which employees' services are clearly essential. When time-off cannot be granted, the employee will be informed when an alternate time-off period can be granted.

e. Leave without pay for union officials to serve full-time on union activities may be approved on request of the Union's national office. Full time service with the Union on a leave-without-pay basis will be creditable for reduction in force and step increase purposes. Service credit for severance pay will be recognized for a period of up to two (2) years.

Article 13. <u>Limitations on Use of Official Time</u>

a. Activities identified solely or predominantly with internal Union affairs such as planning and conducting Union national and chapter conventions and meetings, conduct of Union officer elections, solicitation of membership, and similar activities will be conducted during off-duty and off post.

b. Distribution of union literature and collection of union dues will not be conducted during regular working hours, but may be conducted outside of regular working hours such as lunch periods on-post, so long as such activites do not involve union or group meetings.

Article 14. <u>Use of Official Facilities</u>

Material submitted by the Union for posting on bulletin boards may be posted at designated locations only after obtaining consent of the appropriate commander or his official representative.

Article 15. <u>Voluntary Union Dues Allotment</u>

a. The Employer agrees to check-off dues by payroll deduction subject to provisions of the following paragraphs.

b. Any employee desiring to have his union dues deducted from his pay may, at any time, complete and sign the appropriate portions of the approved form, Request and Authorization for Voluntary Allotment of Compensation for Payment of Employee Organization Dues. Such deductions will be effective on the first full pay period following the date that a properly completed allotment form for voluntary deduction is received in the appropriate payroll office.

c. The properly completed form with certifications by the designated officials of the Union will be forwarded or delivered to the Employer's appropriate servicing area civilian personnel office for transmission to the appropriate payroll office. Area civilian personnel officers will assure that completed forms are transmitted to the appropriate payroll office within one day after receipt.

d. A deduction of one hour's pay in Step D of the pay grade of the employee for each pay period will be made from the pay of an employee who has requested an allotment for dues to the Union, except no deduction for dues will be made by the Employer in any period for which the employee's net earnings, after the other legal and required deductions, are insufficient to cover the full amount of the allotment for dues. Employees paid on a monthly basis (invited contractors, open messes, and certain Special Services) will have a 13th union dues check-off by deduction from the year-end bonus.

e. A fee of 5 Won per deduction per each pay period will be charged by the Employer for administrative services rendered in connection with the dues withholding program.

f. The amount of the administrative fee to be retained by the Employer will be deducted from the total dues withheld each pay period and the remaining amount will be transmitted by the Employer to the Union not later than 40 working days from the close of each pay period.

g. The Employer will provide the Union with an initial list in duplicate reflecting the activity name, employee's name, individual amount deducted, total amount withheld by the Employer for service fee and the net amount remitted to the Union. Each pay period a list of additions or deletions will be provided and a revised updated list will be submitted at least semi-annually to the Union.

h. An employee who authorizes withholding of Union dues may request revocation of withdrawal at any time by submitting in duplicate a completed form, Revocation of Voluntary Authorization for Allotment of Compensation for Payment of Employee Organization Dues, or other written request.

i. The Employer will discontinue the withholding of dues from the employee's pay at the beginning of the first full pay period either after 1st March or 1st September of any calendar year, whichever date first occurs after the revocation is received in the appropriate payroll office of the Employer.

j. Any individual allotment for dues withholding will also be terminated automatically upon the employee's separation.

k. The Union will give written notification to the Employer within 10 days after an employee participating in the dues deduction program ceases, for any reason, to be a member in good standing of the Union, i.e., he resigns, has been suspended, or is expelled, in order that the Employer may terminate his allotment of dues.

l. The Union will be responsible for insuring the approved voluntary allotment form is made available to its members and will insure that the forms are properly completed and certified before transmitting them to the Employer.

m. The Union recognizes its responsibility for seeing that its member-employees are fully informed about the program for payroll deductions for Union dues, its voluntary nature and the use and availability of the required forms.

n. Changes in the amount of individual employee allotments, by reason of changes in the amount of Union dues, shall not be made more frequently than once a year.

o. The Union shall furnish the Employer, at the earliest practicable date, the name and signature of its representative(s) who are designated to certify the voluntary allotment form. The Union will be responsible for giving the Employer prompt notification of any changes in this designation.

p. The above procedures are applicable also to invited contractors, NAF activities, and to KRE. Separate arrangements may be made prior to implementation to meet certain special administrative requirements.

Article 16. <u>Procedures for Labor-Management Relations</u>

In resolving group grievances initiated by the Union, the following procedures will apply:

a. Grievances will first be considered at the Union subchapter or local chapter level, at the local command and on-site activities including invited contractors. Local chapters of the Union, as a minimum, will be notified in advance on reduction in force in organizations where 3 or more encumbered positions are scheduled for cancellation, and similarly on significant change to lower grade actions and the reasons therefor. They will also be provided with information as to any placement actions taken to assist surplus employees in continued USFK employment.

b. Union grievances unresolved between local Employer and Union representatives will be referred for resolution, without delay and without resort to actions not in line with this Agreement, to higher union levels up to the National Union level.

c. Unresolved group grievances will be referred by the National Union to the respective headquarters of the Army, Air Force, Navy and KRE for resolution.

d. Grievances involving overall policy matters not resolved at separate component command headquarters levels will be referred by the National Union or separate command headquarters for review and further action by Headquarters, USFK.

e. Individual employee appeals and grievances are specifically excluded from this Article. Such individual grievances and appeals will be handled in accordance with established separate policies and procedures of the Employer.

f. The Union will prohibit and, if necessary, eliminate any action disruptive to Employer's normal work requirements during the course of settlement procedures.

g. The Employer may initiate complaints against the Union following procedures similar to those set forth above.

Article 17. Meetings and Other Union-Management Activities

Meetings will be held as follow:

a. Each level of command (inclusive of clubs, KRE, and Invited contractors) and recognized union element will hold meetings on a periodic basis, with records maintained of the subjects discussed and agreements, if any, reached.

b. In addition to regularly scheduled meetings, special meetings may be held at the request of either party with appropriate notification of subjects for discussion.

c. Subject to Employer's approval, Union officials may request participation in management activities including attendance at special ceremonies, events, and conferences pertaining to Union members.

4 January 1973

FOR UNITED STATES FORCES, KOREA:

F. R. GOSS
Chairman
Joint Labor Affairs Committee

FOR FOREIGN ORGANIZATIONS EMPLOYEES UNION:

KANG CHU WON
President

CHANG SU TOK
Secretary General

11

23

제목 : 미군 직속 업무 하청반대 진정 <73.5.30>

1. 진정내용

가. 주한미군 당국은 시흥 미사일부대 미군직속 경비원을 감원, 그 자리를 하청업자에게 전환 시킬 계획을 수립하여 미육군성에 승인신청중.

나. 미육군성 승인이 나면 전국 1,500명 직속 경비원을 점차로 하청으로 전환할 단계에 처함.

다. 하청으로 전환되면 1인당 년 $2,000(미군 직속 경비원 1인당 년 $3,400, 하청업체 경비원 1인당 년 $1,400)전국적으로 년간 $3백만 (12억원)의 손실을 보게됨.

라. 10여년간 미군의 생명과 재산을 위해 근무한 사실과 하청계획으로 임금 및 근로조건이 저하 된다면 생계의 위협을 받게된다는 사실을 감안, 동 하청계획이 철회되도록 선처를 요망함.

2. 73. 6. 14. 0940 노동청 노정과장과 통화, 다음 사실을 확인함.

가. 73. 6. 7. 미육군성 인사처장이 방한, 노동청장 방문시 아측 입장 (현재의 처우를 개선시키지는 못할지언정 하청으로 전환하여 더 불리한 상태를 초래하지 않기바람)을 설명하고 또한 같은 취지를 노동청장이 공한으로 주한 미군사령관에게 통보 하였으며, 아직 회답을 미접함.

24

전 국 외 국 기 관 노 동 조 합 서 울 지 부

(42-6695)   노사조정관담당관실

전외노서지제 73- 36 호   1973. 5. 30

수 신   외무부장관 귀하

제 목   미군 직속업무 하청반대 진정서 제출

최근 미군당국은 시흥 미사일부대의 경비를 담당하고있는 미군직속 경비원8명을 감원시키고 그자리를 하청업자에게 전환시키려는 계획을 수립하고 이를 미육군성에 승인신청을 해놓고 있는 중입니다.

미육군성에서 승인이 나면 곧미사일부대 직속경비업무가 하청으로 전환되며 이를 시초로 전국 직속경비원들1,500명이 점차적으로 하청전환될 단계에 처해 있읍니다.

귀 하께서도 주지하시다시피 미군직속업무가 하청으로 넘어간다면 개인적으로나 국가적으로 막대한 손해를 초래하므로 본지부는 이를 적극 반대하며 하청전환계획을 즉각 철회할것을 요구하기에 이른 것입니다.

따라서 본지부는 1973. 5. 30본지부 사무실에서 산하 경비분회 대표자회의를 개최하고 별첨과 같은 진정서를 관계요로에 보내기로 결의되여 이를 제출하오니 검토하시고 미군당국의 직속업무 하청전환 계획이 철회되도록 선처해 주시기 바랍니다.

유 첨: 진정서 1통
운영위결의문 1통
전국경비대표자회의결의문 1통
대의원대회 결의문 1통
미군측에 보낸 진정서 사본 1통 끝

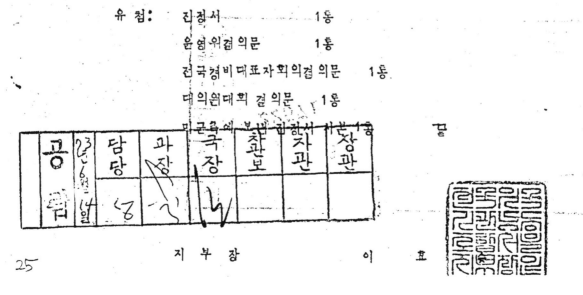

공람	23. 6월 14일	담당	과장	국장	차관보	차관	장관
		(서명)	(서명)	(서명)			

지 부 장 이 효

25

외	무	부
접수일시	1973	14 : 31
접수번호	22574	
주무국		
담당자		
처리근거		197 . . .까지 처리할것

진 정 서

최근 주한미군당국은 영등포시흥에 소재한 미사일부대의 직속경비업무(8명)를 하청업자에게 전환시키려는 계획을 미육군성에 상신하므로서 직속업무의 점차적인 하청전환을 시도하고있음에 대해 우리 전국외기노조 서울지부 산하 경비원 일동은 이를 통열히 규탄하면서 다음과 같이진정하는 바입니다.

직속업무의 하청전환이란 곧근로조건의 저하를 말하는것이며 세계의 부강국이라할수있는 미국의 고용주로서 근로자들의 근로조건을 저하시킨다는것 자체가 이해할수없는 일이며 근대 세계각국의 노동사를 보더라도 근로조건의향상은 못될지언정 저하되는 예는 찾아볼수없는 실정임에도 미군당국이 하청전환으로 우리들의 근로조건을 저하시킨다는것은 명분이없는 조치라 아니할수 없읍니다.

주한미군이 현재 미사일부대 직속경비업무8명에 대한 하청전환 계획을 진행중에 있으나 이는 전체직속업무를 하청으로 넘기려는 전초전이 분명하며, 본미사일 경비업무가 하청으로전환되지 않는다고단언할수 없는일이기에 우리는 결사코 본미사일 경비 업무의 하청전환을 반대하는 바입니다.

임금면에서 볼때, 미군직속경비원의1인당 년간임금이약$3,400이며, 하청업체 경비원의1인당 년간 임금은 약$1,400으로서 직속경비원의 하청업체로 전환될 경우 1인당 년간$2,000(한화800,000원)의 손해를 보게되며 이하청전환이 전국 1,500명 경비원에게 이루어진다면 년간약3백만불(한화12억원)의 막대한 국고손실을 초래하게 되며 여타 근로조건도 전반적으로 대폭저하됩니다. 더욱이 하청업자들의 경쟁으로 덤핑 입찰이될 염려가 있으며 이는 외화획득에 많은 손실과 지장을 초래할 우려가 있읍니다. 또한 이와같이 근로조건의 저하현상은 국내타사업장에도 악영향이 미칠 우려가 많으며 하나의 사회문제로 진전될 가능성도 많은것입니다.

특히 고용의 변동이 없음에도 불구하고 근로자들을 감원시키고 하청업자에게 넘긴다는것은 한국근로기준법에도 위배되는일이며 미군규정에도 불합리한 처사라 아니할수

26

없읍니다.

우리는 10여년간 미군당국의 인명과 재산보호를 위해 성실히 근무해오는 동안 청춘을 다바쳤고 따라서 6-7명의 부양가족을 거느리면서 부족하나마 현봉급으로도 생계를 이어 왔읍니다.

그러나 미군당국의 하청계획으로 우리들의 임금 및 근로조건이 저하된다면 이는 사형선고와 다름없는 생계의 위협을 초래하므로 금번미군당국의 직속업무 하청전환 계획을 결사반대하는 바이며 아울러 본하청계획이 철회되도록 선처해 주시기 진정하는 바입니다.

귀하의 건투를 빕니다.

1973. 5. 30

전국외국기관노동조합서울지부

경비분회 조합원 일동

127

경비업무 하청반대 결의문

최근 주한미군 당국은 미사일부대의 경비직을 하청으로 전환시키려는 계획을 시도하고 있는바 이는 종업원의 기존 근무조건을 저하시킬뿐 아니라 외기노조의 하청반대에 대한 기본방침을 무시한 처사이기에 1973. 3. 29 개최된 외기노조 서울지부 제10차 정기 운영위원회는 직속경비 하청반대 투쟁위원회를 구성하고 다음과 같이 결의한다.

1. 미군당국은 시흥 미사일부대 경비업무의 하청전환 계획을 즉각 철회하라.
2. 미군당국은 하청전환에 대한 노사합의사항을 준수하라.
3. 우리는 여하한 이유로도 우리의 근로조건 저하를 결사 반대한다.
4. 우리는 이상과 같은 우리의 요구조건 관철을 위해 극한투쟁도 불사한다.

1973. 3. 29

전국외국기관노동조합서울지부

직속 경비 하청반대 투쟁위원회

28

전국외국기관노동조합 "사본"

전외노 제12-379호 1973. 3. 17

수 신 주한미군 사령관

제 목 전국직속경비원대표자및 분회장회의 결의사항 통보

본조합은1973. 5. 8 노동회의실에서 전국직속경비원대표자 및 분회장 회의를 개최한바 있으며, 동회의에서는 직속경비업무의하청 전환설이 때때로 유포되고있는 사실을 중대시하고 이는 기존임금 및 기존 근로조건의 저하를 책략하는 근로기준법 위반행위이며 국민의생명과 재산을 보호하면서 젊음을 다바친 경비원에 대한 비인도주의적인 처우임을 확인하고 다음과 같이 결의하였음을 알려드리오니 이로인하여 불필요한 노사분규가 발생하지 않도록 충분한 배려를 바랍니다.

결 의 사 항

(1) 우리는 미군기관에서 근무하는 전체직속경비원을 대표해서 우리의 임무가 중차대함을 재인식하고 스스로 그사명을 더욱 충실히 수행할것을 굳게 다짐한다.

(2) 우리는 때때로 우리의 신경을 날카롭게하는 직속경비업무의 하청전환설이 사실이 아닌것으로 믿으나 만에 일이라도 우리의 임금이나 근로조건의 저하를 초래할 부당한 계획이 사실이라면 우리는 우리의 모든조직을 총동원하여이를 철저히 저지할것임을 만천하에 천명한다.

(3) 우리는 특히 근간발생한 누명을 씌운경비원 부당집단해고사건과 이유없이 초소감축등을 하청전환을 위한 책략으로 보고이를 결코 용납하지 않을것임을 결의한다.

(4) 우리는 상기한바 저지투쟁을 위하여 필요할때는 여하한 극한투쟁도 불사한다. 끝

위원장 강 주 원

직속업무 하청반대 결의문

주한미군당국은 직속업무를 하청으로 전환시키려는 계획을 시도하고있음에 1973. 5. 4 개최된 본지부 제12차 정기 대의원대회는 다음과 같이 결의한다.

1. 미군당국은 직속업무의 하청전환 계획을 즉각 철회하라.
2. 미군당국은 하청전환에대한 노사합의 사항을 준수하라.
3. 우리는 여하한 이유로도 우리의 근로조건 저하를 결사반대하한다.
4. 우리는 이상과 같은 우리의 요구조건 관철을 위해 극한투쟁도 불사한다.

1973. 5. 4

전국외국기관노동조합서울지부

제12차 정기 대의원 대회

30

진 정 서

주한미군의 인명과 재산을 보호하는 우리직속경비원일동은 최근 주한미군당국이실시하려는 시흥 미사일부대 직속경비업무(8명) 하청전환계획에 대해 이를 결사 반대하면서 다음과 같이진정을 하는 바입니다.

직속업무를 하청전환 한다는것은 곧근로조건을 저하시킨다는것임에 하청전환에 대해서는 사전 노사간에 협의를 하도록 1961년도에 주한미군당국과 외기노조간에 체결된 합의각서가있으며 최근에도 본외기노조 중앙위원회에서 직속업무 하청전환반대에 관한 결의문을 주한미군 사령관에게 보내여 하청전환에 관한 외기노조의 굳은 결의를 표명한바있음에도 불구하고 금번 미사일부대 직속경비업무를 일방적이며 전격적으로 하청전환 시키려는 주한미군당국의 조치는 근로자의 존엄성을 무시하고 노사협조 정신을 외면하면서 노사평화를 파괴하는 비신사적인 조치라 아니할수 없읍니다.

더욱이 그들이 소속된 단위 부대에서는 직속경비원들을 필요로 하고있음에도 불구하고 하청업자에게 넘기려는 주한미군당국의 의도는 조그마한 예산상의 이익을 보기위해 20여년간 충실히 근무해온 종업원의 근로조건을 저하시키고 노사분규를 초래하는 처사로 사료되는 바입니다.

우리 외기노조 서울지부산하 직속경비원일동은 상기와같은 주한미군당국의 하청전환계획이 즉각철회되기를 기원하며 우리의 요구가 관철될때가지 결사 투쟁할것을 굳게 결의하면서 연서명으로 진정을하는 바입니다.

1973. 3. .

전국외국기관노동조합 서울지부 산하

직속 경비원 일동

31

서 울 지 구 인 사 처 "사본"

외기노조 서울지부장

이지부장

유도탄 대대 경비원 하청전환이라 제목한 외기노조 서울지부 공문 13-26의 1973년 5월 21일자 귀하의 공문 회신입니다.

전에 논의된바와같이 관리중의 유도탄대대의 직속경비원의 하청전환 신청은 육군성에 의한 최종결정으로 아직 계류중에 있읍니다.

귀하는 본인사처에서 결정을 받는대로 통보 될것입니다.

경 구

관 보무신

인사처장 대리

32

기 안 용 지

분류기호 문서번호	미이 723 -	(전화번호)	전결규정 9 조 2 항 국장 전결사항
처리기간			
시행일자	1973. 6. 14.		
보존년한		국 장	
보조기관	과 장		협조
기안책임자	김성실	북미 2 과	
경유 수신 참조	전국 외국 기관 노동조합 서울지부장	발신	통제
제목	미군 직속 업무 하청 반대 진정		

대 : 전외노서지 제 3 - 36호 (73. 5. 30.)

귀하께서 진정한 시흥 미사일 부대 미군 직속 경비원의 하청 전환계획 철회요청건은 주무관청인 노동청이 현재 미군당국과 접촉중이며, 미측의 회답을 얻는대로 결과가 통보될 것임을 알려드립니다.

끝.

정서

관인

발송

36

33

공통서식 1—2 (갑)
1967.4.4 승 인

190mm×268mm (1급인쇄용지70g/m²)
조 달 청 (500,000매 인 쇄)

노 동 청

노사 1453- 8801 63-0456 1973. 8. 16.

수신 SOFA 한미합동위원회 의장 "김 동휘" 귀하

제목 쟁의행위 제한자 범위 결정 작업에 따른 협조

1. 미 8군 인사처장으로 부터 별첨과 같이 1969. 10. 23. 제 43차 한미합동위원회에서 공식적으로 노동분과 위원회에 부과된 주한미군 한국 근로자의 노동쟁의 시의 노동쟁의 행위를 금하는 직무 범위 결정 과제에 대하여 의견을 제시하여 온바 있었으나 1971. 12. 27. 국가보위에 관한 특별조치법이 시행된 이후 동법 제 9조 제1항에 의거 동 주제 과제 작업이 필요없다고 사료되어 별첨과 같이 회시하였으니 한미합동위원회 운영에 참고하여 주시기 바랍니다. 끝.

발송 No. 1973. 8. 16 노동청

SOFA 노동분과위원회의장 이 문

EACP-K

Mr. Lee, Moon Hong
ROK Chairman
Labor Subcommittee
Under the Joint Committee
Established by Article XXVIII of
the Status of Forces Agreement (SOFA)

Dear Mr. Lee:

This is in reference to a task assigned by the Joint Committee of SOFA to Labor Subcommittee, SOFA, to develop implementing procedures of paragraph 4(b) of SOFA Article XVII. Specifically, the task is to identify essential categories of Korean employees of USFK and to develop a procedure to insure the continued availability of such essential employees during any collective actions in the event of a labor dispute. This task was assigned to the Subcommittee on 16 October 1969 and this assignment was officially noted by both ROK and US Chairmen of the Joint Committee during the 43rd joint meeting held on 23 October 1969.

Since the assignment of the task, a series of the Labor Subcommittee meetings were held and the US component of the Subcommittee presented its position to the ROK component. Per ROK Chairman's request, this office provided information on job contents of the proposed Jobs Exempted from Collective Action on 22 July 1971. Since then, no action has been taken by your office.

Persuant to USFK Policy Directive 5-6, dated 2 April 1971, on Organizations and Mission of the US Component of Subcommittee established by the US-ROK Joint Committee this office has been submitting a report on activities of Labor Subcommittee to US SOFA

35

EACP-K
Mr. Lee. Moon Hong

Secretariate every month without change in its content since July 1971. (See a sample copy of the report attached herewith.) It is my opinion that subject report is no longer necessary.

It is the desire of COL D.P. Heekin, the US Component Chairman of the Labor Subcommittee to make a recommendation to the Joint Committee that the subject task be withdrawn and no further action be taken on the subject matter. In view of Article XVII of UX-ROK SOFA and in consideration of the intent of OLA Regulation #103, Instructions on Collective Bargaining and Mediations on Labor Disputes under the National Emergency, it seems extremely unlikely that collective actions, such as a strike or work stoppage, will take place in the foreseeable future. With your consent, this office will prepare a recommendation to the Joint Committee to this effect for counter signatures by the ROK-US Chairmen of the Labor Subcommittee.

Sincerely,

F. R. GOSS
Civilian Personnel Director

15-3331-2
15-2311-2

36

62-5311-5
62-3971-4

민 원 서 류
처리기한 : 73. 9. 8.

협 조 전

기관 : 125 - 644　　　　73. 9. 1.

수신 : 북이 2 과장

제목 : 진정서 처리 의뢰

1. 별첨 진정서를 민원 사무처리 규정 제12조에 의하여 7일내에 처리하고 진정인에게 처리결과를 회신하는 동시에 동 조치 공문사본 1매를 당실로 송부하여 주시기 바랍니다.

2. 진정에 대한 회신 공문 상단에 민원서류임을 표시하는 주인을 반드시 찍고 상기 처리기한을 명시하시기 바랍니다.

3. 가) 대통령 민원비서실로 부터 이첩, 처리의뢰된 진정서의 회신에는 진정인이 대통령 각하에게 행한 진정에 대한 회신임을 반드시 회신 공문상에 명시하고,

나) 대통령 민원비서실로 부터 결과 보고를 청한 이첩건은 반드시 장관의 확인, 결재를 받으며,

다) 기타 보고 요청이 없는 이첩건에 대하여는 최소한 국장 이상으로 결재 받으시기 바랍니다.

별 첨 : 진정서 1통. 끝.

민원사무 통제관

감 사 관 [signature]

37

진 정 서

요. 1,000여명의 직속 경비원의 미군 하청전환에 대한
지. 정부의 적극적인 뒷받침과 국내 용역업자의 협조로서
근로기준법 위반과 외화획득을 크게 감소시키는 국가
적 손실을 방지하고 그들의 직장이 수호되도록 하여
주시기 바랍니다.

국사다망 하신데 잠시나마 심려를 끼쳐 죄송하오나 본건은 국가적으로나 근로기준법상으로나 도저히 용납될 수 없는 일이기에 다음과 같이 진정하오니 이것이 시정될 수 있도록 조치를 바랍니다.

주한미군당국은 본조합 조합원인 동두천, 파주, 시흥등지의 미군 직속 경비원 47명이 담당해오던 업무를 한국용역업자에게 하청으로 전환 시킬것이라고 1973. 8. 20 조합에 통고해 왔는바 이는 전국의 전체 미군 직속 경비원 약 1,000명을 하청으로 넘길 계획의 일환으로 보여집니다.

미군측의 하청전환 속셈은 한국업자에 넘김으로서 경비를 절감하는데 있는바, 하청전환을 위해서는 종업원을 10여년간 지켜오든 직장으로부터 이유없이 일단 해고해야 합니다.

미군직속 경비원의 1인당 연간임금은 약 3,200불이며, 하청경비원의 경우는 연간 약 1,400불이므로 종업원은 계속 동일한 노동을 하면서도 임금은 당장 그만큼 감소됩니다. 이는 당해 종업원만의 손해가 아니라 국가적으로도 연간 약 180만불 (약 7억원) 의 외화획득상의 손실을 보게 됩니다.

또한 정당한 이유없이 감봉시키거나 해고시킴은 근로기준법 제 27 조에 위배되는 범법행위이며, 부당노동행위 입니다.

— 1 —

38

외 무 부

31 AUG '73 16 02

접수
일시

접
번 제 56479

주

담당자

위
근 업
거

이러한 범법행위는 한미행정협정상 용인될 수 없는 것입니다. 동시에 미군측의 하청정책은 한국용역 하청업체의 동조없이는 이루어질 수 없는 것입니다. 다시말하면 한국업자의 첨부가격이 직속의 임금과 동일하다면 미군측은 용역을 하청시킬 생각을 하지않을 것입니다.

그러므로 상기한 국가적 개인적 손실과 범법을 막는 지름길은 업자들이 미군측에 동조하지 않는 것입니다. 아울러 미군당국의 이와같은 불법처사는 사용자의 도덕상 또는 근로기준법상 용납되지 않음을 미군당국에 주지시켜 고용안정이 되도록 하여야 합니다.

상기와 같은 실정을 진정하오니 내용을 충분히 파악하시와 종업원과 수천가족의 생활터전을 안정시켜주시고 법질서의 유린과 외화획득상의 손실을 막고 약 1,000명의 근로자의 권익의 침해를 방지하여 주시기 바랍니다.

이러한 사태를 당국이 방치한다면 당해 종업원은 부득이 처자식과의 생계를 위하여 결사적 투쟁을 전개않을 수 없을 것인바 그러한 사회적 혼란이 방지될 수 있도록 조치하여 주실것을 거듭 진정합니다.

1973. 8. 27

전 국 외 국 기 관 노 동 조 합

위 원 장 이 효 승

39

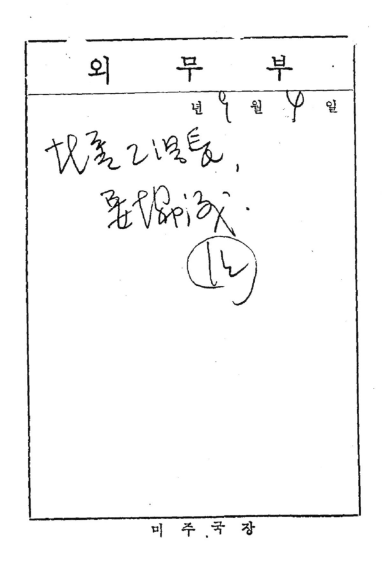

외 무 부

년 9 월 4 일

北美2課長,

安保課長

미 주 국 장

40

미 주 국

1973 . 9 . 3 .

담 당	과 장	국 장	차관보	차 관	장 관
(서명)	(서명)				

<u>제 목</u> 주한미군 직속경비원 하청 전환

<u>요 약</u>

1. <u>외기노조측 진정내용</u>

   가. 73. 8. 20. 주한미군 당국은 동두천 등지의 한국인 직속경비원 47명을 한국 용역업자로 하청 전환한다고 일방적으로 통보해 온바, 동 하청계획이 철회되도록 선처 요망.

   나. 하청으로 전환되는 경우 1인당 년간 임금 $1,400 (직속경비원 경우$3,200) 으로 년간 전국적으로 약 180만불 (7억원)의 손실.

2. <u>노동청의 요청사항</u>

   가. 73. 4. 18. - 8. 31. 5회에 걸쳐 주한미군 사령관 앞으로 종전대로 직속 고용토록 요청하는 공문 발송.

   나. 동 미측 조치는 노사 당사간 간의 충분한 노사협의없이 일방적인 조치인바, 본건 처리에 대한 당부 협조 요청.

<u>조치사항</u>

41

노 동 청

노사 1453- 0154 63-0456 1973. 8. 31.

수신 외무부장관

참조 미주국장

제목 주한미군 직속 경비원 하청 전환에 대한 협조

1. 전국 외국기관 노동조합 위원장으로 부터 별첨과 같이 주한미군 직속 경비원의 하청 전환 조치에 따른 진정서가 접수되었기 별지와 같이 주한미군 사령관에게 요청하였아오니 귀부 에서도 적극 협조하여 주시기 바랍니다.

첨 부 : 1. 진 정 서 1부.

2. 협조 공문 사본 1부. 끝.

1973. 8. 31 노동청

노 동 청

142

외 무 부		결재	
접수 일시	197 . AUG '73 9 : 28		
접수 번호	56561		
주무과			
담당자			
귀 근 임 거		197 . . . 까지 처리할것	

[illegible]

진 정 서

요. 1,000여명의 직속 경비원의 미군 하청전환에 대한
지. 정부의 적극적인 뒷받침과 국내 용역업자의 협조로서 근로기준법 위반과 외화획득을 크게 감소시키는 국가적 손실을 방지하고 그들의 직장이 수호되도록 하여 주시기 바랍니다.

국사다망 하신데 잠시나마 심려를 끼쳐 죄송하오나 본건은 국가적으로나 근로기준법상으로나 도저히 용납될 수 없는 일이기에 다음과 같이 진정하오니 이것이 시정될 수 있도록 조치를 바랍니다.

주한미군당국은 본조합 조합원인 동두천, 파주, 서울등지의 미군 직속 경비원 47명이 담당해오던 업무를 한국용역업자에게 하청으로 전환 시킬것이라고 1975. 6. 20 조합에 통고해 왔는바 이는 전국의 전체 미군 직속 경비원 약 1,000명을 하청으로 넘길 계획의 일환으로 보여집니다.

미군측의 하청전환 속셈은 한국업자에 넘김으로서 경비를 절약하는데 있는바, 하청전환을 위해서는 종업원을 10여년간 지켜오던 직장으로부터 이유없이 일단 해고해야 합니다.

미군직속 경비원의 1인당 연간임금은 약 3,200불이며, 하청경비원의 경우는 연간 약 1,400불이므로 종업원은 계속 동일한 노동을 하면서도 임금은 당장 그만큼 감소됩니다. 이는 결코 종업원만의 손해가 아니라 국가적으로도 연간 약 180만불 (약 7억원) 의 외화획득상의 손실을 보게 됩니다.

또한 정당한 이유없이 감봉시키거나 해고시킴은 근로기준법 제 27조에 위배되는 범법행위이며, 부당노동행위 입니다.

— 1 —

43

이러한 범법행위는 한미행정협정상 용인될 수 없는 것입니다. 동시에 미군측의 하청정책은 한국용역 하청업체의 동조없이는 이루어질 수 없는 것입니다. 다시말하면 한국업자의 청부가격이 직속의 임금과 동일하다면 미군측은 용역을 하청시킬 생각을 하지않을 것입니다.

그러므로 상기한 국가적 개인적 손실과 범법을 따는 지름길은 업자들이 미군측에 동조하지 않는 것입니다. 아울러 미군당국의 이와같은 불법처사는 사용자의 도덕상 또는 근로기준법상 용납되지 않음을 미군당국에 주지시켜 고용안정이 되도록 하여야 합니다.

상기와같은 실정을 진정하오니 내용을 충분히 파악하시와 종업원과 수천가족의 생활터전을 안정시켜주시고 법질서의 유린과 외화획득상의 손실을 막고 약 1,000명의 근로자의 권익의 침해를 방지하여 주시기 바랍니다.

이러한 사태를 당국이 방치한다면 당해 종업원은 부득이 처자식과의 생계를 위하여 결사적 투쟁을 전개할 수 없을 것인바 그러한 사태의 온갖이 방지될 수 있도록 조치하여 주실것을 거듭 진정합니다.

1973. 8. 27

전국외국기관노동조합
(23-1564)
위원장 이 효 승

44

사본

노 동 청

노사 1453- 63-0456 1973. 8. 31.

수신 주한미군 사령관

제목 주한미군 직속 경비원 하청 전환에 대한 협조

1. 전국 외국기관 노동조합 위원장 "이효승"의 진정서에 의하면 주한미군 직속 경비원 1,000여명중 동두천, 파주, 시흥 등지에 근무중인 47명이 담당해오던 업무를 한국 용역 업자에게 하청 전환 한다는 통보를 73. 8. 20. 수리하고 직속 경비원 1,000여명은 10여년간 성실히 근무한 직장으로 부터 부당하게 해고된다는 사실에 크게 동요하고 있으며,

2. 협정 제17조 제3항의 규정에 따라 미합중국 군대가 한국 고용원을 위하여 설정한 고용조건, 보상 및 노사관계는 한국의 노동법령의 제규정에 따라야 하도록 되어 있으며 한국의 근로기준법 제2조, 제3조, 제4조 및 제27조에서는 근로조건의 저하 불인, 근로조건의 자유로운 결정, 노사간의 근로조건의 준수 의무 및 해고 제한 등이 명시되어 있음에도 단체협약에 명시된 노사 당사자간의 충분한 노사협의 없이 일방적인 조치에 대하여 노동조합이나 해당 근로자들은 크게 반발하고 있읍니다.

3. 본관은 이 문제와 관련하여 귀하에게 주한미군 직속 경비원을 종전대로 직속 고용하여 줄 것을 내용으로 하여 이미 노사 1453-3843 (73. 4. 18), 노사 1453-4370 (73. 5. 3), 노사 1453-5318 (73. 5. 29) 및 노사 1453-6843 (73. 7. 6)호로 요청한 바 있읍니다만 만부득이 하청시는 근로조건의 저하없이 고용관계가 승계되도록 충분한 노사협의를 거쳐서 원만하게 조치하여 주시기 바라며, 아울러 본건 처리에 대한 귀견을 회시하여 주시기 바랍니다. 끝.

노 동 청 장

85

韓國人경비원 集團해고

美軍、1次로47명 10月1日부터

전국외기노조(위원장 李承)는 7일 주한 美軍당국이 월2백40「달러」의 임금을 받고있는 東豆川·坡州·始興등지의 미군직속 경비원 47명을 1차로 오는10월1일자로 해고조치하고 이들대신 군납조합(이사장 洪福元)산하 각하청업자들과·개별적으로 월1백20「달러」의 반값으로 용역계약을 맺으려한다고 주장、이를 시정해줄것을 노동청등관계기관에요청했다.

이진정에 따라 노동청은 10여년간 美軍직속 경비원으로 일해온 1천여명의 한국인들을 아무런 이유없이 해고하는 조치는 근로기준법및韓·美행정협정17조3항규정에 어긋난다고지적、이를 시정해줄것을 요청하는 협조공문을 주한미군사령관에게 보냈다.

韓·美행협17조3항에는주한미군의 고용원에대한 노사관계는 대한민국 노동법령에따르도록규정하고있다.

'73. 9. 7. <중앙>

협 조 문	응신기일

분류기호 및 문서번호	미이 723 - 78	제목	진정서 처리결과 통보
수 신	민원사무통제관	발신일자	1973. 9. 8. (협조제의)

발신명의 북미 2과장

(제 1 의견)

대 : 기감 125 - 655 (73. 9. 1.)

대호 진정건에 대하여 진정인에게 별첨과 같이 조치 하였음을 통보합니다.

첨부 : 1. 조치공한 사본 1 부.

~~2. 미측에 수교한 각서 사본 1 부.~~ 끝.

(제 2 의견)

0201—1—2 B
1969. 11. 10승인

190mm×268mm(신문용지)
조 달 청(200,000매 인쇄)

47

September 7, 1973

Subject: Recent Notice by US Authorities on Policy Change of Hiring Korean Guards

1. Foreign Organizations Employees Union (FOEU) has petitioned to the ROK Government authorities concerning the recent notice made by the US authorities on awarding a contract to a Korean business firm for functions performed by 47 Korean guards in the Dongduchon, Paju and Shiheung areas.

The Union maintains that this notice should be withdrawn on the ground that it would involve dismissal of present employees from their employment without any fault on their part and that such a step is inconsistent with the relevant provisions of the SOFA and also the labor laws of the Republic of Korea.

2. Office of Labor Affairs has submitted a letter to the USFK authorities requesting the latter to take either of the following two courses of action:

a. withdrawal of the notice, or

b. continuation of the employment through discussions with FOEU. In this case, the conditions of the employment should be no less favorable than the present employment conditions, compensation and labor-management relations.

3. Ministry of Foreign Affairs hopes that this matter be settled soon in line with the suggestions of the Office of Labor Affairs as described above.

48

민원
처리기한: 73. 9. 8.

기안용지

분류기호 문서번호	미이 723 -	(전화번호)	전결규정 조 항 국장 전결사항
처리기간			
시행일자	1973. 9. 10.		
보존년한		국 장	
보조기관 과장			협
기안책임자	정의용	북미2과	
경유 수신 참조	전국 외국기관 노동조합 위원장 이요승	발신	통제
제목	민원사항 회보		

73. 8. 27. 자 귀 조합의 진정건에 대하여는 현재 노동청에서 주한미군 당국과 협의중에 있으며, 당부 (SOFA 합동위 한국측 간사) 에서는 73. 9. 7. SOFA 합동위원회 미측간사를 초치하여 귀조합의 진정내용에 관하여 설명하고 노동청이 제시한 요구사항을 촉구하는 각서를 수교하였음을 알려드리니 양지하시기 바랍니다. 끝.

정서
관인
발송

1973. 9. 8
외무부

1973. 9. 8
통제관

공통서식1-2(갑)
1967. 4. 4. 승인

190mm ×268mm (1급인쇄용지70g/m²)
조달청 (500,000매인쇄)

49

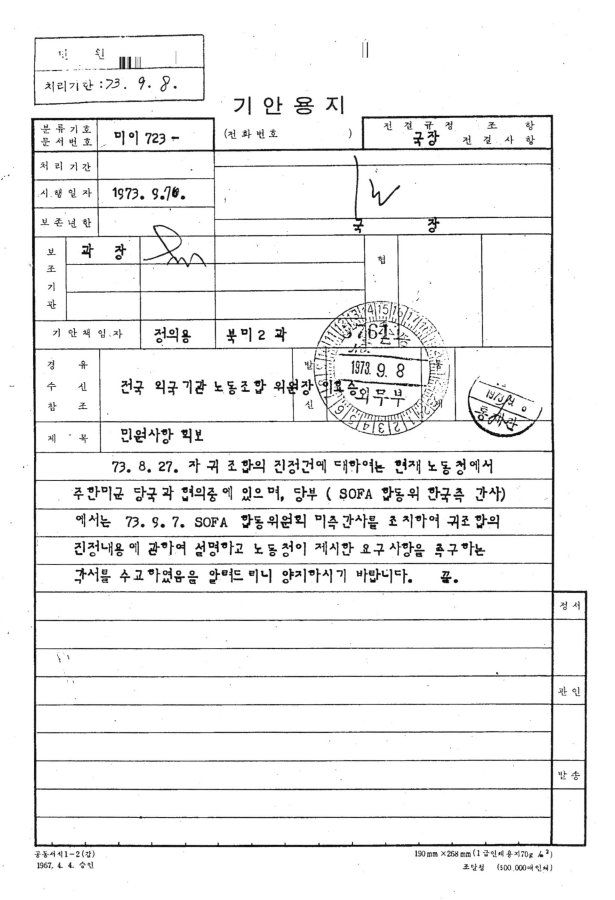

기 안 용 지

분류기호 문서번호	미이 723 -	(전화번호)	전결규정 조 항 국장 전결사항
처리기간			
시행일자	1973. 9. 10.		
보존년한		국 장	
보조기관	과 장		협
기안책임자	정의용	북미 2 과	
경유 수신 참조	노동청장	발신 1973. 9. 8 외무부 (37615)	통제 검열 1973. 9. 8
제 목	주한미군 직속 경비원 하청 전환에 대한 협조		

대 : 노사 1453 - 9154 (73.8.31.)

대호 전국 외국기관 노동조합 위원장으로 부터의 진정건에 대하여 당부 (SOFA 합동위 한국측 간사)에서는 73. 9. 7. SOFA 합동위원회 미측 간사를 조치하여 별첨내용의 각서를 수교하였으니 업무 처리에 참고하시기 바랍니다.

별첨 : 미측에 수교한 각서 1 부. 끝.

정서 | 관인 | 발송

공통서식1-2(갑) 1967. 4. 4. 승인

190 mm ×268 mm (1급인쇄용지70g/m²) 조달청 (500,000매 인쇄)

50

Subject: Recent Notice by US Authorities on Policy Change of Hiring Korean Guards

1. Foreign Organizations Employees Union (FOEU) has petitioned to the ROK Government authorities concerning the recent notice made by the US authorities on awarding a contract to a Korean business firm for functions performed by 47 Korean guards in the Dongduchon, Paju and Shiheung areas.

The Union maintains that this notice should be withdrawn because by this action the employees would have to be discharged from their jobs without having made any fault by themselves and this kind of action is in consistent with provisions of the SOFA and the labor laws of the Republic of Korea.

2. Office of Labor Affairs has submitted a letter to the USFK authorities requesting the latter to take either of the following two courses of action:

a. withdrawal of the notice, or

b. continuation of the employment through discussions with FOEU without giving any disadvantage to the conditions of employment, compensation, and labor-management relations already established for the present practice.

3. Ministry Foreign Affairs hopes that this matter be settled soon in line with the suggestions of Office of Labor Affairs as described above.

September 5, 1973

51

Subject: Recent Notice by US Authorities on Policy Change of Hiring Korean Guards

1. Foreign Organizations Employees Union (FOEU) has recently petitioned to the ROK Government Authorities that notice to FOEU by US Authorities on August 20, 1973 to make contract for functions performed by 47 direct hire employees with the organizations of certain personal hire employees seems to be a part of a policy of gradually dismmising 1,000 direct hire Korean guards from their service without any specific reasons. It maintains that this change of policy is improper because such US decisions were made without prior discussions with the Union.

2. Office of Labor Affairs has expressed on this matter that, according to the SOFA Article XVII, 3, the conditions of employment, compensation, and labor-management relations established by the US Armed Forces for their employees should confirm with provisions of ROK labor legislation, and the one-sided

52

notice to FOEU by US Authorities is inconsistent with the Articles 2, 3, 4 and 27 of ROK labor standard law, and revealed that it had requested to US Authorities,

1) to continue direct hire operations, or,
2) in the case of personal hire operations, to success the labor relations with the same conditions of employment through sufficient discussions with FOEU.

53

면 담 록

1. 시 일 : 1973. 9. 13. 17:30 - 18:00
2. 장 소 : 북미 2과
3. 참석자 :

   가. 북미 2과　　서기관 양세훈
   　　　　　　　　사무관 정의용

   나. 외기노조　　위원장 이효승
   　　　　　　　　사무국장 김진협

4. 면담내용 :

   가. 외기노조

   1) 주한미군 직속경비원의 하청 전환건에 대한 상세한 배경및 경위를 설명. (별첨 자료 제시)

   2) 동건에 대하여 SOFA 합동위원회에서 정식으로 노무 분과위원회에 과제부 여하여 해결하여 줄 것을 요청.

   나. 북미 2 과

   동건에 대하여 노동청 및 상공부의 관계관들과 협의하여 가능한한 외기노조측의 요구를 참작하여 동문제 해결을 위해 노력할 것이라고 말함.

공람	접	담당	과장	국장	참	차관	장관

(자료)

미군직속경비원 집단부당해고 계획의

부당성과 문제점

1973. 9. 8.

全國外機勞組江原支部長
全國外國機關勞動組合
事務局長 金鎭協
事務所 서울特別市中區小公洞二〇番地
電話 [illegible] 一五六四番
電話 二九三(龍山)三五三五番
江原支部 春川 四二〇五番
自宅 春川 三二〇七番

전국외국기관노동조합

統一主体國民會議代議員
全國外國機關勞動組合
委員長 李孝承
事務所 서울特別市中區小公洞二〇番地
電話 [illegible] 一五六四番
職場 電話 四〇四(龍山)三九四七番
自宅 서울市永登浦區新吉洞四二八~一二一
電話 [illegible] 一七二五番

35

미군 직속경비원 집단부당해고계획의 부당성

과 문제점

1. 먼저 알아둘 사항

주한미군당국은 1973. 8. 20. 전국외기노조에 대하여 동두천, 파주, 시흥등지의 미군직속경비원 47명을 1973. 10. 1. 부로 부당해고하고 1973. 10. 1.부터 이업무를 하청업체로 넘길것이며, 앞으로 전국 전체 직속경비원 약 1,000명도 이를 부당해고 하고, 동업무는 역시 하청에 넘길 계획이라고 밝혔음.

이는 종래의 미군감축으로 인한 즉 직장이 없어짐으로서 발생되는 감원과는 전혀 그 유형이 다른것으로서 직장은 변동없이 존속함에도 불구하고 미군측이 오직 경비절감을 목적으로 계획하는 것이며, 경비절감이란 한국용역 청부업자에게 경쟁입찰시키면, 틀림없이 형편없는 덤핑입찰을 하게됨을 예견한 속셈임

특히 상기 47명에 대해서는 1973. 8. 23. 이미 부당해고예고장을 발급하였는바 이는 직속경비 1,000명의 해고를 위한 "테스트 케이스"라 할것임

2. 법적및 국제협정의 측면에서 본 문제점

주한미군은 한미행정협정상 우리나라 노동법을 준수하게 되어 있는바 우리나라 근로기준법은 사용자가 정당한 이유없이 근로자를 해고, 휴직, 정직, 전직, 감봉, 기타 징벌을 하지 못할 뿐아니라, 기존근로조건을 성실히 이행할 의무가 있음을 규정하고 있으며, 이를 어기는 부당노동행위는 금지되어 있음

직장이 없어지는 경우도 아닌데 10여년간 근무한 직장에서 종업원을 부당해고함은 엄연한 범법적 부당노동행위이며, 오래 근무한 인건비가 높은 종업원을 모조리 해고하고, 그자리를 인건비가 싼 신규채용 (하청전문) 으로 메꿈으로서 경비를 절감한다는것은 도저히 용인될수 없는 비인도적

56

처사이며, 절대로 법이 허용하는 해고의 정당한 사유가 될수없음. 동시에 한국노동법을 어김은 국제협정인 한미행정협정에 위배되는 일임.

따라서 노동법을 어기면서 까지 종업원을 대량부당해고함으로서 그 생계를 잃게함은 법치국가에서 도저히 용인될수없을 뿐만아니라 국제협정이 지켜지지않음은 국가적으로도 참을수 없는 일임. 또한 이불법이 일차 허용됨으로써 선례가되면 다른 모든 미군종업원의 집단부당해고도 막을 길이 없게됨.

3. 외화획득상으로본 문제점

(1) 당면한 경비원 약 1000명의 경우

직속경비원의 임금은 1인당 년간 약 3,200불이며, 하청일 경우는 1인당 연간 약 1,400불이므로 다음과 같이 외화획득상 국가가 손실을 보게됨.

직속경비의 경우 3,200불 x 1,000명 = 320만불

하청의 경우 1,400불 x 1,000명 = 140만불

임금비율 100:43

외화획득상의 국가적손실 연간 약 180만불

(2) 전체직속종업원 약 30,000명의 경우

전체직속 연간인건비 약 8,000만불

하청일경우(100대43 계산) 약 3,440만불

외화획득상의 국가적손실 연간 4,560만불

4. 노사협정상의 문제점

주한미군당국은 1964년 8월 18일 전국외기노조에 보낸 각서로서 직속업무를 하청에 전환시는 반드시 노조와 사전협의할것을 약정하였는데 이번 미군결정은 이 약정을 일방적으로 파기한것임.

57

5. 사회적 측면에서본 문제점

당면한 47명의 부당해고가 허용됨으로서 뒤이어 약 1,000명이 집단 부당해고되면 1,000명의 종업원은 물론 약 5,000명으로 추산되는 가족이 함께 당장 생계를 잃게되므로 이는 일시에 큰 사회문제를 야기케 될것이며, 혼란이 빚어질것임. 더구나 이것이 다른 모든 직종에 파급될때는 정말 걷잡을수 없는 큰 혼란을 초래할것임

6. 불법과 국가적손실을 막는 방법

(1) 노동청이 미군측으로하여금 근로기준법을 준수하게 함으로서 부당해고계획을 취소케한다.

(2) 상공부가 용역군납업자들로 하여금 종업원 1인당 인건비 년간 3,200불 이하의 덤핑입찰을 이룰 못하도록 엄격히 규제함으로서 미군측이 스스로 하청계획을 포기케한다.

(3) 외무부가 외교차원을 통하여 미군이 한미행정협정을 준수함으로써 부당해고계획을 취소케한다.

1973. 9. 8.

전국외기노조 제공

59

3. 외화획득상으로본 문제점(추가)

(3) 현재 미8군산하에는 직속경비원이 약 1,000명이 있고. 하청경비원이 약 3,300명이 있는바 임금은 직속이 1인당 년간 3,200불이며, 하청의 경우는 년간 1,400불이므로 만일 정부와 업자와 외기노조가 결속하여 애국적 견지에서 해마다 실시되는 계약갱신입찰시, 종래와 같은 덤핑입찰을 않는다면 다음과 같이 연간 594만불, 그 절반만 보더라도 연간 약 300만불의 외화획득상의 국가적 이익과 근로자의 수익향상을 초래할수 있음.

하청경비원 3,300명 × 연간임금차액 1800불 ≒ 연간국가이익액 594만불

그절반만 보더라도 연간 297만불임

59.

지급

기 안 용 지

분류기호 문서번호	미이 723 -	(전화번호)	전결규정 조 항 국장 전결사항
처리기간			
시행일자	1973. 9. 14.		
보존년한		국 장	
보조기관	과 장		협조
기안책임자	정의용	북미 2 과	
경유 수신 참조	노동청장	발신 38356	통제 검열
제 목	주한미군 직속 경비원 하청 전환		

대 : 노사 1453 - 9154 (73.8.31.)

연 : 미이 723 - 37613 (73. 9. 7.)

연호로 통보한바와 같이 전국외기노조의 진정건에 관해 당부 (SOFA 합동위 한국측 간사) 에서 수교한 각서에 대하여 SOFA 합동위원회 미측 사무국에서는 별첨 내용과 같이 동건을 SOFA 합동위원회 노무분과위원회에 과제로 부여할것을 제의하여 온바, 이에 대한 귀부처의 의견을 회시하여 주시기 바랍니다.

첨부 : 미측 과제부여 제의각서 사본 1부. 끝.

정서

관인

발송

공동서식1-2(갑)
1967. 4. 4. 승인

190mm ×268mm (1급인쇄용지70g/m²)
조달청 (500,000매인쇄)

60

외 무 부

미이 723- 73. 9. 14.

수 신: 노동청장

제 목: 주한 미군 직속 경비원 하청 전환

대: 노사 1453-9154 (73.8.31.)

연: 미이 723-37613 (73. 9.7.)

연호로 통보한바와 같이 전국 외기노조의 진정건에 관해 당부(SOFA 합동위 한국측 간사)에서 수교한 각서에 대하여 SOFA 합동위원회 미측 사무국에서는 별첨 내용과 같이 동건을 SOFA 합동위원회 노무분과위원회에 과제로 부여할것을 제의하여 온바, 이에대한 귀부처의 의견을 회시하여 주시기 바랍니다.

첨 부: 미측 과제부여 제의각서 사본 1부. 끝.

외 무 부 장 관

61

공 란

미 주 국

1973 . 9 . 19 .

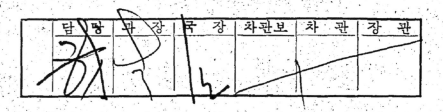

담 당	과 장	국 장	차관보	차 관	장 관

제 목 　주한 미군 직속근로자 집단 해고방지 협조요청

요 약 　1. 문제점

가. SOFA 제 17조에 의거 주한미군은 한국의 노동관계법 준수 의무가 있음.

나. 군사상 필요에 배치되는 경우 고용을 종료 시키기 위해서는 사전에 SOFA J.C. 에 회부, 검토 해야함.

다. 근로기준법 4, 27조 의거 정당한 이유없이 해고를 못할뿐아니라, 기존 근로조건을 이행할 의무가 있음.

2. 해결책으로 부처간의 협조사항

조치사항

가. 노동청: 근로 기준법 준수토록 계속 추구

나. 상공부: 하청시 근로조건이 승계되도록 조치

63

다. 외무부: SOFA J.C. 에서 해결시 부당해고
계획 취소토록 조치

라. 경기원: 경제협력과 관련 야기될시 미군측의
동계획 취소토록 협조

64

노 동 청

노사 1453-0756 62-4541 1973. 9. 17.

수신 외무부 장관

참조 미주 국장

제목. 주한미군 직속 근로자 집단 해고 방지 협조 요청

1. 주한미군에 직접 고용되어 있는 한국 근로자의 집단 해고를 방지하는데 대한 협조 요청입니다.

2. 주한미군은 현재 산하 기관에 고용된 직속 경비원 (약 1,000명)을 해고하고 동 업무를 국내업체에 하청 수행시키려는 계획을 추진하고 있는 바, 그 내용은 별지와 같으니 본 계획 수행시 근로자의 임금저하와 외화 수입감소가 예견되는 바, 직속 경비원 제도가 계속되도록 적절한 협조 있으시기 바랍니다.

첨부 : 집단해고 계획 및 문제점 1부. 끝.

발송 No. 1973. 9. 17 노동청

노 동 청

65

외 무 부 결재

접수일시 18 NOV 13 16:18

59226

주한미군 직속경비원 집단해고 계획의 부당성과 문제점

1. 노사분규 내용

가. 주한미군 당국은 73. 10. 1.자로 직속 경비원 1,000여명중 그중 47명을 제1차로 해고 하겠다고 73. 8. 20.자에 해당 근로자 및 전국 외국 노동조합에 해고 예고 통보를 하였읍니다.

나. 해고 해당자는 물론 전국 외국기관 노동조합에서는 10여년간 지켜온 직장이 없어지는 것도 아닌데 일방적으로 해고 한다는 것은 부당하며, 또한 직속 전체 근로자 약 30,000명에게도 파급 확대될 것으로 보고

다. 중앙위원회를 소집하여 부당해고를 결사적으로 반대 투쟁할 것을 결의하는 한편 투쟁위원회를 구성하여 관계기관에 이를 호소하고 있는 실정입니다.

2. 한미행정협정 및 한국 노동법상의 문제점

가. 한미행정협정 제17조에 의거 주한미군은 한국의 노동관계법을 준수하도록 되어 있으며,

나. 고용을 계속 하는 것이 군사상의 필요에 배치되는 경우에는 고용을 종료시킬 수 있으나 이 경우에는 사전에 한미합동위원회에 검토와 적당한 조치를 위하여 회부되어야 하도록 되어 있읍니다.

다. 그러나 상기와 같은 절차나 이유도 없이 일방적인 해고는 근로기준법 제27조에 의거 정당한 이유없이 근로자를 해고 못하는 규정을 못할 뿐아니라 동법 제4조에 따라 기존 근로조건을 성실히 이행할 의무가 있음을 규정하고 있는 데도 충분한 노사협의나 합의없이 일방적인 해고 예고를 하였읍니다.

라. 이는 10여년간 근무한 근로자의 직장이 없어지는 것도 아닌데 인건비가 높은것을 경비절약책으로 한국 군납 용역업자에게 하청 전환으로 대치함

66

움직임이 아닌가 예상되기도 합니다만 정당한 해고 사유가 될 수 없읍니다.

3. 하청시의 근로자 대우면으로 본 문제점

가. 만일 직속이 한국 용역업자에게 하청된다면 하청 업자 하의 근로자와의 임금수입상의 차액은 경비원의 경우는

1) 직 속 : 년 3,200$ x 1,000명 = 320만$
하 청 : 년 1,400$ x 1,000명 = 140만$
차 액 : 180만$

2) 직속과 하청의 임금비율은 100:43으로서 이것이 직속 근로자 약 30,000명이 전원 하청된다고 볼 때는 상기 임금비율을 적용하면 직속 년간 인건비 약 8,000만$이 하청일 경우는 약 3,440만$로 종당되고 차이액이 년간 4,560만$이나 되어 근로자의 생계에 위협을 줄 뿐아니라 외화 획득면에서도 문제가 된다고 봅니다.

4. 행정적으로 부처간의 협조사항

가. 노동청은 미군측으로 하여금 근로기준법을 준수하도록 계속 촉구하여 직속으로 고용하도록 요구 하겠읍니다.

나. 상공부는 주한미군이 계속 직속 고용토록 협조하여 주시는 동시에 만일 하청이 될시에는 한국의 용역업자들이 직속시의 임금이나 기타 근로조건이 그대로 승계되어 근로자의 대우가 저하되지 않도록 적절한 조치를 바랍니다.

다. 외무부는 미군측에서 동 문제를 한미 합동위원회에 회부하여 해결하고저 할때 부당해고 계획을 취소하도록 조치하는데 협조를 바랍니다.

마. 경제기획원 ~~및 국방부에서~~는 동 문제를 경제 ~~및 군사상~~ 협력과 관련되어 야기될 수 있는 주한미군 측의 주장이나 해고 계획을 취소하도록 협조하여 주시기 바랍니다.

주한미군 직속경비원 하청전환

1. 문제 발단

가. 외기노조 진정 (73. 8. 27.)

1) 73. 8. 20. 주한미군 당국은 동두천 등지의 한국인 직속 경비원 47명을 10. 1. 자로 해고하고 한국 용역업자로 하청 전환시킬것임을 일방적으로 통보해온바, 동 하청 계획이 철회되도록 선처 요망.

2) 동 조치는 현재 전체 직속 경비원 약 1,000명에 대한 하청 전환계획의 일환으로 보여지는바, 이 경우 1인당 년간 임금 $1,400 (직속경비원 경우 $3,200) 으로 년간 약 180만불 (약 7억원)의 손실 초래.

나. 노동청의 협조 요청 (73. 8. 31.)

1) 73. 4. 18. ~ 8. 31. 5회에 걸쳐 주한미군 당국에 대하여

가) 동 하청계획을 철회, 또는

나) 하청시 근로조건의 저하없이 고용관계 승계되도록 요청하였음을 통보하고,

2) 동 미측 조치는 노사 당사자간 충분한 노사 협의없이 일방적 조치인바, 본건 처리에 대한 당부 협조 요청.

2. 처리 경위

가. SOFA 합동위 미측간사를 초치하여 동건에 대하여 노동청이 제시한 요구사항을 촉구하는 각서 (별첨 참조)를 수교함. (9. 7.)

68

나. 미측은 동건을 SOFA 노무분과위원회에 과제부여 (별첨 제의각서 사본 참조)를 제의하여 왔으므로 이를 노동청에 의견조회중. (9. 14.)

3. 관계부처 입장

가. 노동청 입장

아래와 같은 논거로 미측의 해고통고 및 하청전환을 철회할 것을 주장.

1) SOFA 제 17조 에 의하여 주한미군은 한국의 노동관계 법규를 준수하도록 되어있는 바, 한국 근로기준법에 의하면, 정당한 이유없이 근로자에 대하여 해고등의 징벌을 못할뿐 아니라 (제 27조), 기존 근로조건을 성실히 이행할 의무가 있으며 (제 4조), 경비 절약책으로 하청전환고자 한다면 이는 정당한 해고사유가 될수 없음.

2) 직속과 하청의 임금 비율이 100 : 43으로 이는 근로자의 생계위협뿐 아니라 외화 획득면에서도 손실을 가져오게 됨.

나. 상공부 입장

동건 처리는 용역업자 또는 근로자를 두둔하기보다 외화획득등 국가전체의 입장에서의 득실에 따라 결정해야 함. (9. 13. 상공부 수출 3과에 전화로 문의)

4. 문제점

가. SOFA 규정 제 17조 4항에 따라 노사간 쟁의의 1차적 조정은 노동청에 회부되어야 하며, 금반 47명의 해고와 관련,

69

노조측으로 부터 상급 노동쟁의 조정법 (제 16조)에 의한 쟁의 신고가 없기 때문에 노동청이 SOFA 규정에 의한 미측과의 조정단계에 있지않음. 따라서 현 단계에서 미측이 요구하는 합동위 과제부여 문제는 동의할수 없다고 봄.

나. 쟁의 신고시 국가보위에 관한 특별조치법 (제 9조)에 의한 단체교섭권등의 규제를 받을 우려가 있으며, 노동쟁의로 제기할수 있는지의 여부도 확실치 않음.

다. 미측이 73. 10. 1. 자로 47명의 직속 경비원의 해고통지를 해온바, 그 이전에 원만한 해결을 못볼 경우 동 조치가 기정사실화 할 우려가 있으며, 또한 미측이 제의한 과제부여 안건은 직속 고용원 및 초청계약자에 의한 고용원의 지위에 관한 일반적인 문제로 취급코자 하며, 상기 47명의 해고에 관해서는 언급이 없는바, 이는 동 해고를 기정사실화 하고자 하는 미측 의도를 나타내는 것 같음.

라. 상기 문제는 한국 용역업자의 진출 기도로 인하여 발단된 것으로, 근로자와 업자간의 이해 대립이 있을것으로 추정되므로 양자를 대변하는 관계부처간의 의견 조정이 필요함.

5. 해결책

가. 이상 문제점에서 나타난바와 같이 금반 노조측의 주장은 노동관계 법규에 의한 쟁의 발생 이전 단계에 있으므로 우선 노동청으로 하여금 미군당국과 협의토록 촉구.

나. 만약 원만한 해결을 보지못할 경우, SOFA 규정에 의한 노동청 중재 및 합동위 과제부여를 통하여 해결 강구.

70

공 란

공 란

國家保衛에관한特別措置法

〔1971年12月27日 法律第2312號〕

第1條 【目的】 이法은 非常事態下에서 國家의安全保障과 關聯되는內政, 外交및國防上必要한 措置를事前에 效率的이며 迅速하게 取함으로써 大韓民國의 安全을保障하고 國家保衛를確固히함을 目的으로한다.

第2條 【國家非常事態의宣布】 國家安全保障(이하"國家安保"라한다)에對한 重大한威脅에 效率的으로對處하고 社會의安寧秩序를維持하여 國家를保衛하기위하여迅速한 事前對備措置를取할 必要가있을경우 大統領은 國家安全保障會議의 諮問과 國務會議의 審議를거쳐 國家非常事態(이하 "非常事態"라한다)를 宣布할수있다.

第3條 【非常事態宣布의解除】 ① 國家安保에對한 重大한威脅이 除去또는 消滅되었을때에는 大統領은 지체없이 非常事態宣布를 解除하여야한다.

② 國會는 前項의解除를 大統領에게 建議할수있으며 大統領은 特別한 事由가없는限 이를解除하여야한다.

③ 非常事態宣布가 解除된경우 非常事態下에서 取하여진 모든措置에對한 經過措置는 大統領令으로定한다.

第4條 【經濟에관한規制】 ① 非常事態下에서 大統領은財政및 經濟秩序를 維持하기위하여 필요한경우에는 國務會議의 審議를거쳐 一定한 期間을정하여 物價, 賃金, 賃貸料등에對한統制 其他制限을 加하는 命令을發할수있다.

② 前項의命令을 發한때에는 大統領은 지체없이 國會에通告하여야한다.

第5條 【國家動員令】 ① 非常事態下에서 國防上의目的을위하여 必要한경우 大統領은 國務會議의 審議를거쳐 全國에걸치거나 또는 一定한地域을定하여 人的, 物的資源을 效率的으로 動員하거나 統制運營하기위하여 國家動員令을 發할수있다.

② 動員對象, 動員人員및 動員物資, 動員의種類, 期間과이를위한 調査 其他必要한 事項은 大統領令으로定한다.

③ 大統領은 動員物資의 生産, 處分, 流通, 利用및 그輸出入等에關하여 이를 統制하는데 必要한命令을 發할 수있다.

④ 大統領은 動員對象地域內의 土地및 施設의使用과 收用에對한 特別措置를할수 있다. 이에對한 補償은 徵發法에 準하되 그節次는 大統領令으로定한다.

⑤ 第1項의 國家動員令을 發한때에는 大統領은지체없이 國會에通告하여야한다.

第6條 【特定地域에의 人住等】 ① 非常事態下에서 軍事上의目的또는國民의 生命·財産을 保護하기위하여 필요한경우 大統領은 一定한 地域을 指定하여 그地域에서의 移動및 人住또는 그地域으로부터의 疏開및 移動에對하여 必要한措置를 할수있다.

② 大統領은 前項의 地域에서 一定한 施設의 移動또는 撤去를命할수있다.

③ 前項의 施設의 移動및 撤去의경우 이에對한 補償은 徵發法에 準하되 그節次는 大統領令으로定한다.

第7條 【屋外集會및示威】 非常事態下에서 公共의安寧秩序를 維持하기위하여 필요한경우 大統領은屋外集會및 示威를 規制또는 禁止하기위하여 特別한措置를할수있다.

第8條 【言論및出版】 非常事態下에서 大統領은 아래 事項에관한 言論및 出版을 規制하기위하여 特別한措置를할수있다.

1. 國家安危에관한事項
2. 國論을 分裂시킬 危險이있는事項
3. 社會秩序의混亂을 助長할 危險이있는事項

第9條 【團體交涉權等의規制】 ① 非常事態下에서 勤勞者의 團體交涉權또는 團體行動權의 行使는 미리 主務官廳에 調停을申請하여야하며 그調停決定에따라야한다.

② 大統領은 國家安保를 害하거나 國家動員에 支障을주는 아래勤勞者의 團體行動을 規制하기위하여 特別한措置를할수 있다.

1. 國家機關또는 地方自治團體에從事하는 勤勞者
2. 國營企業體에從事하는勤勞者
3. 公益事業에從事하는勤勞者
4. 國民經濟에 重大한影響을 미치는 事業에從事하는勤勞者

第10條 【豫算및資金】 ① 非常事態下에서 軍事上目的을위하여 必要한경우 大統領은歲出豫算의 範圍內에서 豫算의變更을 加할수있다.

② 前項의 豫算變更을 加하였을때에는 大統領은지체없이 國會에 通告하여야한다.

③ 非常事態下에서 中央官署의長은 國家安保의目的을위하여 緊要한經費는 豫備費의 細項또는目의 金額을 轉用할수있다.

④ 前項의경우 中央官署의長은 監査院長및 財務部長官에게 지체없이이를 通告하여야 한다.

第11條 【罰則】 ① 이法 第4條第1項의 經濟에關한 規制命令에 違反한 者는 1年以上 10年以下의 懲役에處한다.

② 이法 第5條에規定된 國家動員에관한 命令및措置에 違反한 者및 이法第6條第1項·第2項및 第7條 乃至 第9條의措置또는規定에違反한 者는 1年이상 7年이하의 懲役에處한다.

③ 本條適用에있어서 그行爲가 이法以外의 다른法律에規定된 罪에該當하는경우에는 그중가장 重한 刑으로 處罰한다.

第12條 【施行令】 이法에의하여 委任된 事項과 이法施行에관하여 필요한 事項은 大統領令으로定한다.

附 則

① 이法은 公布한날로부터 施行한다.

② 1971年12月6日字로 宣布된 「國家非常事態宣言」은 이法第2條에의하여 宣布된것으로 본다.

③ 이法施行後 非常事態가 宣布되어있는 期間中 이法違反의 罪를 犯한 者에 對하여는 非常事態宣布가 解除된後에도 그罰則에 影響을 미치지 아니한다.

國家保衛에관한特別措置法의特別措置등에관한大統領令

〔1972年 3月 24日 大統領令第6108號〕

第1條 【目的】 이령은 국가보위에관한 특별조치법(이하"법"이라한다)에 규정된대통령의 특별조치, 필요한조치, 특별한조치등의공포절차에 관하여필요한 사항을 규정함을 목적으로한다.

第2條 【特別措置등】 ① 법에 규정된 특별조치, 필요한조치, 특별한조치는 국무회의의 심의를거쳐 대통령의 특별조치로서 한다.

② 대통령의 특별조치는 그 전문에 국무회의의 심의를 거친 뜻을 기재하고 대통령이 서명하여 대통령인을 압날하고 그일자를 명기하여 국무총리와 관계국무위원이 부서한다.

第3條 【特別措置番號】 대통령의 특별조치는 일련번호를 붙여 시행공포한다.

第4條 【公布節次】 ① 대통령의 특별조치의공포는 관보에게재함으로서 이를한다. 다만, 긴급을요할때는 국영방송국의 방송을 통하여 할수있다.

② 전항 단서의 경우에는 지체없이 관보에이를게재하여야한다.

第5條 【公布日】 대통령의 특별조치의 공포일은 그 특별조치가 게재된관보가 발행된날로한다. 다만, 전조단서에 의하여 방송을 통하여공포한 경우에는 최초에방송된 날로한다.

附 則

이영은 공포한날로부터 시행한다.

國籍法

〔1948年12月20日 法律第16號〕

改正 1962.11.21 法1180號 1963.9.30 法1409號

第1條 【目的】 本法은 大韓民國의國民되는 要件을 規定한다.

第2條 【國民의要件】 ① 다음各號의 1에該當하는者는 大韓民國의國民이다.

1. 出生한當時에 父가 大韓民國의國民인 者
2. 出生하기前에 父가 死亡한때에는 死亡한 當時에 大韓民國의 國民이던 者
3. 父가分明하지아니한때 또는國籍이 없는 때에는 母가大韓民國의 國民인者
4. 父母가모두 分明하지아니한때 또는 國籍이없는때에는 大韓民國에서 出生한 者

② 大韓民國에서 發見된 棄兒는 大韓民國에서出生한 것으로 推定한다.

第3條 【國籍取得】 國民이 아니던 者로서 다음 各號의1에 該當한 者는 大韓民國의國籍을 取得한다.

1. 大韓民國의國民의 妻가된 者
2. 大韓民國의國民인 父또는母가 認知한者
3. 歸化한 者

第4條 【國籍取得의要件】 外國人이 認知로因하여 大韓民國의國籍을 取得하는때에는 다음要件을 갖추어야한다.

1. 本國法에依하여 未成年일 것
2. 外國人의妻가 아닐것
3. 父또는母 中 認知한 者가 大韓民國의國民일것
4. 父母가 婚姻에 認知한때에는 父가 大韓民國의國民일것

第5條 【歸化】 外國人으로서 다음 各號의 要件을 갖춘 者는 法務部長官의 許可를 얻어 歸化할수 있다.

1. 5年以上繼續하여 大韓民國에住所가 있을것
2. 滿20歲以上으로서 그의 本國法에依하여 能力이 있을것
3. 品行이 端正할것
4. 獨立의 生計를 維持할만한 資産또는技能이 있을것
5. 國籍이 없거나 또는 大韓民國의國籍을 取得함으로因하여 6月內에 그國籍을 喪失하게 될것

第6條 【同前】 外國人으로서 다음各號의1에 該當하며 大韓民國에 3年以上 住所가 있는때에는 前條第1號의 要件을 갖추지 아니하여도 歸化할수있다.

1. 父또는母가 大韓民國의 國民이었던 者
2. 妻가 大韓民國의 國民이었던 者
3. 大韓民國에서 出生한 者로서 父또는母가 大韓民國에서 出生한 者

第7條 【同前】 ① 外國人으로서 다음 各號의1에 該當한 者로 現在大韓民國에 住所가 있는 때에는 本法第5條第1號, 第2號및第4號의 要件을 具備하지아니하여도 歸化할수있다.

1. 父또는母가 大韓民國의國民인 者
2. 大韓民國에 特別한 功勞가 있는 者
3. 大韓民國의國籍을 取得한 者의 妻로서 大韓民國의國籍을 取得하지 못한 者

② 前項第2號에 該當하는 者에게 歸化를許可할때에는 法務部長官은 大統領의 承認을 얻어야한다.

第8條 【國籍取得】 ① 大韓民國의 國籍을取得하는 者의 妻는 그의 本國法에 反對規定이 없는限 夫와같이 大韓民國의國籍을 取得한다. 但 그國籍이 없거나 大韓民國의國籍을 取得함으로因하여 6月內에 그國籍을 喪失하게 되는 때에 限한다.

② 大韓民國의國籍을 取得하는者의 子로서 本國法에依하여 未成年者인 때에도 같다.

第9條 【歸化取得의制限】 外國人의 妻는 夫와같이하지 아니하면 歸化할수없다.

第10條 削除 (1963. 9. 30)

노 동 청

노사 1453- 10132 62-4541 1973. 9. 25.

수신 외무부장관

참조 미주국장

제목 주한미군 직속 경비원 하청 전환

1. 미이 723-38536 (73. 9. 14)의 관련입니다.

2. 관련호로 요청하신 주한미군 직속 경비업무의 하청 전환에 관한 문제에 대하여는 73. 9. 17.자로 전국 외국기관 노동조합 위원장으로 부터 SOFA 협정 제17조 제4항 (가) (1)에 의한 당청 조정을 요청하여 왔으므로 합동위원회 회부 이전에 동 분쟁을 처리코저 하오니 합동위원회에의 부의를 보류하여 주시기 바랍니다. 끝.

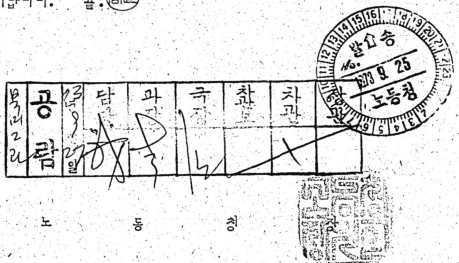

분류	공람	년 월 일	담	과	국	참	차	장

발송 No. 1973 9 25 노동청

노 동 청 장

74

외 무 부		결재		
접수 일시	197 27 ::::: 73 15 : 16			
접수 번호	제 60839			
주무과				
담당자			197 . . .까지 처리할것	
위임 구				

지급

기 안 용 지

분류기호 문서번호	미이 723-	(전화번호)	전결규정 국장
처리기간		국 장	
시행일자	1973. 10. 12.		
보존년한			
보조기관	과 장		협조
기안책임자	정의용	북미2과	
경유 수신 참조	노동청장	발신	통제
제 목	주한미군 직속 경비원 하청전환		

연 : 미이 723 - 38536 (73. 9. 14)

대 : 노사 1453 - 10132 (73. 9. 25)

1. 연호 주한미군 직속 경비원 하청전환 문제에 관하여 주한미군 당국은 73. 10. 12. 별첨내용과 같이 동건을 SOFA 합동위원회 노무분과 위원회에 과제로 부여할것을 재차 제의하여 온바, 이에 대한 귀견을 회시 바라며,

2. 대호 공문으로 통보하신 귀청의 조정에 관한 진전 상황을 통보 하여 주시기 바랍니다.

첨 부 : 미측과제부여 제의 각서 사본 1부. 끝.

정서

관인

발송

공통서식 1-2 (갑)
1967. 4. 4 승인

190mm×268mm 중질지 70g/㎡
조달청 1000,000매 인쇄)

95

공 란

노 동 청

노사 1454.2— 10893 62—4541 (상계광) 1973. 10. 16.

수신 외무부장관

참조 미주국장

제목 주한미군 직속 경비원 해고에 따른 노사분규 처리 중간 보고

1. 노사 1453—9759 (73. 9. 17)의 관련입니다.

2. 관련호에 따른 주한미군 직속 경비원의 해고 건에 대하여는 1973. 10. 11. 주한미군 인사처장 "Mr. Goss"와 당청 노정국장이 공식적으로 협의한바 있으며, 그 결과는 별첨 회의 결과 보고 내용과 같습니다.

3. 당청은 전항회의 결과에 따라 1973. 10. 15. 별첨과 같이 주한미군 사령관에게 해고의 철회를 요구하는 의견을 명확히 하였으며, 주한 미군 인사처장은 한국측 견해가 관철되도록 최선을 다 할것을 표명 하였읍니다.

4. 1973. 10. 12. 미군측은 외무부에 SOFA 합동위원회에서 본 건을 처리할 것을 희망하는 공문을 보내온바 있다하나 당청은 계속 본 분규를 조정하기로 하고 해결이 불가능할 시에 SOFA 합동위원회에 상정할 계획임을 알리오니 협조하여 주시기 바랍니다.

첨 부 : 1. 주한미군 직속 경비원 해고에 대한 의견 통보 사본 1부.

2. 법무부 유권 해석 사본 1부.

3. 회의 결과 보고 사본 1부. 끝.

노 동 청 장

공람 73 10	담당	과장	국장	차관보	차관	장관

외 무 부	결재		
접수 일시	197 17 시 13 16:17		
접수 번호	제 63646		
주무과			
담당자			197 . . 까지 처리할것
위임 근거			

노 동 청

노사 1453- 62-4541 1973. 10. 15.

수신 주한미 8군 사령관

제목 주한미군 직속 경비원 해고에 대한 의견 통보

1. 노사 1453-9154 (73. 8. 31) 및 노사 1453-10132 (73. 9. 25)의 관련입니다.

2. 관련호에 따라 귀 사령부 직속 경비원 47명의 해고에 대하여 73. 10. 11. 귀 사령부 인사처장과 당청 노정국장이 충분히 토의한바 있었으나 당청 견해를 명확히 하기 위하여 다음과 같이 밝히는 바 입니다.

가. 한국 정부는 "근로자를 직접 고용하여 수행하던 업무를 업무 내용이 변경됨이 없이 청부업자에게 하청하여 수행할 때에는 종전의 근로조건이 유지되는 조건으로 청부업자가 고용을 승계하여야 하며, 만약 근로자의 의사에 반하여 해고하거나 근로조건을 저하시킬 경우에는 근로기준법 위반으로 처리하여 왔으며, 그 근거는 별첨 법무부장관의 유권해석에 두고 있는 것입니다.

나. 따라서 귀 사령부가 직속 경비 업무를 하청으로 전환코저 하는 계획에 있어서 청부업자에게 하청하는 행위에는 위법성이 없으나, 이로 말미암아 현직 근로자가 해고되거나 또는 근로조건이 근로자의 의사에 반하여 저하된다면 이는 근로기준법 위반이 되는 것입니다. 왜냐하면 귀하의 경우는 업무 내용이 변경되거나 축소됨이 없이 동일성을 유지한 동량의 업무 내용을 가졌음에도 근로자의 동의없이 해고하려고 했기 때문입니다.

다. 우리의 노동법령 및 법무부 유권해석에 의한 정당한 해고란 근로자의 귀책 사유에 의한 해고 이외에는 기업의 합리적인 운영을 위한 기업의 폐쇄 또는 기업 축소에 의한 해고, 감원을 한다거나 또는 업무수행에 적격치 못하여

8.

노사 1453-　　　　　　　　　　　　　　　　1973. 10. 15.

대체하는 경우만을 인정하고 있는 것입니다.

마. 따라서 귀 해고 계획이 시행될 경우 국내 기업체가 귀하가 취하고저 하는 경우와 같은 처지에 놓이게 될때에 정부가 노동행정을 수행함에 있어서 혼란을 맞게될 것을 고려할때 귀 계획은 해당 근로자의 동의하에 집행되던지, 불연이면 철회되어야 함을 주장하는 바 입니다.

첨 부 : 법무부 질의 회시 사본 1부. 끝.

노 동 청 장

79

제목 : 기업의 양도, 조직 변경이 있을 때의 근로조건의 포괄적 승계

보건사회부 장관 질의 내용

1. 회사 (법인)의 합병 (흡수 또는 신설)에 있어서는 (주식의 양도에 있어서도 결과는 동일) 소멸회사의 권리 의무는 합병후 존속 회사에 포괄적으로 승계되면 소멸회사와 근로자간의 개별적 근로계약 관계도 그 일부로서 당연 승계되므로 퇴직금등 기산에 관한 계속 근로문제나 임금 기타의 채권 채무의 귀속 등에 관하여 별다른 문제가 없는 바이나 근로계약의 당사자인 법적 인격자로서 사용자의 변경에는 그 외에 다음과 같은 경우가 있음.

가. 개인 명의의 기업이 그대로 회사 (법인)로 되는때

나. 기업의 일부가 분리 독립하여 그대로 독립 회사로 되는때

다. 영업의 양도

마. 회사의 조직 변경

2. 전기 각 경우에 있어서

가. 기업이란 많은 유형무형의 자본과 노동력의 결합으로 이루어진 동적 조직으로 보아야 하므로 형식상 법적 인격자로서의 사용의 변경에 불구하고 기업 그 자체가 동일성을 가지는한 (즉 동일노동 계약 관계의 존속을 필요로 하지 않고) 노동관계는 당연 승계되는 것으로 보아야 한다는 견해가 있는 바, 그러한가 (즉 이 경우에는 계속 고용의 거부는 일방적인 해고로 취급될 것임)

나. 신기업주에 계속 고용되거나 또는 승계되어 근로내용이나 근로조건등에 중대한 변화가 없는 경우는 실질상 동일의 노동관계가 존속된다 할 것이며, 이 경우 퇴직금 연차유가 등에 관한 근로년수 계산에 있어서는 이를 계속 근로로 통산 취급함이 타당 (그간에 대한 퇴직금등 정산에 불구) 하다고 사료되는 바 그러한가

80

다. 전기에 의하여 노동관계의 승계 또는 계속근로로 통산 여부에 불구하고 근로자는 사용자 변경전의 기간분에 대한 소정 퇴직금을 요구할 수 있으며, 또 기업주 (신기업주 또는 구 기업주)는 사용자로서 이에 대한 이행 의무를 가진다 할 것인가 (계속근로 통산 문제와 그간에 대한 퇴직금 청산 문제는 별도 문제라 사료되며, 또 연차유급휴가는 근로기준법 제48조 2항에 의하여 의당 퇴직금은 취업규칙 단체협약 등에 의하여 근로년수에 따라 누진 가급 제도를 실시하는 경우가 많음)

법무부장관 회시 내용

1. 귀견과 같다.
2. 귀견과 같다.
3. 생 략

이 유 : 1, 2, 3, 기업이라 함은 노동력을 떠나서는 존재할 수 없는 것으로 그것은 유형무형의 자본과 노동력의 결합에 의한 동적 조직으로 볼 수 있으며, 따라서 (노동관계는 특정의 경영자에 대한 것으로 보기 보다는 기업 그 자체와 결합된 것이라고 볼수 있으므로 기업이 존속하며, 그 명의가 개인에서 법인으로 되거나 기업의 일부가 독립하여 별개의 법인이 되거나 회사의 조직변경이 있거나 영업의 양도가 있다 하더라도 기업 그 자체가 폐지됨이 없이 동일성을 존속하는한 즉 새로운 경영자가 기업을 승계하여 경영을 계속하는 경우에는 다만 기업의 소유자 내지 경영자가 교체된 것에 불과하며, 기업 그 자체는 실질적인 동일성을 잃지 아니하고 시종 존속하는 것이므로 노동관계는 새로운 경영자에게 승계되는 것이라고 해석한다. 그러므로 퇴직금이나 연차유급휴가 등에 관한 근로년수에 있어서는 이를 계속 근로로 통산하여야 함.

81

회 의 결 과 보 고

미군 직속 경비원 해고 문제에 관하여 10. 11. 10:00-12:00 노정국장실에서 주한 미8군 사령부 인사처장 와 협의한 결과 다음과 같습니다.

1. 한국측 주장 : 가. 업무 내용에 변경됨이 없음에도 불구하고 경영 합리화를 이유로 직속 경비원 47명을 해고하고 동 업무를 청부업자에 하청함은 근로기준법 위반이다.

   나. 이는 하청으로의 전환이 위법이라는 것이 아니라 해고 행위가 위법이라는 것이며, 만일 근로자의 근로조건이 그들의 의사에 반하여 저하됨이 없이 고용이 청부업자에게 승계된다면 이는 합법이다.

   다. 따라서 주한미군의 직속 경비원 해고 계획은 당사자인 근로자의 합의하에 집행되던지 불연이면 철회되어야 한다.

   라. 이 문제는 비단 주한미군 직속 경비원에게만 관계되는 문제에 그치는 것이 아니라 국내 일반 기업체에서 동종 사례가 발생할 경우를 생각할 때 한국 정부로서는 양보할 수 없는 문제이다.

2. 미군측 주장 : 가. 한국 정부의 입장은 자기로서는 충분히 이해하고 인사처장으로서 해고 계획 저지를 위하여 노력한 바 있었으나 결과적으로 책임자에 의하여 해고 결정이 내려질 것이다.

82

나. 그것은 인사관리 면에서 보다도 경제적 측면에서 경영 합리화란 면이 더욱 요구되었기 때문이다.

다. 노동청에서 지난번에 보낸 공문에는 파칭할수 없다는 말이 없었으며, 일단 차청을 준 다음에는 미군이 관여할 문제가 아니기 때문에 근로조건의 저하를 막을 방법이 없는 것이다.

마. 오늘 토의한 결과를 다시 상부에 보고하여 반영되도록 노력하겠다.

다만, 자기의 생각으로 기히 해고 예고한 47명의 해고예고 철회는 힘들것 같다는 사견 피력이 있었음.

마. 노동청 견해를 서면으로 통보해주면 상부에 반영시키는데 도움이 되겠다.

3. 결 론 : 가. 노동청은 한국측 견해를 명확히 하기 위하여 서면으로 통보한다.

나. 미측은 전항의 한국측 견해가 관철되도록 최선을 다한다.

83

경 제 기 획 원

조정 130- 52 (70-3019) 1973. 10. 16.

수신 외무부장관

참조 북미주국장

제목 주한 미군 직속근로자 집단 해고 방지 요청

위의 건에 대하여 노동청으로 부터 별첨 공한과 같이 주한 미군 측의 부당해고 계획을 취소하도록 당원의 협조를 요청하여 왔는 바 본건 귀부에서 노동청과 협의하여 한미행정협정에 의거한 한미합동위원회를 통하여 적의 조치하도록 검토하시기 바라며 당원의 협조가 필요한 경우 통보하여 주시기 바랍니다.

첨부 : 공문 사본 1부. 끝.

경 제 기 획 원 장 관

84

외 무 부		결재	
접수 일시	197 . 16		
접수 번호	제 63420		
주무과			
담당자			
			197 . . 까지 처리할 것

노 동 청

번호 130- (90-3012)

1973. 10. 16.

수신 외무부장관

참조 구미국장

제목 주한 미군 한국인 근로자 해고 방지 요청

위 건에 대하여 노동청으로부터 별첨 공한과 같이 주한 미군
측의 부당해고계획을 취소토록 협조를 요청하여 왔는 바 본건
해결을 위하여 귀부에서 노동청과 긴밀히 협조하여 주한미군 당국과 교섭토록
하여 주시고 그 조치 결과를 본청에
통보하여 주시기 바랍니다.

첨부 : 동 서한 1부. 끝.

노 동 청 장

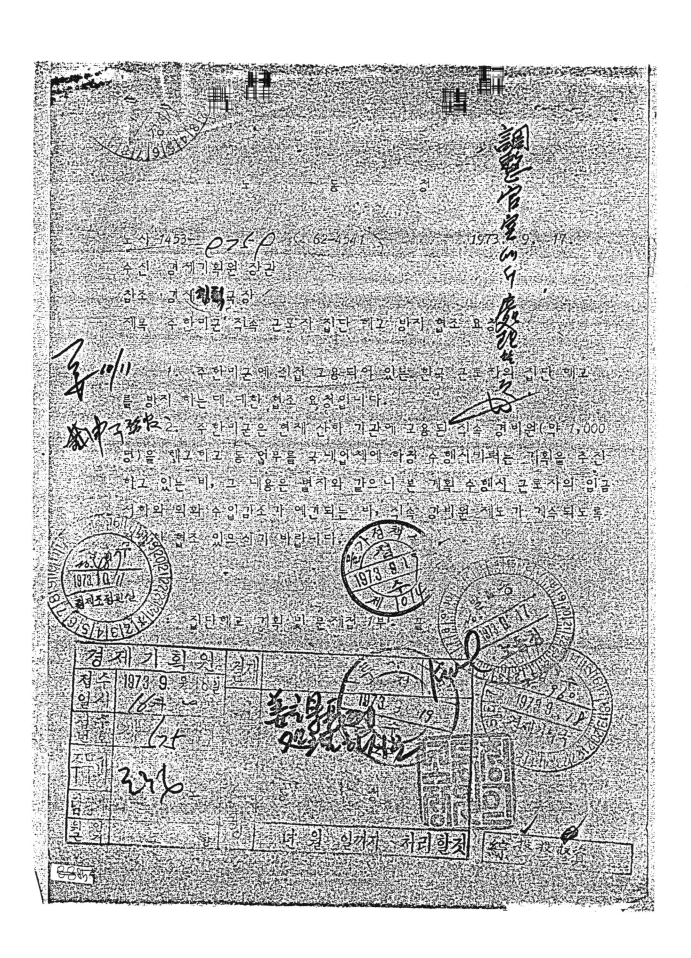

[redacted] [redacted]

노 동 청

노사 1453-0756 (62-4541) 1973. 9. 17.

수신 경제기획원 장관

참조 경제협력국장

제목 주한미군 직속 근로자 집단 해고 방지 협조 요청

1. 주한미군에 직접 고용되어 있는 한국 근로자의 집단 해고를 방지 하는데 대한 협조 요청입니다.

2. 주한미군은 현재 산하 기관에 고용된 직속 경비원(약 1,000명)을 해고하고 동 업무를 국내업체에 하청 수행시키려는 계획을 추진하고 있는 바, 그 내용은 별지와 같으니 본 계획 수행시 근로자의 임금 저하와 외화 수입감소가 예견되는 바, 직속 경비원 제도가 계속되도록 [illegible] 협조 있으시기 바랍니다.

첨부: 집단해고 계획 및 문제점 1부. 끝.

경제기획원		결재	
접수일시	1973. 9. 18		
접수번호	125		
처리과			
담당자			
처리기한		년 월 일까지 처리할것	

노 동 청 장

주한미군 직속경비원 집단해고 계획의 부당성과 문제점

1. 노사분규 내용

가. 주한미군 당국은 73. 10. 1.자로 직속 경비원 1,000여명중 그중 47명을 제1차로 해고 하겠다고 73. 8. 20.자에 해당 근로자 및 전국 외국 노동조합에 해고 예고 통보를 하였읍니다.

나. 해고 해당자는 물론 전국 외국기관 노동조합에서는 10여년간 지켜온 직장이 없어지는 것도 아닌데 일방적으로 해고 한다는 것은 부당하며, 또한 직속 전체 근로자 약 30,000명에게도 파급 확대될 것으로 보고

다. 중앙위원회를 소집하여 부당해고를 결사적으로 반대 투쟁할 것을 결의하는 한편 투쟁위원회를 구성하여 관계기관에 이를 호소하고 있는 실정입니다.

2. 한미행정협정 및 한국 노동법상의 문제점

가. 한미행정협정 제17조에 의거 주한미군은 한국의 노동관계법을 준수하도록 되어 있으며,

나. 고용을 계속하는 것이 군사상의 필요에 배치되는 경우에는 고용을 종료시킬 수 있으나 이 경우에는 사전에 한미합동위원회에 검토와 적당한 조치를 위하여 회부되어야 하도록 되어 있읍니다.

다. 그러나 상기와 같은 절차나 이유도 없이 일방적인 해고는 근로기준법 제27조에 의거 정당한 이유없이 근로자를 해고 등의 징벌을 못할 뿐아니라 동법 제4조에 따라 기존 근로조건을 성실히 이행할 의무가 있음을 규정하고 있는 데도 충분한 노사협의나 합의없이 일방적인 해고 예고를 하였읍니다.

라. 이는 10여년간 근무한 근로자의 직장이 없어지는 것도 아닌데 인건비가 높은것을 경비절약책으로 한국 군납 용역업자에게 하청 전환으로 대체할

86

경제기획원 (stamp)

용직입이 아닌가 예상되기도 합니다만 정당한 해고 사유가 될 수 없읍니다.

3. 하청시의 근로자 대우면으로 본 문제점

가. 만일 직속이 한국 용역업자에게 하청될시면 하청 업자 하의 근로자와의 임금수입상의 차액은 경비원의 경우는

1) 직 속 : 년 3,200$ x 1,000명 = 320만$

하 청 : 년 1,400$ x 1,000명 = 140만$

차 액 : 180만$

2) 직속과 하청의 임금비율은 100:43으로서 이것이 직속 근로자 약 30,000명이 전원 하청된다고 볼 때는 상기 임금비율을 적용하면 직속 년간 인건비 약 8,000만$이 하청일 경우는 약 3,440만$로 충당되고 차이액이 년간 4,560만$이나 되어 근로자의 생계에 위협을 줄 뿐아니라 외화 획득면에서도 문제가 된다고 봅니다.

4. 해결책으로 부처간의 협조사항

가. 노동청은 미군측으로 하여금 근로기준법을 준수하도록 계속 촉구하여 직속으로 고용하도록 요구 하겠읍니다.

나. 상공부는 주한미군이 계속 직속 고용토록 협조하여 주시는 동시에 만일 하청이 될시에는 한국의 용역업자들이 직속시의 임금이나 기타 근로조건이 그대로 승계되어 근로자의 대우가 저하되지 않도록 적절한 조치를 바랍니다.

다. 외무부는 미군측에서 동 문제를 한미 합동위원회에 회부하여 해결하고저 할 때 부당해고 계획을 취소하도록 조치하는데 협조를 바랍니다.

마. 경제기획원 ~~및 국방부 오석~~은 동 문제를 경제 ~~및 군사상~~ 협력관 관련되어 야기될 수 있는 주한미군 측의 주장이나 해고 계획을 취소하도록 협조하여 주시기 바랍니다.

80

외 무 부

년 월 일

10.25. PM

노동청에서

Goss와의 협의결과

요지를

노사담당관과 통화.

(12)

미 주 국 장

88

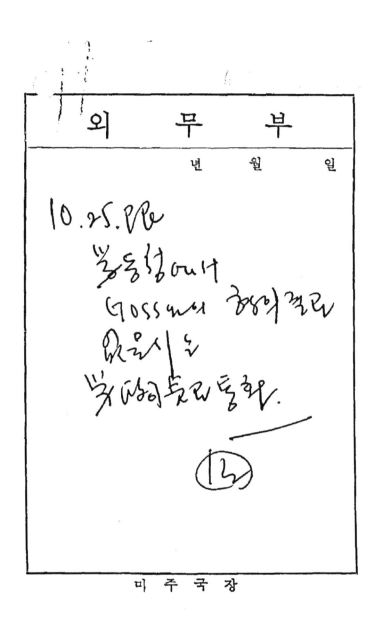

한 국 노 동 조 합 총 연 맹

노총조 제 77 호 1973. 10. 22

수 신 외무부장관

제 목 외기노조 쟁의에 관한 노총대의 결의문 송부

1973. 10. 10. 개최된 1973년도 노총대의원대회는 전국외국기관 노동조합의 쟁의에 관련하여 별첨과 여한 결의문을 채택하였으며, 이는 귀부와 깊은 관련이 있으므로 이를 송부합니다.

주지하시는 바와같이 미군측의 직속업무하청전환을 위한 부당해고계획은 우리나라 노동법상 용인될수없는 문제이며, 이는 국가적으로도 외화획득상 많은 손실을 초래하는 것이오니, 이부당노동행위가 방지됨으로서 국가의 손실과 종업원의 불이익이 함께 막아질수 있도록 각별한 협조를 바랍니다.

유 첨 결의문 사본 1부. 끝

공 73					차	장관
10. 25						

한 국 노 동 조 합 총 연 맹

위원장 배 상 호

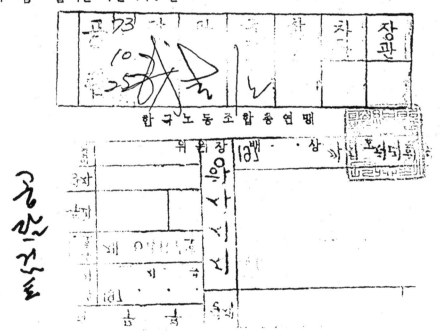

외 무 부		결재	
접수일시	197 . . . 23 시 분	지시사항	40
접수번호	제 6467호		
주무과			
담당자			
접수일			197 . . . 까지 처리할것

[illegible]

[illegible]

직속업무하청전환
반대결의문

전국4백만 근로자를 대표한 1973년도 노총전국대의원대회는 주한미군이 한국의 국토와 자유를 수호하고, 또한 한국에 민주주의를 심기 위하여 공헌해온 영구불멸의 업적에 대하여 최대의 경의를 표하는 동시에 무한한 감사를 표하는 바입니다.

그러나 최근 미군의 일부 인사관계정책수립자들은 순간적인 오류를 범함으로써 마치 옥에 티와도같이 지금까지 싸아온 업적과 전체 한국민들로부터 받고있는 신뢰감에 다소라도 흠을줄 우려가 없지 않으므로 본대회는 이것이 사전에 시정됨으로써 그러한 유감지사가 미연에 방지되기를 기대하는바이다.

즉 주한미군당국은 최근 이른바 경비절감이라는 명목아래 본연맹 산하 전국외기노조 조합원인 미군직속경비원 약1,000명 전원을 일시에 해고하고 동업무를 한국용역업자에게 하청시킬 계획을 발표하였으며, 동시에 그 테스트 케이스로 동두천, 파주, 시흥등지의 47명에 대해서는 이미 해고예고서까지 발급하였는바 만일 미군당국이 이를 철회치 않고 강행한다면, 직장이 폐쇄된것도 아닌데 종업원을 전원 이유없이 해고하는 행위이므로 이는 명백히 한국노동법에 위배되는 부당해고 즉 부당노동행위일 뿐아니라 한미행정협정상 주한미군은 한국의 노동법을 준수케 되어있으므로 이는 국제협정에도 배치되는 처사가 아닐수 없는것이다.

따라서 주한미군당국의 일부 인사정책수립자들에 의한 직속업무 하청계획은 크게 불합리한것이므로 이는 관계고위당국의 영단에 따라 즉시 철회되어야 할것임을 강력히 지적한다.

190

당해 외기노조는 방금 이문제에 관한 쟁의를 제기하고 있으며, 다행이 미군당국은 지난 9월 30일 단행하려던 47명에 대한 해고를 1개월 연장하였는바 본대회는 이것이 동 부당해고철회의 좋은 계기가 될것을 확신하고 기대하며 아울러 추호라도 이문제가 빗나가지 않도록 대회의 이름으로 경고하는 바이다.

1973. 10. 10

한 국 노 동 조 합 총 연 맹

1973년도 전국대의원대회

91

기 안 용 지

분류기호 문서번호	미이 723 -	(전화번호)	전결규정 조 항 국장 전결사항
처리기간		국 장	
시행일자	73. 10. 26.		
보존년한			
보조기관	과 장		협조
기안책임자	정의용	북미2과	
경유 수신 참조	한국노동조합연맹위원장	발신	1973.10.26 외무부
제 목	주한미군 직속 경비원 하청 전환		

대 : 노총조 제 77호 (73. 10. 22.)

1. 대호건에 대하여는 현재SOFA 협정 제 17조 제 4항 (가) (1) 에 의거 노동청 당국이 미측과 협의중에 있읍니다.

2. 당부에서는 이미 73. 8. 27.자 전국외국기관 노동조합의 진정서를 접수하여, 그간 노동청을 비롯한 관계부처와의 협조하에 동 문제해결을 위하여 노력하여 왔는 바, 73. 10. 10. 귀 연맹대의원대회에서 채택된 직속 업무 하청전환 반대 결의문의 내용을 충분히 검토, 관계부처와 협의하여 동 문제 해결을 위해 앞으로도 계속 노력할것임을 양지 바랍니다. 끝.

정서 관인 발송

공통서식 1-2 (갑)
1967. 4. 4 승인

190mm×268mm 중질지 70g/㎡
조달청 1000,000매 인쇄

92

외 무 부

년 월 일

○ 勞動廳 勞政課長

10/26. 3:30 通話

결렬을 지적

조속 妥結을 要請.

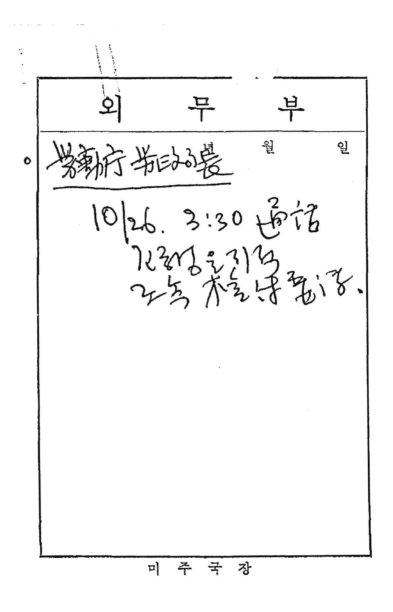

미 주 국 장

회 의 록

1. 제 목 : 주한 미군 직속 경비원 하청 전환 문제

2. 일시 및 장소: 1973. 10. 29. (월) 14 : 00 - 14 : 45
외무부 북미 2과

3. 참 석 자 : 외무부 북미 2과장
양세훈 서기관, 정의용 사무관
노 동 청 노사조정 담당관 신 연 호, 김상동 사무관

4. 회 의 내 용

북미 2과 : 최근 47명의 해고와 관련된 문제에 대한 노동청의 입장, 조정 현황 및 앞으로 처리계획등을 구체적으로 설명해 주기 바람.

노 동 청: 가. 지금까지 당청에서 SOFA 합동위원회를 통한 과제 부여를 반대해온 이유는 SOFA 를 통한 조정을 하는 경우 고용자와 고용주간의 직접대화를 통한 의견 조정보다 고용자측의 voice 가 약해질 것을 우려했기 때문임.

나. 또한 상금 당청의 공한에 대한 미측으로부터의 공식적인 회신을 접수치 못하고 있음. (법적인 측면에서의 의견 교환)

공람	접수 73 10 29	담당	과장	국장	차관보	차관	장관

94

다. 사실상 동건은 국가보위법에 의하여 쟁의가 인정되지 않고 따라서 쟁의 신고가 불가능하므로 SOFA 규정에 의한 "쟁의"로 간주될수 없는 형편임.

라. 당청의 입장은 근로기준법 27조에 의거 고용자가 "정당한 사유"없이 해고 할수 없다는 것인바, 미측은 하청전환이 "정당한 사유"라고 주장하고 있고, 당청은 법무부 유권해석 및 대법원 판례에 따라 하청전환을 이유로 한 해고가 정당한 사유가 될수 없다는 근거를 제시하여 왔음. 단지 미측이 47명의 해고 사유를 SOFA 규정상의 "군사상 필요"라고 내세우는 경우 문제가 있다고 봄.

마. 11. 1.자 해고 조치는 일단은 연기 될것으로 보고 있으나, 용역 하청업자들의 현재의 입찰불응 태도가 언제까지 지속할 것인가 우려되며, SOFA 를 통한 과제부여시 우리측이 시간적인 여유를 갖을 수 있을 것으로 생각됨으로 합동위원회에 동 문제를 상정시키는 방법을 논의하고 싶음.

(SOFA규정상 양측은 일방의 요구에 의한)

북미 2과 : 가. 미측은 계속 과제부여를 요청하고 있는 바, 과제부여를 사실상 거부할 수 없으므로, 당부에서는 현재까지 노동청의 입장을 위하여 이를 미루어 온 것임.

95

나. 그러나, 합동위에서 과제부여 경우 동 해고 문제가 어느 정도 연기 될수는 있겠으나, 양측이 조속한 시일내에 합의를 보지 못하는 경우 미측이 일방적으로 조치를 취할 가능성이 있음.

다. 과제 부여를 하는 경우 문제의 초점을 어떤식으로 제기하느냐의 문제가 있음. 미측 안은 일반적이고 전체적인 성격을 내포하고 있는 것으로 분석되므로, 우리측은 47명의 해고와 관련된 문제를 구체적으로 지적하여야 할 것으로 생각됨.

라. "군사상 필요"의 사유를 제기하려면 SOFA 제17조에 대한 합의 의사록 제4항 규정에 의거 사전에 검토 및 적절한 조치를 위하여 합동위원회에 회부하여야 하나, 미측은 당초 10. 1. 자 해고 통고시 합동위원회에 통고치 않았기 때문에 동 47명에 대해서는 그러한 사유를 제기할 수 없을 것으로 보나 현재 나머지 직속 고용원 800여명에 대해서는 사실상 미측이 "군사상의 필요"를 해고 사유로 제기하는 경우 우리측에 크게 불리할 것임.
따라서 당부 의견으로는 이번 과제부여의 하청전환에 따른 전반적인 문제 검토보다는 금번 47명의 해고를 구체적으로 제기하여 하나의 선례를 만들도록 하는것이 좋을것 같다는 것임. 이에 대한 귀청의 조속한 방침 결정을 요청하는 바임. (미측 문안 제시)

96

노 동 청 : 과제부여 여부 및 동 제시 문안에 대해서는 명일 오전중으로
당청의 최종 방침을 결정 통보하겠음.

97

주한 미군 직속 경비원 하청 전환

1. 외기 노조 진정

   가. 주한 미군 당국의 동두천 지역 한국인 경비원(47명)의 11. 1.자 해고 통고 철회

   나. 미군 당국의 계획인 하청전환의 경우 고용조건 저하로 연간 약 180만불 손실 초래

2. 노동청 조정

   미군 당국의 일방적 해고 통보가 SOFA 관계 규정 및 노동법에 저촉됨을 미측에 통고하고 다음과 같은 조치를 취할것을 촉구중.

   가. 해고 통고 철회, 또는

   나. 근로 조건의 저하 없는 하청 전환

3. 미측 주장

   미측 조치가 SOFA 규정 및 한국 노동법에 저촉되지 않음을 주장하고, 양측의 규정 해석상의 이견을 해결하기 위하여 SOFA 합동 위원회를 통한 과제부여 제의.

4. 조치현황

   가. 관계 규정 위반을 들어 계속 미측의 시정 촉구중.

   나. 11. 1.자 해고 통고와 관련 SOFA 합동위원회 과제 부여를 노동청과 협의중.

98

법적 측면에서의 문제점 (노 무)

1. SOFA 규정 (제 17조)

가. 제 3항

1) 주한미군 당국은 "군사상 필요에 배치되지 아니하는 한도내에서 (to the extent not inconsistent with the military requirements)" 대한민국의 노동법령의 제규정에 따라야 함.

2) 주한미군 당국은 동 47명의 직속 경비원의 하청전환과 관련 상금 군사상 필요의 이유를 내세우지 않았으며, 이를 내세울 명분도 없음. 단지 경비 절감의 이유인점을 비공식으로 표명한 바 있음.

나. 제 4항 (가) (1), (2)

1) (1) 노동쟁의 (dispute)는 조정을 위하여 대한민국 노동청에 회부되어야 하며," (2) 그 쟁의가 "(1)의 절차에 의하여 해결되지 아니한 경우에는 그 문제는 합동위원회에 회부됨."

2) 쟁의를 포함한 모든 노사 문제해결을 일차적으로 노동청에서 조정한다고 확대 해석하여 주장할수 있겠으나,

가) 노동쟁의(labour dispute)는 "업무의 정상한 운영을 저해하는 행위(노동쟁의조정법 제 3조)" 로서,

99

나) 노조측이 "쟁의행위를 하고자 할때는 관할 구분에 따라 노동청장등에 신고하도록 (노동쟁의 조정법 시행령 제 7조)"되어 있음.

다) 아직은 쟁의 발생 이전임으로 동 규정상 "쟁의 (dispute)"의 해석에 문제점이 있음.

3) 또한 국가 보위에 관한 특별 조치법 (제 9조)에 의한 노동자의 단체 행동의 규제와 관련 쟁의 신고등의 가능성이 의문시 되고 있음.

다. 제 17조에 대한 합의 의사록

1) 제 2항에서 주한 미군 당국은 "고용을 계속하는 것이 군사상 필요에 배치되는 경우에는 어느 때든지 이러한 고용을 종료시킬수 있음. (may terminate employment at any time the continuation of such employment is inconsistent with the military requirements)"

2) 미측은 "어느때든지 (at any time)"를 확대 해석 코자 하나, 이는 상기 가 항의 경우와 마찬가지로 해석 되어야 할것이며,

3) 제 4항에서 "군사상 필요 때문에 대한민국 노동법령을 따를수 없을 경우에는 사전에 합동위원회에 회부되어야 한다"고 규정하고 있음.

100

2. 근로 기준법

가. 제27조 1 (해고등의 제한)

고용주는 근로자에 대하여 "정당한 이유없이(without justifiable reason)해고 할수 없음.

나. 제4조 (근로조건의 준수)

고용주는 "단체협약, 취업규칙과 근로 계약을 준수하여야 하며 성실하게 이행할 의무가 있음".

다. 주한 미군당국이 직속 경비 업무를 하청으로 전환코자 하는 계획중 "하청 행위"에는 위법성이 없으나, 이로 인한 현직 "근로자의 해고"나 또는 근로자의 의사에 반한 "근로조건의 저하" 는 위법임.

라. 법무부 유권 해석에 의한 "정당한 해고" 란

1) 근로자의 귀책사유에 의한 해고
2) 기업의 합리적인 운영을 위한 기업의 폐쇄 또는 축소에 의한 해고, 감원
3) 업무수행에 적격치 못하여 대체하는 경우,
만을 인정하는 것임.

마. 따라서,

1) 업무내용이 변경 또는 축소됨이 없이,
2) 동일성을 유지한,
3) 동량의 업무내용을 가지고,
4) 근로자의 동의없는,
해고는 명백한 위법임.

(0|

미측이 제시한 법적 문제점 (노 무)

1. **SOFA 제 17조 4항은 순수한 노동쟁의에만 적용할수 있음.**

가. "노동쟁의"란 임금, 노동시간, 작업조건 또는 고용조건등에 관한 논쟁을 말하는 것임

나. 동 조항의 적용 제한은 17조의 명백한 취지와 조약 및 협정 해석에 관한 국제법 규정과도 일치하는 것임

다. 1965 제 72차 회기등 수차에 걸친 동 17조 협상시의 기록을 보면 17조 제 3항에서 다루어진 문제(고용조건, 보상 및 노사관계)와 현지 고용원 채용 및 해고에 대한 미국 또는 주한미군의 기본적 권리와의 사이에 명백한 차이점이 존재한다는 것을 알수 있음.

라. 미국대표 (현재는 하비브대사)는 여러번 미측의 해고할수 있는 법적권리 보유원칙을 (명백히 했으며, 동원칙은) 합의의사록 제 2항에 구현되었음. 또한 미국이 주권국가로서의 면제를 포기하지 않았음을 강조했으며, 이점도 동 2항의 첫번째절에 반영되었음.

마. 미국이 노무 분야에 있어서 주재국 법률및 관례를 준수하기 위한 노력을 해야하긴 하지만, 반면에 미국은 "미군의 군사상의 필요"에 따라 그 규정에서벗어날수 있는 권리를 유보한 것임(제17조 3항)

102

바. 제 17조 2항 또는 합의 의사록 2항에 포함된 상기 기본원칙이 17조 4항에 의한 "조정"절차에 종속되어야 한다는 규정은 없음.

2. 동 문제에있어서, 제 17조 및 합의의사록 제 2항의 기본원칙과 이와 관련 용역을 위한 자유로운 계약 체결 권리원칙 (16조 1항)이 한국 법률의 일부를 구성한다는 것을 인식하여야 할것임. 제 29조 및 대한민국 헌법도 이러한 결론을 뒷받침하고 있음.

3. 결 론

가. 주한 미군은 동 문제와 관련 제 17조 2항 및 동합의의사록에 의거 해고를 종료시킬수 있으며, ~~계약할 수 있는~~ 제 16조 1항에 의거 자유로이 계약할수 있는 권리를 갖고 있다는 입장을 견지해야 할것임.

나. 상기 권리와 관련된 논쟁이 야기되는 경우, 이는 제 28조에 따라 합동위원회에 마땅히 회부~~될수 있을 것임~~. 되야 할것임.

다. 고용조건과 관련된 유효한 노동쟁의만이 17조 4항에 의거 노동청에 의해 심의될수 ~~있음~~ 있을 것임.

103

DEPARTMENT OF THE ARMY
HEADQUARTERS, EIGHTH UNITED STATES ARMY
APO SAN FRANCISCO 96301
Office of the Civilian Personnel Director

EACP-K

OCT 30 1973

SUBJECT: Deferment of Separation During a Labor Dispute

Director General
Office of Labor Affairs
Republic of Korea

1. This is in reply to your letter of the same subjected as above, dated 27 October 1973, and will confirm the telephonic information provided 29 October, on this subject matter.

2. In regard to the separation of the 47 direct-hire Korean guards of 8th US Army, a decision has been made to defer the separation date for 90 days, or until 31 January 1974, providing the Ministry of Foreign Affairs concurs in the task assignment, subject: Problems Relating to the Practices of USFK's Korean Contractors Towards Their Korean Employees, proposed by the US representative of the SOFA Joint Committee.

3. Your earliest reply to this letter, preferably by 31 October 1973, would be appreciated.

F. R. GOSS
Civilian Personnel Director

EACP-K

SUBJECT: Contracting Out of USFK Direct-Hire Guards to Local Contractors

Director General
Office of Labor Affairs
Republic of Korea

1. With reference to your letter of 15 October 1973 (IR 1453-10839), please be advised that the US position in this troublesome problem area was not achieved without a full and complete study of all factors involved, including the pertinent legal aspects.

2. In connection with the recent ROKG proposal that the matter be submitted to the OLA as a labor dispute involving the provisions of paragraph 4, Article XVII, SOFA, a legal opinion was obtained from the Judge Advocate of this Headquarters. That analysis, as it in substance is quoted below, correctly sets for th the fundamental SOFA principles which have been and continue to be involved in this matter:

> "The procedures of Para 4, Art XVII, SOFA, should be considered applicable to true labor disputes; that is to say, to controversies over wages, hours, working conditions, or terms of employment. This limitation would accord with the clear intent of Art XVII, as well as with the provisions of international law bearing on interpretation of treaties and agreements. Itwwould also be supported by the negotiating history of Art XVII, in which it was made clear on several occasions (as, for example, in the 72d Session in 1965) that a distinct difference existed between the matters covered in Para 3 of Art XVII; i.e., conditions of employment, compensation, and labor-management relations, and the basic right of the US or USFK to hire or

105

fire local employees. The US representative, now Ambassador Habib, frequently enunciated the principle that the US had a legal right to terminate employment, and this principle was embodied in the second sentence of Para 2 of the Agreed Minute to Art XVII. He also emphasized that the US did not waive any of its immunities as a sovereign country and this is also reflected in the first sentence of Para 2. While the US would make every effort to conform to local law and practices in the field of labor, it reserved its right to deviate therefrom whenever "the military requirements of the United States armed forces" required otherwise (Para 3, Art XVII). There is no indication that any of these basic principles, contained in Para 2 of Art XVII, or Para 2 of the Agreed Minute, were to be subject to the "conciliation" procedures of Para 4 of Art XVII.

"It is important to realize in this problem area that the basic principles of Para 2 of Art XVII and the Agreed Minute, and the related principle of the right to contract freely for services (Para 1 of Art XVI) do constitute a part of the ROK law. Para 2 of Art XXIX of the SOFA and the ROK Constitution itself support this conclusion. US negotiators should not be deflected from discussing these US rights and powers as they bear upon the issues raised in this file.

"The above comments clearly indicate that USFK should maintain its position that the issue in this case involves the right to terminate employment under Para 2 of Art XVII and the Agreed Minute, and to contract freely under Para 1 of Art XVI. When controversies arise concerning such rights, these are properly assignable to the Joint Committee in accord with Art XXVIII. Only valid labor disputes involving conditions of employment are cognizable by the OLA under Para 4 of Art XVII."

3. We trust that the foregoing will serve to indicate how we view the matter as well as the basic principles which are involved. In substance, our position is that the US has the right to terminate employment whenever military requirements justify such actions and that anything which reasonably contributes to the accomplishment of the U.S. mission is a military requirement.

F. R. GOSS
Civilian Personnel Director

노 동 청

노사 1452.2- 11413 62-4541 1973. 10. 31.

수신 외무부장관

참조 미주국장

제목 주한 미군 직속 경비원 하청 전환

1. 미이 723-42100 (73. 10. 31.)의 관련입니다.

2. 관련호로 의견 조회하신 SOFA 합동위원회부의 건에 대하여 미측 회의 안건을 수정한 당청의 대책을 별지와 같이 송부하오니 합동위원회부의시 이를 조치해 주시기 바랍니다.

첨부 : 주한 미군 직속 경비원 하청 전환 문제에 대한 대책 1부. 끝.

노 동 청

107

주한 미군 직속 경비원 하청 전환 문제에 대한 대책

1. 기본 방향
   1) 주한 미군 직속 경비원 하청 전환 문제에 대한 제1차적인 쟁점은 "문제된 해고의 부당성 여부에 국한하여 논의하면서 점차로 전반적인 문제에 대한 미측의 전략을 분석한다.
   2) 미측이 구상하고 있는 하청 전환을 위한 일방적 해고는 군사상의 이유가 아닌 경영상의 이유이며, 현저하게 불이익 처분될 한국 근로 당사자의 근로조건 저하는 근로기준법 제27조에 정면으로 위배된다.
   3) 한미 공동 방위조약의 기본정신에 입각하여 양국의 우의 및 선린 관계는 유지 되어야 하며 지속된 건전하고 발전적인 사회정의가 조그마한 이해관계로 후퇴 혹은 부당 처리됨은 심히 부당하다.
   4) 문제된 47명의 해고를 선례로 하여 잔여 800여명의 동종 근로자와 16,000여명의 직접 고용 외국기관 종사자의 불이익이 초래될 수 있는 근거가 되지 않아야 한다.
2. 대책 및 방안
   1) 지위 협정 합동위원회의 안건 제목
      (1) 미측 제의 : 미군의 한국 계약 회사와 한국 고용원에 대한 업무에 관한 문제
      (2) 한국측 제의(안): 주한 미군 직속 경비원의 하청전환을 위한 해고에 따른 문제점.
      (3) 이 유 : 미측은 해고의 부당성 여부를 논하기 전에 하청을 위한 해고는 기정사실화 하고 그후에 발생할 문제를 협의코자 하나 우리측으로서는 우선 해고 행위의 정당성 여부를 따져야 할 것임.

108

2) 합동위원회 개최전 협조사항

(1) 관계부처 협의 : 외무부, 경제기획원, 상공부, 법무부, 중앙정보부, 노동청.

(2) 협의 요지 : 우리 정부의 기본입장 토론과 관계부처 협조

(3) 전문적 사항 및 법률사항 연구 검토 (외무부, 법무부, 노동청)

3) 관계법령 및 쟁점

(1) 미측에서는 미군에 직접 고용된 경비원에 국한하지 않고 미군과 계약하게될 "한국 계약 회사가 미군하에서 수행하던 직무를 인수했을 시에 야기될 문제점"에 대해서 논의 하자고 제의하고 있음.

(2) 한국측으로서는 해고를 기정 사실로한 미측 제안에 대하여 해고 행위 자체의 부당성을 천명하고 협정 제17조에 따라 우리 국내의 노동법규로 이를 철회토록 교섭해야 함.

(3) 47명의 직속 경비원 해고 예고를 73. 10. 31.로 결정하고 이를 다시 70일 (74. 1. 30)후로 연장하였음을 73. 10. 27.에 통고하여 왔음.

(4) 한미 방위조약 4조에 의한 대한민국 내에서의 미군 군대의 지위에 관한 협정 제17조에는,
"미국 군대의 군사상의 필요에 배타되지 않는 한 고용원을 위한 고용조건, 보상, 노사관계는 대한민국의 노동법령 제 규정에 따르도록" 되어 있음.

(5) 전기 협정 제17조 4, 가, (5)항에서 쟁의는 70일의 냉각기를 갖도록 규정했으며, 조정결정은 합동위원회에서 결정하며 당사자는 이에 승복토록 되어 있음.

(6) 1971. 12. 27.에 제정 공포된 국가보위에 관한 특별조치법 제9조에 따라 단체교섭권은 규제되고 있음.

(7) 따라서 위의 문제 사항은 "노동쟁의"가 아닌 "노동분규"로서 광범하게 "근로조건 저하"라는 문제에 집약시켜 거론되어야 함.

60

(8) 근로기준법 제27조는 근로조건의 저하를 목적으로 하는 고용계약이나 해고등의 사태는 당해 근로자에게 불이익 처분을 할 수 없도록 해고등은 특별한 제한을 받고 있으며, 법규상의 제한 조건은 최소한 보호요건임으로 그 이하의 어떤 불이익도 이는 방관될 수 없음.

(9) 근로기준법 제29조에는 "예고 해고의 적용 예외" 규정을 정하고 있음.

(10) 사업의 승계시에 발생하는 문제로서, 발생하는 근로자의 해고에는 법무부의 특별한 유권적 해석이 있음. (별 첨)

3. 세부 방침

1) 우선 양측 합동위원회에 부의할 것을 제외한 미측의 제안에 대하여 회의 개최 사항은 수락하고 우리측의 주장점으로 회의 의제 수정을 제의해야 함. (협정에 따라 어느 일방은 수시로 회의를 제의할 수 있음)

2) 한국측의 전략을 위한 관계부처 실무자 회의를 개최하고 면밀한 작전과 법률이론을 검토 분석한다.

3) 가능한한 장시일의 회의로 유보되도록 노력하면서 문제된 해고 예고가 취소되도록 노력한다.

4) 마지막으로 미측의 47명에 대한 강경한 조치가 확인될 때에는 상대편의 체면을 위하여 우선 47명의 해고에는 동의하면서,

5) 여타 동종직 종사자 (약 800명 추산)들에게 동일한 해고 행위가 없을 것을 확약 받는다.

110

제 목 : 기업의 양도, 조직 변경이 있을 때의 근로조건의 포괄적 승계

보건사회부장관 질의 내용

1. 회사 (법인)의 합병 (흡수 또는 신설)에 있어서는 (주식의 양도에 있어서도 결과는 동일) 소멸회사의 권리 의무는 합병후 존속 회사에 포괄적으로 승계되면 소멸회사와 근로자간의 개별적 근로계약 관계도 그 일부로서 당연 승계되므로 퇴직금등 계산에 관한 계속 근로문제나 임금 기타의 채권 채무의 귀속 등에 관하여 별다른 문제가 없는 바이나 근로계약의 당사자인 법적 인격자로서 사용자의 변경에는 그 외에 다음과 같은 경우가 있음.

가. 개인 명의의 기업이 그대로 회사 (법인)로 되는 때

나. 기업의 일부가 분리 독립하여 그대로 독립 회사로 되는 때

다. 영업의 양도

라. 회사의 조직 변경

2. 전기 각 경우에 있어서

가. 기업이라 함은 유형무형의 자본과 노동력의 결합으로 이루어진 동적 조직으로 보아야 하므로 형식상 법적 인격자로서의 사용의 변경에 불구하고 기업 그 자체가 동일성을 가지는 한 (즉 동일노동 계약 관계의 존속을 필요로 하지 않고) 노동관계는 당연 승계되는 것으로 보아야 한다는 견해가 있는 바, 그러한가 (즉 이 경우에는 계속 고용의 거부는 일방적인 해고로 취급될 것임)

나. 신기업주에 계속 고용되거나 또는 승계되어 근로내용이나 근로조건 등에 중대한 변화가 없는 경우는 실질상 동일의 노동관계가 존속된다 할 것이며, 이 경우 퇴직금 연차유가 등에 관한 근로년수 계산에 있어서는 이를 계속 근로로 통산 취급함이 마땅 (그간에 대한 퇴직금등 청산에 불구) 하다고 사료되는 바 그러한가

(!(

다. 전기에 의하여 노동관계의 승계 또는 계속근로로 통산 여부에 불구하고 근로자는 사용자 변경전의 기간분에 대한 소정 퇴직금을 요구할 수 있으며, 또 기업주 (신기업주 또는 구기업주)는 사용자로서 이에 대한 이행 의무를 가진다 할 것인가 (계속근로 통산 문제와 그 간에 대한 퇴직금 정산 문제는 별도 문제라 사료되며, 또 연차 유급휴가는 근로기준법 제48조 2항에 의하 의하여 의당 퇴직금은 취업규칙 단체협약 등에 의하여 근로년수에 따라 누진 가급 제도를 실시하는 경우가 많음)

법무부장관 회시 내용

1. 귀견과 같다.
2. 귀견과 같다.
3. 생 략

이 유 : 1, 2, 3, 기업이라 함은 노동력을 떠나서는 존재할 수 없는 것으로 그것은 유형무형의 자본과 노동력의 결합에 의한 동적 조직으로 볼수 있으며, 따라서 (노동관계는 특정의 경영자에 대한 것으로 보기 보다는 기업 그 자체와 결합된 것이라고 볼수 있으므로 기업이 존속하며, 그 명의가 개인에서 법인으로 되거나 기업의 일부가 독립하여 별개의 법인이 되거나 회사의 조직변경이 있거나 영업의 양도가 있다 하더라도 기업 그 자체가 폐지됨이 없이 동일성을 존속하는한 즉 새로운 경영자가 기업을 승계하여 경영을 계속하는 경우에는 다만 기업의 소유자 내지 경영자가 교체된 것에 불과하며, 기업 그 자체는 실질적인 동일성을 잃지 아니하고 시종 존속하는 것이므로 노동관계는 새로운 경영자에게 승계되는 것이라고 해석한다.

그러므로 퇴직금이나 연차 유급휴가 등에 관한 근로년수에 있어서는 이를 계속 근로로 통산하여야 함.

112

공 란

공 란

노 동 청

노사 1454- 11827 62-4541 1973. 11. 8.

수신 외무부 장관

참조 북미 2과장

제목 주한미군 직속 경비원 하청 전환 문제에 대한 관계부처 협조

1. 주한 미군 직속 한국 경비원 47명이 지난 9월 30일에 해고 예고된후 2차에 걸쳐 해고 기간이 연기되고 있읍니다.

2. 경비 절약과 계약의 자유를 이유로한 미측 조치에 대하여 당청으로서는 예견되는 추후의 사례를 감안하여 관계법규 (별첨 참조)에 따라 대응 조치 코저 합니다. 동 감원 조치 및 한국인 근로자의 직접고용에서 간접고용으로의 전환 계획 문제는 미측에 의하여 제 90차 SOFA 합동위원회에 상정되어 노무분과 위원회에 부의키로 결정된바 있읍니다.

3. 이에 대한 당청의 의견 및 대책을 송부 하오니 귀 부처의 의견을 회시해 주시기 바라며, 동 문제와 관련된 귀 부처의 제반 업무는 문제 해결될때 까지는 당청과 수시로 협조 하여 주시기 바랍니다.

첨 부 : 1. 대책 방안 1부.

2. 관계법규 (한국측, 미측) 1부. 끝.

노 동 청 장

115

정부 공문서 규정 제27조 제2항의 규정에 의하여

차 장 허 성 문 전결

외 무 부		결재	
접수 일시	197 9 NOV 13 15 : 20	지시사항	
접수 번호	제 67565 호		
주무과			
담당자			
결재			. . . 까지 처리할 것

주한 미군 직속 경비원 하청 전환 문제에 대한 대책

1. 경위 및 문제의 발단

가. 주한 미군 산하에는 총 32,540명의 한국인이 고용되어 있으며, 20,661명이 미군 직속으로 고용되어 있고 11,879명은 하청업체에 간접 고용되어 있다.

나. 하청 고용보다 미군에 직속 고용되어 있는 고용원은 월등한 대우를 받고 있으며, 미군 일각에서는 경비 절약과 예산 절감을 이유로 직속고용 근로자를 해고하고 하청 업자에게 간접 고용토록 문제를 검토중에 있다.

다. 제1차로 지난 8월에 47명의 직속 경비원을 73. 9. 30.까지 해고 예고하였으나 당청의 교섭에 따라 2차에 걸쳐 연기된바 있으며 (1974. 1. 28.까지로 연기) 제 90차 한미합동 위원회에 부의되어 노무분과위원회로 다시 이관되었다.

2. 문 제 점

제 90차 한미합동 위원회에서는 "47명의 직속 경비원 해고에 따른 합법성 유무"와 이에 따른 전반적인 문제를 일괄해서 노무분과 위원회에서 세부적인 검토를 하도록 위임되었다.

3. 관계되는 법규 사항

가. 대한민국과 아메리카 합중국간의 상호 방위조약 제4조에 의한 시설과 구역 및 대한민국에서의 합중국 군대의 지위에 관한 협정 및 동 부속문서 제17조 3항에는 "합중국 군대의 군사상 필요에 배타되지 아니하는 한도내에서 합중국 군대가 그들의 고용원을 위하여 설정한 고용조건, 보상 및 노사관계는 대한민국 노동법령의 제 규정에 따라야 한다"고 규정되었다.

116

나. 동 협정 의사록 제17조에는 "고용주가 합중국 군대의 군사상 필요 때문에 본조에 따라 적용되는 대한민국 노동법령을 따를 수 없을 때에는 그 문제는 사전에 적당한 조치를 위하여 합동위원회에 회부" 되도록 규정되었다.

다. 우리 나라 근로기준법 제4조 및 제27조에는 근로조건과 해고에 대한 제한 조건을 규정하고 있으며, "질적인 변화없이 동일장소에서의 동일 조건 근로에 대하여는 처우를 저하시킬 수 없다"는 것이 법무부의 유권적인 해석이다.

4. 전망 및 대책

가. 미국측에서는 미군 직속 고용원을 점진적으로 하청업자에게 이관함으로써 경영상 경비의 절약을 기도할 것이다.

나. 문제된 47명의 해고에 이어 미국측은 20,000여명의 직속 고용원을 전환하려 할 것임으로 한국 노동법령에 따라 (군사상의 이유가 아니므로) 이들 해고는 막아져야 하며, 관계부처는 협조하여 문제 해결에 임해야 할 것이다.

5. 첨 부

관계 법규 1부.

117

노 동 관 계 법 률 (발 췌)

1. 근로기준법 제2조 (근로조건의 기준)
본법에서 정하는 근로조건은 최저기준이므로 근로관계 당사자는 이 기준을 이유로 근로조건을 저하시킬 수 없다.

2. 근로기준법 제4조 (근로조건의 준수)
근로자와 사용자는 단체협약, 취업규칙과 근로계약을 준수하여야 하며, 각자가 성실하게 이행할 의무가 있다.

3. 근로기준법 제27조 (해고등의 제한)
(1) 사용자는 근로자에 대하여 정당한 이유없이 해고, 휴직, 정직, 전직, 감봉 기타 징벌을 하지 못한다.
(2) 사용자는 근로자가 업무상 부상 또는 질병의 요양을 위한 휴업기간과 기후 30일간은 해고하지 못한다. 단, 사용자가 제84조에 규정된 일시보상을 지급하였을 경우 또는 천재 사변 기타 부득이한 사유로 인하여 사업계속이 불가능한 때에는 예외로 한다.

4. 근로기준법 제27조의 2 (해고의 예고)
(1) 사용자는 근로자를 해고하고자 할때에는 적어도 30일전에 그 예고를 하여야 한다. 30일전에 예고를 하지 아니한 때에는 30일분 이상의 통상임금을 지급하여야 한다. 단, 천재.사변 기타 부득이한 사유로 사업 계속이 불가능하여 보건사회부장관의 승인을 받은 경우 또는 근로자의 귀책사유로 인하여 해고하는 경우에는 예외로 한다.
(2) 전항 단서 후단의 경우에는 근로자의 귀책사유에 관하여 노동위원회의 인정을 받아야 한다.

118.

5. 근로기준법 제29조 (예고 해고의 적용예외)

제27조의 2의 규정은 다음 각호의 1에 해당하는 근로자에게는 적용하지 아니한다.

1. 일당근로자로서 3월을 계속 근무하지 아니한 자
2. 2월이내의 기간을 정하여 사용된 자
3. 월급 근무자로서 6월이 되지 아니한 자
4. 계절적 업무에 6월 이내의 기간을 정하여 사용된 자
5. 수습사용중의 근로자

6. 노동쟁의 조정법 제2조 (노동쟁의의 정의)

이 법에서 노동쟁의라 함은 임금, 근로시간, 후생, 해고, 기타 대우등 근로조건에 관한 노동관계 당사자간의 주장의 불일치로 인한 분쟁상태를 말한다.

7. 노동쟁의 조정법 제3조 (쟁의행위의 정의)

이 법에서 쟁의행위라 함은 동맹파업, 태업, 직장 폐쇄 기타 노동관계 당사자가 그 주장을 관철할 목적으로 행하는 행위와 이에 대항하는 행위로서 업무의 정상한 운영을 저해하는 것을 말한다.

8. 국가보위에 관한 특별조치법 제9조 (단체교섭권 등의 규제)

(1) 비상사태하에서 근로자의 단체교섭권 또는 단체행동권의 행사는 미리 주무관청에 조정을 신청하여야 하며, 그 조정결정에 따라야 한다.

(2) 대통령은 국가안보를 해하거나 국가동원에 지장을 주는 아래근로자의 단체행동을 규제하기 위하여 특별한 조치를 할 수 있다.

1. 국가기관 또는 지방자치단체에 종사하는 근로자
2. 국영기업체 종사하는 근로자
3. 공익사업에 종사하는 근로자
4. 국민경제에 중대한 영향을 미치는 사업에 종사하는 근로자

119

9. 대한민국 헌법 제28조

(1) 모든 국민은 근로의 권리를 가진다. 국가는 사회적, 경제적 방법으로 근로자의 고용의 증진에 노력하여야 한다.

(2) 모든 국민은 근로의 의무를 진다. 국가는 근로의 의무의 내용과 조건을 민주주의 원칙에 따라 법률로 정한다.

(3) 근로조건의 기준은 법률로 정한다.

(4) 여자와 소년의 근로는 특별한 보호를 받는다.

10. 대한민국 헌법 제29조

(1) 근로자는 근로조건의 향상을 위하여 자주적인 단결권, 단체교섭권 및 단체행동권을 가진다.

(2) 공무원인 근로자는 법률로 인정된 자를 제외하고는 단결권, 단체교섭권 및 단체행동권을 가질 수 없다.

120

미국측 법률 고문이 인용한 관계규정 (발췌)

1. 협정 제17조 4항

(가) 고용주와 고용원이나 승인된 고용원 단체간의 쟁의로서, 합중국 군대의 불평 처리 또는 노동관계 절차를 통하여 해결될 수 없는 것은, 대한민국 노동법령중 단체행동등에 관한 규정을 고려하여, 다음과 같이 해결되어야 한다.

(1) 쟁의는 조정을 위하여 대한민국 노동청에 회부되어야 한다.

(2) 그 쟁의가 전기 (1)에 규정된 절차에 의하여 해결되지 아니한 경우에는, 그 문제는 합동위원회에 회부되며, 또한 합동위원회는 새로운 조정에 노력하고자 그가 지정하는 특별위원회에 그 문제를 회부할 수 있다.

(3) 그 쟁의가 전기의 절차에 의하여 해결되지 아니한 경우에는, 합동위원회는 신속한 절차가 뒤따를 것이라는 확증하에, 그 쟁의를 해결한다. 합동위원회의 결정은 구속력을 가진다.

(4) 어느 승인된 고용원 단체 또는 고용원이 어느 쟁의에 대한 합동위원회의 결정에 불복하거나, 또는 해결 절차의 진행중 정상적인 업무 요건을 방해하는 행동에 종사함은 전기 단체의 승인 철회 및 그 고용원의 해고에 대한 정당한 사유로 간주된다.

(5) 고용원 단체나 고용원은, 쟁의가 전기 (2)에 규정된 합동위원회에 회부된 후 적어도 70일의 기간이 경과되지 아니하는 한 정상적인 업무 요건을 방해하는 어떠한 행동에도 종사하여서는 아니된다.

(나) 고용원 또는 고용원 단체는 노동쟁의가 전기 절차에 의하여 해결되지 아니하는 경우에는 계속 단체행동권을 가진다. 다만, 합동위원

121

회가 이러한 행동이 대한민국의 공동방위를 위한 합중국 군대의 군사작전을 기히 방해한다고 결정하는 경우에는 제외한다. 합동 위원회에서 이 문제에 관하여 합의에 도달할 수 없을 경우에는 그 문제는 대한민국 정부의 관계관과 아메리카 합중국 외교사절 간의 토의를 통한 재검토의 대상이 될 수 있다.

(다) 본조의 적용은 전쟁, 적대행위 또는 전쟁이나 적대행위가 절박한 상태와 같은 국가 비상시에는 합중국 군 당국과의 협의하에 대한민국 정부가 취하는 비상조치에 따라 제한된다.

2. 협정 규정 제17조 3항

본조의 규정과 합중국 군대의 군사상 필요에 배타되지 아니하는 한도 내에서 합중국 군대가 그들의 고용원을 위하여 설정한 고용조건, 보상 및 노사관계는 대한민국의 노동법령의 제 규정에 따라야 한다.

3. 합의 의사록 제17조 2항

합중국 정부가 대한민국 노동관계 법령을 따른다는 약속은 합중국 정부가 국제법상의 동 정부의 면제를 포기하는 것을 의미하지 아니한다. 합중국 정부는 고용을 계속하는 것이 합중국 군대의 군사상의 필요에 배타되는 경우에는 어느 때던지 이러한 고용을 종료시킬 수 있다.

4. 협정 규정 제16조 1항

합중국 군대는 동 군대의 대한민국에서의 조달 계획에 있어서 예상되는 중요한 변화에 관하여 실행 가능한한 사전에 적절한 정보를 대한민국 당국에 제공 하여야 한다.

5. 협정 규정 제29조 2항

대한민국 정부는 본 협정의 규정을 시행하는데 필요한 모든 입법상 및 예산상의 조치를 입법기관에 구할 것을 약속한다.

122

6. 협정 규정 제17조 2항

고용주는 그들의 인원을 모집하고 고용하며 관리할 수 있다. 대한민국 정부의 모집 사무기관은 가능한 한 이용된다. 고용주가 고용원을 직접 모집하는 경우에는 고용주는 노동행정상 필요한 적절한 정보를 대한민국 노동청에 제공한다.

7. 협정 규정 제28조 (합동위원회)

(1) 달리 규정한 경우를 제외하고는 본 협정의 시행에 관한 상호 협의를 필요로 하는 모든 사항에 관한 대한민국 정부와 합중국 정부 간의 협의 기관으로서 합동위원회를 설치한다. 특히 합동위원회는 본 협정의 목적을 수행하기 위하여 합중국의 사용에 소요되는 대한민국 안의 시설과 구역을 결정하는 협의기관으로서 역할한다.

(2) 합동위원회는 대한민국 정부 대표 1명과 합중국 대표 1명으로 구성하고 각 대표는 1명 또는 그 이상의 대리인과 직원단을 둔다. 합동위원회는 그 자체의 절차규칙을 정하고 또는 필요한 보조기관과 사무기관을 설치한다. 합동위원회는 대한민국 정부 또는 합중국 정부중의 어느 일방 정부 대표의 요청이 있을 때에는 어느 때라도 즉시 회합할 수 있도록 조직되어야 한다.

(3) 합동위원회가 어떠한 문제를 해결할 수 없을 때에는 동 위원회는 이 문제를 적절한 경로를 통하여 그 이상의 검토를 강구하기 위하여 각기 정부에 회부하여야 한다.

128

공 란

공 란

기 안 용 지

분류기호 문서번호	미이 723 -	(전화번호)	전결규정 조 항 / 국장 전결사항
처리기간			
시행일자	73. 11. 10.		
보존년한		국 장	
보조기관	과 장		협조
기안책임자	정 의 용	북미 2과	
경유 / 수신 / 참조	노동청장	발신 16042 1973 11. 10 외무부	통제 검열 1973. 11. 10 통제관
제 목	주한 미군 직속 경비원 하청 전환		

연 : 미이 723 - 42100 (73. 10. 13.)

대 : 노사 1452.2 - 11413 (73. 10. 31.)

1. 주한 미군 당국의 직속 경비원 하청 전환과 관련 제 89차 SOFA 합동위원회 (73. 11. 1.) 에서 합의되고 한.미 양측 대표에 의하여 서명된 노무분과위원회에 대한 과제 부여 각서 (사본)를 별첨 송부하오니 참고 바랍니다.

2. 동 합동위원회에서 한국 대표는 상기 각서 제 2항 문안중 "a certain number" 는 최근 해고 통고된 47명의 주한 미군 직속 경비원과 관련된 것으로 양해 함을 첨언하였으며, 동 회의록은 추후 송부 예정입니다.

첨 부 : 동 각서 사본 3부. 끝.

정서 / 관인 / 발송

공통서식 1-2 (갑) 1967. 4. 4 승인 | 190mm×268mm 중질지 70g/m² 조달청 1000,000매 인쇄

126

공 란

공 란

공 란

공 란

공　　　란

73. 11. 15. 15 : 30

노동청 노정국 김상동 사무관

협의내용

1. 노무분과위원 경질 절차 문의

2. " 위원회 개최일자

11. 19. 미8군 Mr. Goss 와 면담 예정시 결정

(12. 13. 개최 예정인 합동위원회 회의 이전)

3. 관계부처 실무진과의 대책회의

4. 국민복지 연금법 시행시 문제점.

132

노 동 청

노사 1454-12242 62-4541 - 1973. 11. 17.

수신 외무부장관 3031

참조 북미 2과장

제목 주한 미군 직속경비원 하청 전환 문제에 대한 관계부처 실무자 회의

1. 노사 1454-11827 (73. 11. 8)과의 관련입니다.

2. 주한 미군 직속 경비원 47명에 대한 미군 당국의 해고 예고 조치를 비롯한 미군 직속 종업원의 간접고용으로의 하청 전환 문제에 대하여 한미 공동위원회, 노무분과 위원회에 부의되기 전에 대책을 강구하고저 관계부처의 대책 회의를 개최하오니 참석해 주시기 바랍니다.

가. 회의일시 : 73. 11. 22. 14:00

나. 장 소 : 노동청 회의실 (2층)

다. 참 석 자 : 관계부처의 담당과장

라. 연 락 처 : 노동청 노사조정담당관실 (...)

마. 기타사항 : 참석여부를 전화 통보 바람.

바. 회의자료 : 당일 배부. 끝.

공람	담당	과	국	참	차관	장관
20일						

발송 No. 1973.11.17 노동청

정부 공문서규정 제27조 제2항의 규정에 의하여 ... 전결

133

외 무 부		결재	
접수 일시	197 . . . 시 분	지시사항	
접수 번호	제 6901 호		
주무과			
담당자			
근거			197 . . 까지 처리할 것

회 의 자 료

1973. 11. 22.

노 동 청

134

목 차

1. 부 쟁 (?)

2. 경 위

3. 문 제 점

4. 현 황

5. 전 망

6. 대책방안

7. 관계부처 협조사항

부 록

관계법규

135

1. 목 적

주한 미군에 고용되어 있는 한국 고용자들 (약 3만 2천여명)의 근로조건을 보호하기 위하여 현재 해고 예고되어 있는 47명의 주한미군 직속 경비원 하청 전환 문제 및 이와 관련된 전반적인 문제를 한미합동위원회, 노무분과위원회에서 논의하기전에 관계부처와 협조하여 추후에 예견되는 대량적인 해고 및 근로조건 저하를 미연에 방지코저 함.

2. 경 위

1) 1973. 4. 10. :

주한 미군 직속 경비원 하청 전환 문제에 대한 정보 입수

2) 1973. 4. 18 (노사 1453-3843)

1973. 5. 3 (노사 1453-4370)

1973. 5. 29 (노사 1453-5318)

1973. 7. 6 (노사 1453-6843)

로 미측에 한국 노동법의 준수를 협조 의뢰

3) 1973. 8. 20. :

미측에서는 47명의 한국인 직속 경비원을 73. 10. 1.자로 해고할 것을 예고함.

4) 1973. 9. 3. :

전국 외국기관 노동조합으로 부터 주한미군 직속 경비원의 하청 전환 사실을 통보받음.

5) 1973. 8. 31. :

(노사 1453-9154)로 미측에 재차로 협조 의뢰함과 아울러 관계부처에 통보

6) 1973. 9. 7. :

136 외무부에서는 한미합동위원회 미측 간사에게 한국측의 입장에 협조해

줄 것을 각서로 수교함.

7) 1973. 9. 14. :

관계부처에 협조 의뢰

8) 1973. 9. 17. :

SOFA과제로 동 문제를 부의할 것을 요청코 해고를 73. 10. 31.까지 연장함.

9) 1973. 9. 25. :

SOFA합동위원회에 과제부여를 보류하고 당청에서 직접 조정에 착수하고 (73. 10. 11. 의견 통보) 관계부처에 이를 통보함 (73. 10. 15)

10) 1973. 10. 31. :

미측으로 부터 해고 예고를 74. 1. 31. (90일)까지 연장 통보받음.

11) 1973. 10. 31. :

외무부에 한미 합동위원회에 동 문제를 부의할 것을 요청함.

12) 1973. 11. 1. :

제 89차 한미합동위원회에 상정코 이를 다시 노무분과위원회로 이관할 것을 결정함. (의안 : 별첨 참조)

13) 1973. 11. 8. :

상기 사실을 관계부처에 통보하고 협조를 의뢰함.

14) 1973. 11. 22. :

관계부처 실무자 회의

3. 문 제 점

가. 주한 미군 직속 경비원 47명이 1974. 1. 31.한 해고 예고되어 있음.

나. 미국측에서는 직속 고용원을 점차 경비 절감을 목적으로 간접고용으로 전환하려 하고 있음.

137

4. 현 황

직 접 고 용		간 접 고 용	
계	20,661		11,879
1) 미군 직속 세출	11,837	(1) 초청업체 (미인)	2,489
(1) 사 무 직	4,450 (경비직 약 900명포함)	(2) 하청업체 (한인)	9,390
(2) 기 술 직	7,407		
2) 미군 비세출	3,374		
3) K.S.C.	3,263		
4) 교 역 처	2,187		
합 계 32,540			

5. 전 망

가. 경비 절약과 노사문제로 부터의 탈피를 목적으로 미국측에서는 점차로 직속 고용자를 간접고용인 하청업으로 전환할 것임.

나. 한국인 노무자들의 수입은 반감될 것이며, 점차 많은 사회문제가 야기 될 것임.

138

다. 한국인 청부업자들은 저렴한 가격의 응찰 또는 정부 운영으로 고용자들의 대우는 임의 저하할 것임.

6. 대책방안

한미행정협정 제17조 (별첨) 및 한국 노동관계 법령에 따라 제1차적으로 47명의 해고는 방지되어야 하며, 추후의 사태에 대한 세밀한 검토와 수시로 관계부처와 면밀한 협조가 필요함.

7. 관계부처 협조사항

1) 외무부

합동위원회 및 노무분과 위원회 진행

2) 내무부

관련기관의 동태 및 점검사항

3) 상공부

미국측의 하청업체에 대한 등록사항 및 조정

4) 법무부

관련법규의 유권적 해석

부 록

★ 노동관계법률 (발췌)

1. 근로기준법 제2조 (근로조건의 기준)

본법에서 정하는 근로조건은 최저기준이므로 근로관계 당사자는 이 기준을 이유로 근로조건을 저하시킬 수 없다.

2. 근로기준법 제4조 (근로조건의 준수)

근로자와 사용자는 단체협약, 취업규칙과 근로계약을 준수하여야 하며, 각자가 성실하게 이행할 의무가 있다.

139

3. 근로기준법 제27조 (해고등의 제한)

(1) 사용자는 근로자에 대하여 정당한 이유없이 해고, 휴직, 정직, 전직, 감봉, 기타 징벌을 하지 못한다.

(2) 사용자는 근로자가 업무상 부상 또는 질병의 요양을 위한 휴업 기간과 기후 30일간은 해고하지 못한다. 단, 사용자가 제84조에 규정된 임시보상을 지급하였을 경우 또는 천재 사변 기타 부득이한 사유로 인하여 사업 계속이 불가능한 때에는 예외로 한다.

4. 근로기준법 제27조의 2 (해고의 예고)

(1) 사용자는 근로자를 해고하고자 할때에는 적어도 30일전에 그 예고를 하여야 한다. 30일전에 예고를 하지 아니한 때에는 30일분 이상의 통상 임금을 지급하여야 한다. 단, 천재 사변 기타 부득이한 사유로 사업 계속이 불가능하여 보건사회부장관의 승인을 받은 경우 또는 근로자의 귀책사유로 인하여 해고하는 경우에는 예외로 한다.

(2) 전항 단서 후단의 경우에는 근로자의 귀책사유에 관하여 노동위원회의 인정을 받아야 한다.

5. 근로기준법 제29조 (예고 해고의 적용예외)

제27조의 2의 규정은 다음 각호의 1에 해당하는 근로자에게는 적용하지 아니한다.

1. 일당 근로자로서 3월을 계속 근무하지 아니한 자
2. 2월 이내의 기간을 정하여 사용된 자
3. 월급 근무자로서 6월이 되지 아니한 자
4. 계절적 업무에 6월 이내의 기간을 정하여 사용된 자
5. 수습사용중의 근로자

140

6. 노동쟁의 조정법 제2조 (노동쟁의의 정의)

이 법에서 노동쟁의라 함은 임금, 근로시간, 후생, 해고, 기타 대우 등 근로조건에 관한 노동관계 당사자간의 주장의 불일치로 인한 분쟁 상태를 말한다.

7. 노동쟁의 조정법 제3조 (쟁의행위의 정의)

이 법에서 쟁의행위라 함은 동맹파업, 태업, 직장 폐쇄 기타 노동관계 당사자가 그 주장을 관철할 목적으로 행하는 행위와 이에 대항하는 행위로서 업무의 정상한 운영을 저해하는 것을 말한다.

8. 국가보위에 관한 특별조치법 제9조 (단체교섭권등의 규제)

(1) 비상사태하에서 근로자의 단체교섭권 또는 단체행동권의 행사는 미리 주무관청에 조정을 신청하여야 하며, 그 조정결정에 따라야 한다.

(2) 대통령은 국가안보를 해하거나 국가동원에 지장을 주는 아래 근로자의 단체행동을 규제하기 위하여 특별한 조치를 할 수 있다.

1. 국가기관 또는 지방자치단체에 종사하는 근로자
2. 국영기업에 종사하는 근로자
3. 공익사업에 종사하는 근로자
4. 국민경제에 중대한 영향을 미치는 사업에 종사하는 근로자

9. 대한민국 헌법 제28조

(1) 모든 국민은 근로의 권리를 가진다. 국가는 사회적, 경제적 방법으로 근로자의 고용의 증진에 노력하여야 한다.

(2) 모든 국민은 근로의 의무를 진다. 국가는 근로의 의무의 내용과 조건을 민주주의 원칙에 따라 법률로 정한다.

(3) 근로조건의 기준은 법률로 정한다.

(4) 여자와 소년의 근로는 특별한 보호를 받는다.

141

10. 대한민국 헌법 제29조

(1) 근로자는 근로조건의 향상을 위하여 자주적인 단결권, 단체교섭권 및 단체행동권을 가진다.

(2) 공무원인 근로자는 법률로 인정된 자를 제외하고는 단결권, 단체교섭권 및 단체행동권을 가질 수 없다.

* 미국측 법률 고문이 인용한 관계규정 (발췌)

1. 협정 제17조 4항

(가) 고용주와 고용원이나 승인된 고용원 단체간의 쟁의로서, 합중국 군대의 불평 처리 또는 노동관계 절차를 통하여 해결될 수 없는 것은, 대한민국 노동법령중 단체행동에 관한 규정을 고려하여, 다음과 같이 해결되어야 한다.

(1) 쟁의는 조정을 위하여 대한민국 노동청에 회부되어야 한다.

(2) 그 쟁의가 전기 (1)에 규정된 절차에 의하여 해결되지 아니한 경우에는, 그 문제는 합동위원회에 회부되며, 또한 합동위원회는 새로운 조정에 노력하고저 그가 지정하는 특별위원회에 그 문제를 회부할 수 있다.

(3) 그 쟁의가 전기의 절차에 의하여 해결되지 아니한 경우에는, 합동위원회는 신속한 절차가 뒤따를 것이라는 확증하에, 그 쟁의를 해결한다. 합동위원회의 결정은 구속력을 가진다.

(4) 어느 승인된 고용원 단체 또는 고용원이 어느 쟁의에 대한 합동위원회의 결정에 불복하거나, 또는 해결 절차의 진행중 정상적인 업무 요건을 방해하는 행동에 종사함은 전기 단체의 승인 철회 및 그 고용원의 해고에 대한 정당한 사유로 간주된다.

142

(5) 고용원 단체나 고용원은, 쟁의가 전기 (2)에 규정된 합동 위원회에 회부된 후 적어도 70일의 기간이 경과되지 아니하는 한 정상적인 업무 요건을 방해하는 어떠한 행동에도 종사하여서는 아니된다.

(나) 고용원 또는 고용원 단체는 노동쟁의가 전기 절차에 의하여 해결되지 아니하는 경우에는 계속 단체행동권을 가진다. 다만, 합동위원회가 이러한 행동이 대한민국의 공동방위를 위한 합중국 군대의 군사작전을 기히 방해한다고 결정하는 경우에는 제외한다. 합동위원회에서 이 문제에 관하여 합의에 도달할 수 없을 경우에는 그 문제는 대한민국 정부의 관계관과 아메리카 합중국 외교사절 간의 토의를 통한 재검토의 대상이 될 수 있다.

(다) 본조의 적용은 전쟁, 적대행위 또는 전쟁이나 적대행위가 절박한 상태와 같은 국가 비상시에는 합중국 군 당국과의 협의하에 대한민국 정부가 취하는 비상조치에 따라 제한된다.

2. 협정규정 제17조 3항

본조의 규정과 합중국 군대의 군사상 필요에 배타되지 아니하는 한도 내에서 합중국 군대가 드들의 고용원을 위하여 설정한 고용조건, 보상 및 노사관계는 대한민국의 노동법령의 제 규정에 따라야 한다.

3. 합의 의사록 제17조 2항

합중국 정부가 대한민국 노동관계 법령을 따른다는 약속은 합중국 정부가 국제법 상의 동 정부의 면제를 포기하는 것을 의미하지 아니한다. 합중국 정부는 고용을 계속하는 것이 합중국 군대의 군사상의 필요에 배타되는 경우에는 어느 때든지 이러한 고용을 종료 시킬수 있다.

143

4. 협정 규정 제16조 1항

합중국 군대는 동 군대의 대한민국에서의 조달 계획에 있어서 예상되는 중요한 변화에 관하여 실행 가능한한 사전에 적절한 정보를 대한민국 당국에 제공하여야 한다.

5. 협정 규정 제29조 2항

대한민국 정부는 본 협정의 규정을 시행하는데 필요한 모든 입법상 및 예산상의 조치를 입법기관에 구할 것을 약속한다.

6. 협정 규정 제17조 2항

고용주는 그들의 인원을 모집하고 고용하며 관리할 수 있다. 대한민국 정부의 모집 사무기관은 가능한한 이용된다. 고용주가 고용원을 직접 모집하는 경우에는 고용주는 노동행정상 필요한 적절한 정보를 대한민국 노동청에 제공한다.

7. 협정 규정 제28조 (합동위원회)

(1) 달리 규정한 경우를 제외하고는 본 협정의 시행에 관한 상호 협의를 필요로 하는 모든 사항에 관한 대한민국 정부와 합중국 정부 간의 협의기관으로서 합동위원회를 설치한다. 특히 합동위원회는 본 협정의 목적을 수행하기 위하여 합중국의 사용에 소요되는 대한민국 안의 시설과 구역을 결정하는 협의기관으로서 역할한다.

(2) 합동위원회는 대한민국 정부 대표 1명과 합중국 대표 1명으로 구성하고 각 대표는 1명 또는 그 이상의 대리인과 직원단을 둔다. 합동위원회는 그 자체의 절차 규칙을 정하고 또는 필요한 보조기관과 사무기관을 설치한다. 합동위원회는 대한민국 정부 또는 합중국 정부중의 어느 일방 정부 대표의 요청이 있을 때에는 어느 때라도 즉시 회합할 수 있도록 조직되어야 한다.

144

(3) 합동위원회가 어떠한 문제를 해결할 수 없을 때에는 동 위원회는 이 문제를 적절한 경로를 통하여 그 이상의 검토를 강구하기 위하여 각기 정부에 회부하여야 한다.

★ 관계사항에 대한 법무부의 유권해석

제 목 : 기업의 양도, 조직 변경이 있을 때의 근로조건의 포괄적 승계

보건사회부장관 질의 내용

1. 회사 (법인)의 합병 (흡수 또는 신설)에 있어서는 (주식의 양도에 있어서도 결과는 동일) 소멸회사의 권리 의무는 합병후 존속회사에 포괄적으로 승계되면 소멸회사와 근로자간의 개별적 근로계약 관계도 그 일부로서 당연 승계되므로 퇴직금등 계산에 관한 계속 근로문제나 임금 기타의 채권 채무의 귀속 등에 관하여 별다른 문제가 없는 바이나 근로계약의 당사자인 법적 인격자로서 사용자의 변경에는 그 외에 다음과 같은 경우가 있음.

가. 개인 명의의 기업이 그대로 회사 (법인)로 되는 때

나. 기업의 일부가 분리 독립하여 그대로 독립 회사로 되는 때

다. 영업의 양도

라. 회사의 조직 변경

2. 전기 각 경우에 있어서

가. 기업이라 함은 유형무형의 자본과 노동력의 결합으로 이루어진 동적 조직으로 보아야 하므로 형식상 법적 인격자로서의 사용의 변경에 불구하고 기업 그 자체가 동일성을 가지는 한 (즉 동일노동 계약 관계의 존속을 필요로 하지 않고) 노동관계는 당연 승계되는 것으로 보아야 한다는 견해가 있는 바,

145

그러한가 (즉 이 경우에는 계속 고용의 거부는 일방적인 해고로 취급될 것임)

나. 신기업주에 계속 고용되거나 또는 승계되어 근로내용이나 근로조건 등에 중대한 변화가 없는 경우는 실질상 동일의 노동관계가 존속된다 할 것이며, 이 경우 퇴직금, 연차유가 등에 관한 근로년수 계산에 있어서는 이를 계속 근로로 통산 취급함이 타당 (그간에 대한 퇴직금등 청산에 불구) 하다고 사료되는 바, 그러한가

다. 전기에 의하여 노동관계의 승계 또는 계속근로로 통산 여부에 불구하고 근로자는 사용자 변경전의 기간분에 대한 소정 퇴직금을 요구할 수 있으며, 또 기업주 (신기업주 또는 구기업주)는 사용자로서 이에 대한 이행 의무를 가진다 할 것인가 (계속 근로 통산 문제와 그간에 대한 퇴직금 청산 문제는 별도 문제라 사료되며, 또 연차 유급휴가는 근로기준법 제48조 2항에 의하여 외당 퇴직금은 취업규칙 단체협약 등에 의하여 근로년수에 따라 누진 가급 제도를 실시하는 경우가 많음)

법무부장관 회시 내용

1. 귀견과 같다.
2. 귀견과 같다.
3. 생 략

이 유 : 1, 2, 3, 기업이라 함은 노동력을 떠나서는 존재할 수 없는 것으로 그것은 유형무형의 자본과 노동력의 결합에 의한 동적

146

조직으로 볼수 있으며, 따라서 (노동관계는 특정의 경영자에 대한 것으로 보기보다는 기업 그 자체와 결합된 것이라고 볼수 있으므로 기업이 존속하며, 그 명의가 개인에서 법인으로 되거나 기업의 일부가 독립하여 별개의 법인이 되거나 회사의 조직변경이 있거나 영업의 양도가 있다 하며라도 기업 그 자체가 폐지됨이 없이 동일성을 존속하는 한 즉 새로운 경영자가 기업을 승계하여 경영을 계속하는 경우에는 다만 기업의 소유자 내지 경영자가 교체된 것에 불과하며, 기업 그 자체는 실질적인 동일성을 잃지 아니하고 시종 존속하는 것이므로 노동관계는 새로운 경영자에게 승계되는 것이라고 해석한다.

그러므로 퇴직금이나 연차유급휴가등에 관한 근로년수에 있어서는 이를 계속 근로로 통산하여야 함.

(48)

노무 문제 관계관 대책 회의 참석 보고

1. 일시 및 장소 (73. 11. 22. 노동청 회의실)

2. 참석부처 : 노동청, 상공부, 내무부, 외무부 (정의용)

3. 회의내용 (부처별 의견)

가. 노동청

1) 국가적 이익을 위한 차원에서 각 관계부처의 적극적인 협조를 요청하기 위하여 본 회의를 개최하였음.

2) 미측의 노무분과위원회 개최 요청에 따라 1차 회의는 90차 합동위 (12. 13.) 이전에 개최할 의사이며, 금년안에 2차, 내년 1월중 3차 회의를 구상중이며, 해고 통고일인 74. 1. 31. 이전에 문제를 해결할 방침임.

나. 상공부

현재 등록 되어 있는 용역 군납업체가 동 47명의 용역을 인수 계약케 되는 경우 규제 방법은 없으나, 미등록된 신규 업체의 계약은 규제할수 있음.

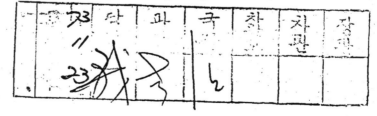

73	담	과	국	차	차관	장관
11 23						

148

다. 내무부

지난번 백지 계약등과 같이 사실상 군납업체로 하여금 동 계약을 실시치 못하도록 하는 임시 방편으로 동 문제를 해결키는 곤란하나, 가능한한 한.미 양측의 협의기간중 미측의 일방적인 하청 계약 체결을 막도록 노력해야 할것임.

타. 외무부

1) 동 하청전환과 관련 미측은 사실상 지난번 서한에서 "군사상 필요"의 이유를 내세우고자하나, 동 "군사상 필요"의 해석에는 한.미 양측간의 차이가 있다 보며 또한 "군사상 필요"에 의한 해고의 경우에는 사전에 합동위에 회부되어야 함.

2) 1항의 법적 근거를 토대로 관계부처간의 일사불란한 대책이 요망됨.

149

Koreans Strike At U.S. Base Over Dismissal

CHUNCHON—About 100 Korean employes at a United States Army missile base here have been on strike since Tuesday, demanding immediate reinstatement of 10 fellow workers whom they claimed had been unjustly fired.

Members of the provincial chapter of the Foreign Organizations Employee Union (FOEU), the workers said they would continue the walkout indefinitely unless the base authority cancelled its dismissal of the 10 senior workers.

They first walked out on Nov. 21, demanding a pay raise from 13,500 won to 18,500 won. The first strike, however, did not last long as the base authority promised a pay raise beginning next year.

But they went on strike again Tuesday, four days after the base authority suddenly fired 10 employes including chapter chief Chi Chun-bok, who was believed to have masterminded the first walkout.

The base authority Wednesday proposed that it would reinstate eight of the 10 discharged employes, excluding Chi and Noh Chol-jin.

1973. 12. 17 <K.T>

150

① 군사상필요 한계
② 하청 — 길비리감 — 군사상 아님
③ 고용조건 — 동일

12/1 1:00–3:00
SOFA

주 한 미 군 기 본 입 장

제목 : 주한미군에 직접 고용된 한국인 종업원의 해고와 동종 직업에 대한 한국인 하청업자에로의 전환 문제에 대한 미측 기본입장

1. 관련된 제목은 1973. 11. 1.자로 한미합동위원회에서 지시된 안건이다.
2. 관련된 노무분과위원회 안건은 주한미군 직속 고용원의 해고를 예고한 미 8군의 조치 결과와 동종 직업에 대한 한국인 업자 하청문제에 대한 문제로 인한 것이다.

주한 미 8군과 노동청장 및 외기노조 위원장간에 많은 논의와 교신끝에 미측에서는 다음과 같은 결론에 도달한 것이며, 이 기본 입장은 한미합동위원회에서의 미측의 종래 입장과 장차의 입장을 설명한 것이다.

한미 행정협정 제 17조 4항에 따라 정당한 노동쟁의는 고려되어야 한다. 즉 말하자면 임금, 시간, 근로조건, 고용기간 등에 대한 노동쟁의의 신청을 뜻한다. 국제적인 협정이나 조약등 국제법의 해석에서와 같이 행정협정 제 17조로도 이러한 한계는 명확히 설명된다.

행정협정 제 17조의 협상 내력으로도 사안은 명백하다.

예를 들면 1965년 72차 회의에서도 행정협정 제 17조 3항에 대해서는 명백히 다른 견해가 나타났었다. 즉 고용조건, 보상, 노동경영 관계와 주한미군 직속 고용원의 고용이나 해고에 대한 미국 정부의 권리에 대한 견해차이가 시현되었었다. 현 주한 미국 대사인 "하비브" 미국 대표는 고용기간에 대한 미국정부의 법상의 권리에 대하여 명백하게 언급하였으며, 이 원칙은 합의 의사록 제 17조 2항의 문맥에서 명기되었다.

"하비브" 대표는 또한 주권국으로서의 면제특권을 포기하는 것은 아니라고 주장하였으며 이것은 또한 합의 의사록 제 17조 1항의 첫 문장에

151

반영되었다. 반면 미국정부는 노동분야에 대한 주재국 법령에 따르기 위한 최선의 노력을 다 했으며, 다만 협정 17조 3항에서 "미국 군대의 군사상의 요청"이 있을 때에는 예외적인 권한을 유보토록 하였다.
그러나 협정 제17조 2항이나 합의 의사록 제17조 2항의 내용을 설명하는 세부적인 해설은 없으며 다만 행정협정 제17조 4항의 규정에서 보완되었다.

행정협정 제17조 2항과 합의 의사록의 기본원칙에 대한 문제점을 실증하는 것은 매우 중요하다. 그리고 대한민국의 헌법이나 행정협정 제16조 1항에 의한 계약의 자유와도 연관되는 것이다.

행정협정 제29조 2항과 대한민국 헌법 자체로도 결론은 명백하다. 미국측 협상 대표들은 본장에서 일어난 문제에 대한 미국정부의 권력을 회피해서는 결코 안될것이다.

이상의 논거에서 주한미군은 협정 제17조 2항과 합의 의사록에 따른 고용기간에 대한 권리와 협정 제16조 1항에 의한 자유 계약에 대한 권리는 이 경우에도 포함된다는 입장을 지속해야 함은 명백하다.

그러한 권리와 관련된 반대 논쟁이 있을 경우에는 협정 제28조에 따라 한미 합동위원회에 부의해야 할것이다. 다만, 고용조건을 포함한 적법한 노동쟁의는 협정 제17조 4항에 따라 노동청에 의하여 조정될수 있다.

3. 이상에서 이미 언급한데로 당면한 문제의 기본입장에 대한 우리의 견해는 분명하다. 사실상 우리들의 입장은 "군사상의 필요에 따라 그러한 행동을 정당화 할때는 언제든지 고용기간에 대한 권한은 미국측이 갖고 있다고 보며, 미국 사절단의 업무수행이 어떠한 것이던 정당하게 미국측에 이바지 할수 있는것은 군사상의 필요라는 것이 우리들의 입장이다.

152

노 동 청

노사 1454-13128 62-3031 1973. 12. 10.

수신 외무부 북미 2과 양 세 훈

제목 한미 합동위원회 노무분과 위원회 토의 안건에 대한 한국 정부의 기본 입장 (안) 송부

73. 12. 14. 개최 예정인 한미 합동위원회 노무분과 위원회 안건에 대한 준비 회의를 소집하오니 참석해 주시기 바랍니다.

1. 회의일시 : 1973. 12. 11. 14:00
2. 회의장소 : 노동청 회의실
3. 참석범위 : 노무분과위원 전원
4. 토의사항
   한미 양국의 기본 입장에 대한 검토
5. 기타사항
   미국측 기본입장 설명서는 회의 당일 배부 예정
6. 연락장소 : 노사조정담당관실 (전화 62-30)

첨 부 : 한국 정부 기본입장설명서 1부. 끝.

노 동 청

153

1. 문제와 관련된 사실

가. 미군 당국은 경비를 절감할 목적으로 현재 직속 경비원에 의하여 수행되고 있는 경비업무를 국내용역업체에 하청 수행시키기로 결정하고 동 업무에 종사하는 직속 고용 근로자 47명의 해고를 예고하였다.

나. 한미간 군대 지위협정 제17조 3항에 "본조의 규정과 합중국 군대의 군사상 필요에 배치되지 아니하는 한도내에서 합중국 군대가 그들의 고용원을 위하여 설정한 고용조건, 보상 및 노사관계는 대한민국의 노동법령의 제규정에 따라야 한다"고 규정하고,

합의 의사록 제17조 4항에는 "고용주가 합중국 군대의 군사상 필요때문에 본조에 따라 적용되는 대한민국 노동법령을 따를 수 없을 때에는 그 문제는 사전에 검토와 적당한 조치를 위하여 합동위원회에 회부되어야 한다. 합동위원회에서 적당한 조치에 관하여 상호 합의가 이루어질수 없을 경우에는 그 문제는 대한민국 정부의 관계관과 아메리카 합중국의 외교사절간의 토의를 통한 재검토의 대상이 될수 있다"고 규정하였다.

다. 근로자 해고에 대하여 대한민국 근로기준법은 다음과 같이 규정하고 있다.

제27조 (해고등의 제한) (1) 사용자는 근로자에 대하여 정당한 이유없이 해고, 휴직, 전직, 감봉, 기타 징벌을 하지 못한다.

2. 문제에 대한 대한민국 정부의 기본입장

가. 본건 해고가 아메리카 합중국 군대의 군사상 필요에 의한 것이라면 그 요청에 따라 한미합동위원회에서 검토 협의할 것이다. 그러나 합의의사록 제17조 제4항에 의한 사전 합동위원회 부의가 없었던 것으로 보아 군사상 필요에 의한 조치라고 인정할 수 없다.

154

나. 군사상 필요에 의한 조치가 아니라면 한미간 군대지위협정 제 17조 3항에 의거 대한민국 노동법령의 제규정에 따라야 할 것이므로 금번 아메리카 합중국 군대가 취한 주한 미군 직속 경비원 47명의 해고 에고 행위가 대한민국 노동관계법상 적법한가의 여부가 이 문제 해결의 관건이라고 생각한다.

다. 삼피건에 대한민국 근로기준법 제 28조에는 "정당한 사유 없이" 해고할 수 없음을 명시하였다. 금번 아메리카 합중국 군대가 취한 해고 결정 조치는 한국 근로기준법에서 말하는 "정당한 사유"에 해당하지 않는다.

라. 근로기준법 제 28조의 "정당한 사유"와 관련하여 대한민국 법무부장관은 다음과 같이 유권 해석하고 있다.

"기업이라 함은 노동력을 떠나서는 존재할 수 없는 것으로 그것은 유형 무형의 자본과 노동력의 결합에 의한 동적 조직으로 볼수 있으며, 따라서 노동관계는 특정의 경영자에 대한 것으로 보기 보다는 기업 그 자체와 결합된 것이라고 볼수 있으므로 기업이 존속하며 그 명의가 개인에서 법인으로 되거나 기업의 일부가 독립하여 별개의 법인이 되거나 회사의 조직변경이 있거나 영업의 양도가 있다 하더라도 기업 그 자체가 폐지됨이 없이 동일성을 존속하는한 즉 새로운 경영자가 기업을 승계하여 경영을 계속하는 경우에는 다만 기업의 소유자 내지 경영자가 교체된 것에 불과하며 기업 그 자체는 실질적인 동일성을 잃지 아니하고 시종 존속하는 것이므로 노동관계는 새로운 경영자에게 승계되는 것이라고 해석된다"

마. 대한민국 정부는 사업이 승계될때의 근로조건에 대하여 전항의 유권 해석에 따라 승계시킨 사업장의 근로자는 새로운 경영자 (본 문제에

155

있어서는 하청 청부업자)에게 노동관계 (고용, 근로조건등 일체)가 승계되는 것이 타당하다고 판시하여 왔다.

바. 따라서 해고 예고된 47명의 직속 경비원과 하청 전환 문제에 있어서도 업무수행 담당자가 하청업체로 전환하는 경우 근로자의 노동관계는 새로히 승계받는 경영자에게 당연히 승계되어야 하고 하청 전환을 이유로 해고되거나 근로조건이 저하될 수 없음을 주장하는 것이다. 위의 사항을 감안하여 하청 전환을 전제로한 직속 경비원 47명의 해고 예고는 철회되어야 하며, 미국측의 군사상의 필요에 따라 하청전환을 해야 할 경우에도 근로조건은 종전과 동일하게 승계되어야 한다.

156

OFFICE OF LABOR AFFAIRS

IR 1454-13128 62-3031 December 1973

SUBJECT: Matter on Contracting-out of Direct Hire Employees Including Proposed Dismissal of 47 USFK Direct Hire Guards

TO: Chairman
Labor Sub-Committee
U.S. Component
Eighth US Army

Attached for your review is the basic position paper of the Republic of Korea concerning subject matter to be discussed by the Labor Sub-Committee, Republic of Korea and the United States of America Joint Committee on 14 December 1973. Submission of your government position paper is requested.

Attachement: Position paper of the Republic of Korea

Director General
Office of Labor Affairs

Dispatched by OLA on 10 December 1973

157

ROKG POSITION PAPER

1. Facts related to the subject.

a. US Forces authorities had determined to contract out security operations performed by direct hire guards to local contractors in order to reduce the labor cost and had issued dismissal notices to 47 direct hire buards engaged in these operations.

b. The paragraph 4, Article 17, ROK-US SOFA prescribes that "To the extent not inconsistent with the provisions of this Article or the military requirements of the United States armed forces, the conditions of employment, compensation, and labor-management relations established by the United States armed forces for their employees shall conform with provisions of labor legislation of the Republic of Korea." Paragraph 4, Article 17 of the agreed minutes prescribes that "When employers cannot conform with provisions of labor legislation of the Republic of Korea applicable under this Article on account of the military requirements of the United States armed forces, the matter shall be referred, in advance, to the Joint Committee for consideration and appropriate action. In the event mutual agreement cannot be reached in the Joint Committee regarding appropriate action, the issue may be made the subject of review through discussions between appropriate officials of the Government of Republic of Korea and the diplomatic mission of the United States of America."

c. With regard to dismissal of employees, the ROK Labor Standards Law prescribes as follows:

Article 27 (Restriction of Dismissal)

1. An employer shall not resort to dismissal, temporary rest of work, suspension, transfer, reduction of wage, or any other disciplinary action without justifiable reasons.

2. The basic positions of the Republic of Korea concerning subject matter are:

a. If subject dismissal was based on the military requirements of US armed forces the matter shall be subject to discussion by ROK-US Joint Committee. However, since this matter was not referred to the ROK-US Joint Committee, in advance, in accordance with the paragraph 4, Article 17 of the agreed minutes subject matter cannot be recognized as a decision based on military requirements.

b. Inasmuch as this matter is not considered to be due to military requirements, the provisions of ROK Labor legislation shall apply in accordance with paragraph 3, Article 17 of ROK-US SOFA. Therefore, the key to the solution of this matter is whether the decision of US armed forces to dismiss 47 direct hire guards employed by USFK is in accordance with the provisions of ROK labor legislation.

159

c. ROK Labor Standards Law Article 27 clearly states that dismissal shall not be accomplished without justifiable reason. The decision of US armed forces for dismissal is not considered as justifiable reason as specified in the ROK Labor Standards Law.

d. The Minister of Justice, ROKG has rendered a legal interpretation on the "justifiable reason" under article 27 of ROK Labor Standards Law as follows.

"A business establishment cannot exist without labor force and is a dynamic organization comprised of corporeal capital, immaterial property, and labor force. Employment relations do not belong to a particular manager. Rather, they are component parts of the business establishment itself. Even if the ownership of a business entity is changed from a private person to a juristic person, if a part of the establishment is separated and becomes an independent company, if the business establishment is reorganized, or if the entire business entity is transferred, but as long as the business itself continues to exist without changing its nature, it is simply a turnover of the managers or operators and the business continues to exist. Therefore, employment relations are naturally inherited by the succeeding manager. Accordingly, the entire service with both the old and new companies should be considered as a continuous service for the purpose of computing severance pay or granting annual leave."

e. Based on the legal interpretation mentioned in the preceding paragraph, the ROK Government has maintained the following position. With reard to the working conditions of an enterprise at the time of change in ownership, the labor relations (employment, working conditions, etc.) are properly inherited by the new owner (local contractors in subject case).

f. Accordingly, with regard to the matter of proposed dismissal of 47 direct hire guards and contract out, it is contended that the labor relations must be assumed by the new owner and these employees cannot be dismissed nor can their working conditions be deteriorated due to the contract out action. In view of the above, the proposed dismissal of the 47 direct hire guards based on contract out should be withdrawed. Further, the working conditions should properly be maintained even if the contract out action is taken based on the requirements of US armed forces.

전 통 문

분류번호 : 노사 1454 - 1217

수 신 : 외무부 북미2과

발 신 : 노동청장

제 목 : 한미 합동위원회 노무 분과위원회 회의 소집 통보

내 용 : 주한 미군 직속 경비원 하청 전환문제에 따른 한미 합동 위원회 노무분과위원회를 아래와 같이 소집키로 결정 되었기 통보하오니 필히 참석하시기 바랍니다.

- 아 래 -

1. 일 시 : 1973. 12. 18. 1300 - 1500
2. 장 소 : 미8군 인사처 회의실 (건물번호 1320호)
3. 참 석 자 : 노무분과위원 전원
4. 안 건 : 당일 배부. 끝.

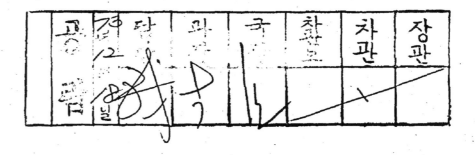

	공람	73 12 18일	담당	과장	국장	차관보	차관	장관

160

한미합동위원회 노무분과위원회 회의 순서 (안)

1973. 12. 18.

1. 개회선언 (미측)
2. 환영사
   회의 진행 방법 제의
   위원 소개 (미측)
3. 환영사에 대한 답사 및 제의에 동의
   위원 소개 (한국측)
4. 양국 기본입장 설명 (생략)
5. 한국측 기본입장에 대한 미측의 질문요지 설명 (미측)
6. 미측 기본입장에 대한 한국측 질문요지 설명 (한국측)
7. 차기 회의 일시 및 장소 제의 (한국측)
8. 폐회 (미측)

161

1. 한국측 답사 회의 진행 방법 동의 및 위원 소개

노무분과 위원회 한국측을 대표해서 미측 대표의 환영사에 감사 합니다. 문제된 안건 처리를 위하여 미측 대표 여러분들의 많은 협조를 바라는 바입니다.

회의 진행 방법에 대한 미측 제의를 기꺼히 동의합니다.

그리고 이 자리에 나오신 한국측 위원을 소개하게됨을 다행으로 생각니다. (소개)

2. 대한민국 대표는 미측 기본입장에 대하여 다음 사항을 질문하오니 답변해 주시기 바랍니다.

? 가. SOFA 협정 제 17조 4항의 문제와 국제법과는 어떤 관계인가 ?

나. 이 사건을 노동쟁의라고 보는가 ?

다. 해고의 조건은 무엇이라고 보는가 ?

라. 본장에서 면제특권이란 무엇을 뜻하는가 ?

마. "군사상의 필요"란 무엇을 말하는가 ? 그 한계점은 ?

바. 해고 예고된 47명의 종업원에 대한 미측 기본 입장은 무엇인가 ?

3. 차기회의 일시 및 장소 제의

대한민국 대표는 차기회의를 1974. 1. 10. (목) 14:00 노동청 회의실에서 소집할 것을 제의 합니다.

162

한 미 합 동 위 원 회

노 무 분 과 위 원 회 위 원 명 단

(한 국 측)

1973. 12. 7. 현재.

구 분	소 속 및 직 위	성 명	연 락
위 원 장	노동청 노정국장	이 문 홍	62 - 4673
간 사	노동청 노사조정담당관	신 연 호	62 - 3031
위 원	외무부 북미 2과	양 세 훈	70 - 2324
"	법무부 법무과 검사	김 도 언	
"	내무부 치안국 정보과장	김 상 희	70 - 2625
"	상공부 상역국 수출 3과장	이 상 국	70 - 3511
"	노동청 근로기준담당관	이 두 영	62 - 2310
"	" 직업안정과장	최 재 언	62 - 2310
"	" 법무관	이 재 구	62 - 5311 - 5

163

USFK POSITION PAPER

SUBJECT: Labor-Subcommittee-US Component Position Paper on Problems Relating to the Separation of USFK Korean Direct Hire Employees and the Contracting with Korean Contractors for the Same Services

1. Reference task assignment, subject as above, dated 1 November 1973.

2. Reference Labor Subcommittee assignment was assigned as a result of Eighth US Army decision to separate USFK's Korean direct-hire employees and the contracting with Korean contractors for the same services. After many discussions and written correspondence between the Director General, OLA ROK, and the National President, Foreign Organizations Employees Union (FOEU), the following position has been taken by USFK. This position sets forth the fundamental SOFA principles which have been and continue to be involved in this matter:

"The procedures of Para 4, Art XVII, SOFA, should be considered applicable to true labor disputes; that is to say, to controversies over wages, hours, working conditions, or terms of employment. This limitation would accord with the clear intent of Art XVII, as well as with the provisions of international law bearing on interpretation of treaties and agreements. It would also be supported by the negotiating history of Art XVII, in which it was made clear on several occasions (as, for example, in the 72d Session in 1965) that a distinct difference existed between the matters covered in Para 3 of Art XVII; i.e., conditions of employment, compensation, and labor-management relations, and the basic right of the US or USFK to hire or fire local employees. The US representative, now Ambassador Habib, frequently enunciated the principle that the US had a legal right to terminate employment, and this principle was embodied in the second sentence of Para 2 of the Agreed Minute

164

to Art XVII. He also emphasized that the US did not waive any of its immunities as a sovereign country and this is also reflected in the first sentence of Para 2. While the US would make every effort to conform to local law and practices in the field of labor, it reserved its right to deviate therefrom whenever "the military requirements of the United States armed forces" required otherwise (Para 3, Art XVII). There is no indication that any of these basic principles, contained in Para 2 of Art XVII, or Para 2 of the Agreed Minute, were to be subject to the "conciliation" procedures of Para 4 of Art XVII.

"It is important to realize in this problem area that the basic principles of Para 2 of Art XVII and the Agreed Minute, and the related principle of the right to contract freely for services (Para 1 of Art XVI) do constitute a part of the ROK law. Para 2 of Art XXIX of the SOFA and the ROK Constitution itself support this conclusion. US negotiators should not be deflected from discussing these US rights and powers as they bear upon the issues raised in this file.

"The above comments clearly indicate that USFK should maintain its position that the issue in this case involves the right to terminate employment under Para 2 of Art XVII and the Agreed Minute, and to contract freely under Para 1 of Art XVI. When controversies arise concerning such rights, these are properly assignable to the Joint Committee in accord with Art XXVIII. Only valid labor disputes involving conditions of employment are cognizable by the OLA under Para 4 of Art XVII."

165

3. The above already states how we view the matter as well as the basic principles which are involved. In substance, our position is that the US has the right to terminate employment whenever military requirements justify such actions and that anything which reasonably contributes to the accomplishment of the U.S. mission is a military requirement.

166

外機노조 爭議可否투표

保衛法발효후처음 賃金30% 引上요구

贊成率98% 中間집계

전국 외기노조 (위원장 李孝承) 는 근로자의 단체행동권등을 규제한 보위법발효이후 노조로선 처음으로 20일 전국적으로 파업등 쟁의행위에 관한 가부투표를 실시했다.

노조측은 미8군에대해 내년부터 전국외기노조원 2만2천여명의 임금을 30% 일제 인상할것등을 요구했으나 평균 12·8%밖에 오르지않아 지난 18일 중앙위원회를 열어 가부투표로 단체행동권의 행사에관한 과반수찬성여부를 묻기로 결정한 것이다.

노조측은 투표결과가 밝혀지는대로 중앙위원회를 다시 열어 차후 행동을 결정하겠다고 밝히고있으나 근로자의 단체교섭권과 단체행동권은 현재 보위법이 발효중에 있으므로 노동청 예규에 따라 노사쌍방의 합의아래 쟁의조정신청을 내면 노동청이 2개월내에 이를 조정, 그 결과에 따르도록되어있을뿐이다.

20일밤 12시 현재 전국 15개지부중 7개지부의 투표집계에 의하면 95%의 노조원이 투표에참가, 98%의 찬성률을 보이고있다.

최종집계는 21일 오전중에야 밝혀질것으로 보인다.

1973. 12. 21. <조선>

爭議여부投票

<外機勞組>

전국외기노조 (위원장 李孝承) 조합원 2만1천여명은 20일상오 7시를기해쟁의실시 여부를놓고 가부투표에들어갔다.

외기노조는 지난9월하순 임금30%인상과 춘계보너스 1백%인상을 미8군측에요구했으나 지난11월28일 미군당국으로부터임금12·8%인상과 보너스50%지급만을 해주겠다고 통고해와 이날 쟁의여부를 결정짓는 투표에 들어갔다.

1973. 12. 20 <신아>

167

협 조 문	응신기일
분류기호 및 문서번호 법무 810-2??	제목 국민 복지 연금법 시행령(안) 제정 의견 조회
수신 미주국장	발신일자 73. 12. 21. (협조제의)

발신명의 기획관리실장

(제 1 의견)

1. 보건사회부는 국민복지 연금법(금일 공포 예정)에 의거 동 시행령(안)을 제정중에 있으며 동안에 대한 당부의 의견을 회시해 주도록 요청하여 왔읍니다.

2. 국민복지 연금법 시행령(안) 제 6조 2항에 의하면, 국민복지 연금 가입 당연 적용 사업장중에 주한 외국기관이 포함되어 있는바, 이에 대한 귀국의 의견을 12. 22.일 까지 회시하여 주시기 바랍니다.

(제 2 의견)

3. 동법 및 시행령(안)은 당실에서 보관중이며 관계 참고 조항은 별지와 같읍니다.

첨부 : 국민복지연금법 및 동시행령(안) 발췌문 1부. 끝.

0201-1-2B
1969. 11. 10승인

190mm×268mm(신문용지)
조 달 청(200,000매 인쇄)

국민 복지 연금법

제6조 (가입 대상) 국내에 거주하는 18세이상 60세 미만의 국민은 국민복지 연금의 가입대상이 된다. 다만, 공무원 연금법, 군인 연금법 또는 다른 법률에 의하여 연금에 가입한 자 및 대통령령으로 정하는 자는 제외한다.

제7조 (가입자의 종류)

① 국민복지 연금 가입자는 제1종 가입자와 제2종 가입자로 구분한다.

② 제1종 가입자는 제8조 및 제9조의 규정에 의한 사업장의 근로자중 보수월액이 만5천원을 초과하는 자와 제8조 및 제9조의 사업장중 대통령령으로 정하는 사업장의 사용자가 된다. 다만, 보수월액이 만 5천원 이하인 자도 보건사회부장관의 허가를 받아 제1종 가입자로 될 수 있다.

③ 제2종 가입자는 농업. 어업. 상업등의 자영자 기타 제1종 가입자외의 자로서 보건사회부 장관의 허가를 받아 가입한 자가 된다.

169

제 8 조 (당연 적용 사업장)

사업의 종류, 근로자의 수등에 따라 대통령령으로 정하는 사업장(사업 및 사무소를 포함한다. 이하 같다)은 이 법의 적용 사업장(이하 "당연적용사업장"이라 한다)으로 된다.

제 9 조 (임의적용사업장)

① 제 8조의 규정에 의한 당연적용사업장이 아닌 사업장의 사용자는 보건사회부장관의 인가를 받아 당해 사업장을 이 법의 적용사업장(이하 "임의적용사업장"이라 한다)으로 할 수 있다.

② 사용자는 당해사업장의 근로자중 보수월액이 만 5천원을 초과하는 자의 3분의 2 이상의 요청이 있는 때에는 보건사회부장관에게 신청하여야 한다.

③ 제 1항의 인가를 받아 임의적용사업장으로 된 사업장의 사용자는 보건사회부장관의 인가를 받아 당해 사업장을 적용사업장으로 하지 아니할 수 있다. 이 경우에는 제 2항의 규정을 준용한다.

170

제 67 조 (갹출료의 부담 및 납부의무)

① 제 1종 가입자의 사용자가 부담할 부담금은 제 1종 가입자의 표준보수월액의 1,000분의 40으로 하고, 제 1종 가입자의 기여금은 표준보수월액의 1,000분의 30으로 한다. 다만 제 1종 가입자중 보수월액이 만 5천원 이하인 자의 기여금에 대하여는 국고가 표준보수월액의 1,000분의 10을 부담한다.

② 사용자는 제 1종 가입자의 기여금과 부담금을 합한 갹출료를 납부할 의무를 진다.

③ 임의 계속가입자와 제 2종 가입자는 갹출료의 전액을 자기가 부담하고 납부할 의무를 진다.

제 111조 (외국인에 대한 적용)

적용사업장에 사용되고 있는 외국인은 그 신청에 따라 제 6조의 규정에 불구하고 제 1종 가입자로 될 수 있다.

(9)

국민 복지연금법 시행령(안)

제6조 (당연적용사업장)

① 법 제8조의 규정에 의하여 적용을 받는 사업장은 상시 30인 이상의 근로자가 종사하는 사업장으로서 다음 각호의 1에 해당하는 사업장을 말한다.

1. 농업, 임업, 수렵업 및 수산업
2. 광업 및 채석업
3. 제조업
4. 전기, 가스, 수도사업
5. 건설업
6. 도.소매업 및 음식, 숙박업
7. 운수, 창고, 보관 및 통신업
8. 금융, 보험, 부동산, 용역 및 임대업
9. 매개, 주선, 집금, 안내 및 광고, 의사업
10. 교육연구, 조사, 보도의 사업
11. 위생, 써비스업

(1)2

12. 오락, 문화 써비스업

13. 질병의 치료, 조산 제약 기타, 의료사업

14. 수리, 수선업

② 제 1항에 규정된 사업장 이외 국가, 지방공공단체, 법인 (특별법에 의한 법인을 포함한다) 또는 주한 외국기관으로서 제 1항에 규정한 인원이 종사하고 있는 사무소 또는 사업장도 당연적용사업장으로 한다.

③ 2이상의 적용사업장의 사용자가 동일하거나 또는 당해 사업장의 본점과 지점 또는 출장소의 사이에 인사, 노무, 보수지급등 사업상 일체가 되어 사업을 수행하고 있는 경우에는 2이상의 사업장 또는 본점, 지점, 출장소 등의 근로자 수를 합하여 당연적용 사업장으로 일괄 적용한다.

173

국민 복지 연금법 시행령 (안)에 관한 의견

(미주국)

1. 고용원 부담의 기여금에 대하여

가. 국민 복지 연금법 (이하 동법) 제 6조에 의거 국민 복지 연금 가입 대상자는 "국내에 거주하는 18세 이상 60세 미만의 국민"으로 규정되어 있으며,

나. 동법 시행령 (안) 제 6조 2항은 동법 제 8조에 의거 "주한 외국 기관으로서 동 1항에 규정된 인원이 종사하고 있는 사무소 또는 사업장도 당연 적용 사업장"으로 규정하고 있으므로 주한 미군 기관의 고용원도 동법 제 67조 1항에 의한 기여금을 납부하여야 할 의무를 지는것으로 해석됨.

다. 그러나 동법 제 67조 2항의 규정에 의하면 사용자 (여기에서는 주한 미군 당국) 가 동 기여금의 징출요를 납부할 의무를 지게 되어 있는바, 현 한미 주둔군 지위 협정 (SOFA) 에는 동 제 17조 합의의사록 제 (3)의 소득세 징수 의무만을 규정하고 있으므로 동 문제는 주한 미군 당국과 새로운 교섭을 통하여 해결해야 할 문제임. (다만, 이경우 주한 미군 당국은 이 목적등을 위한 인력, 예산등 사정으로 종래 이러한 문제에 대하여 소극적인 태도임을 참고바람.)

194

2. 고용주 (사용자) 부담의 부담금에 대하여

가. 동법에 의하면 주한 미군 기관등 주한 외국기관이 사용자로서의 적용 대상에 관한 명문 규정이 없으나,

나. 동법 제67조 제1항에서 "제1종 가입자의 사용자가 부담할 부담금"의 납부 의무를 규정하고 있으므로, 주한 미군 당국이 한국인 고용원에 대한 사용자로서의 부담금을 납부하여야 한다고 해석할수 있음.

다. 그러나, 현 한미 주둔군지위협정에는 이에 관한 규정이 없으므로 동 문제도 주한 미군 당국과의 새로운 교섭 대상이 됨.

3. 전기 1및 2항을 위하여는 외국의 제도 검토가 선행되어야 할것임을 부기함.

195

협 조 문	응신기일

분류기호 및 문서번호: 미이 723 - 102 제목: 국민 복지 연금법 시행령 (안)

수 신: 기획관리실장 발신일자: 73. 12. 24. (협조제의)

기안	73.12.24	담당	과장	국장	차관보	차관	장관

발신명의 미주국장

(제 1 의견)

대 : 법무 810 - 298 (73. 12. 21.)

대호 국민복지 연금법 시행령 (안)에 대한 당국의 의견을 별첨 송부하오니 참고하시기 바랍니다.

첨부 : 당국 의견서 1부. 끝.

(제 2 의견)

0201—1—2 B
1969. 11. 10승인

190mm×268mm(신문용지)
조 달 청 (200,000매 인쇄)

176

국민 복지 연금법 시행령 (안) 에 관한 의견

(미주국)

1. 고용원 부담의 기여금에 대하여

가. 국민 복지 연금법 (이하 동법) 제 6조 에 의거 국민 복지연금 가입 대상자는 "국내에 거주하는 18세 이상 60세 미만의 국민"으로 규정되어 있으며,

나. 동법 시행령 (안) 제 6조 2항은 동법 제 8조 에 의거 "주한 외국 기관으로서 동 1항에 규정된 인원이 종사하고 있는 사무소 또는 사업장도 당연 적용 사업장"으로 규정하고 있으므로 주한 미군 기관의 고용원도 동법 제 67조 1항에 의한 기여금을 납부하여야 할 의무를 지는 것으로 해석됨.

다. 그러나 동법 제 67조 2항의 규정에 의하면 사용자 (여기에서는 주한 미군 당국) 가 동 기여금의 갹출료를 납부할 의무를 지게 되어 있는바, 현 한미 주둔군 지위 협정 (SOFA) 에는 동 제17조 합의의사록 제 (3) 의 소득세 징수 의무 만을 규정하고 있음으로 동 문제는 주한 미군 당국과 새로운 교섭을 통하여 해결해야 할 문제임. (다만, 이 경우 주한미군당국은 목적등을 위한 인건비 예산등의 사정으로 극히 이러한 훈련에 대하여 ... 태도임을 참고 바람.)

2. 고용주 (사용자)부담의 부담금에 대하여

가. 동법에 의하면 주한 미군 기관등 주한 외국 기관이 사용자로서의 적용 대상에 관한 명문 규정이 없으나,

나. 동법 제67조 제1항에서 "제1종 가입자의 사용자가 부담할 부담금"의 납부의무를 규정하고 있으므로, 주한 미군 당국이 한국인 고용원에 대한 사용자로서의 부담금을 납부하여야 한다고 해석할수 있음.

다. 그러나, 현 한미 주둔군지위협정에는 이에 관한 규정이 없으므로 동 문제도 주한 미군당국과의 새로운 교섭 대상이 ~~[illegible]~~ 될 것이므로 ~~[illegible]~~

3. 전기 1및 2항을 위해서는 외국의 예등도 검토가 선행되어야할것임을 부기함.

178

정 리 보 존 문 서 목 록					
기록물종류	일반공문서철	등록번호	2012090577	등록일자	2012-09-18
분류번호	729.42	국가코드		보존기간	영구
명 칭	SOFA - 주한미군 한국인 고용원 문제, 1985-91. 전2권				
생 산 과	안보과	생산년도	1985~1991	담당그룹	
권 차 명	V.1 1985-87				
내용목차					

0001

"대화하고 협의하면 노사협조 증진된다" 0003

노 동 부

노정 32222-16661 633-8341 1985. 9. 11.

수신 외무부장관

참조 미주국장

제목 SOFA 노무분과위원회 한국측위원장 변경 통보

SOFA노무분과위원회 한국측위원장이 아래와 같이 변경되었기에 통보하오니 참고하시기 바랍니다.

직 책	변 경 전	변 경 후
SOFA노무분과위원회 한국측 위원장	한 병 익 Ham Byung Ick	김 기 덕 Kim Ki Duk

노정보험국장

근로기준국장으로 전보

끝.

1985. 9. 11 노동부

노	동	부	장
공문서 분류 기준표에 의거			
	제 20조제1항의규정에 의거		
	일반문서로 재분류	김 기 덕	
분류	제		
일반	1992. 6. 15		

0002

외 무 부		결재	
접수일시	1985. 9.12 시 분	지시사항	
접수번호	제28608호		
주무과			
주무자			
분류일시			198 . 년 월 일까지 처리할것

0003

공 란

주한미군 경비원 집단시위 예정

1. 치안본부에 의하면, 주한미군 경비용역 덤핑입찰과 관련, 기존 4개 경비용역업체 소속 경비원들이 2.18.(화) 13:00-15:00경 2사단 야전사령부앞 등지에서 집회및 시위를 가질 예정이라는 첩보가 입수됨.

2. 덤핑입찰 문제는 상공부에 조치중

앙 고 재	안보과	86년 2월 17일	담당	과장	심의관	국장	차관보	차관	장관
			이종국	(서명)	(서명)	(서명)	(서명)	(서명)	(서명)

0005

7. 駐韓美軍 警備用役 덤핑入札에 따른 紛糾調停策 緊要

○ 駐韓美8軍 警備用役 業體인 「慶和企業, 龍進實業 奉信企業, 新直企經」等 既存 4個會社는 2.28 契約期間 滿了를 앞두고 美8軍 購買處에서 實施한 公開競爭 入札時 勞組側의 「賃金 20%引上 및 賞與金 100% 追加支給」等을 勘案, 85年度 契約高보다 7~9% 上向調整한 金額으로 應札했으나

○ 新規業體인 韓國警報(代表 李東雄 서울 江南 瑞草洞 所在)側이 서울 龍山, 釜山, 議政府, 東豆川, 汶山, 平澤 等 6個 地域中 議政府를 除外한 5個地域을 「既存 業體들 보다 平均 7.5% 낮은 金額(6億3,200萬원)으로 應札」하는 一方 現 警備員 1,877名을 1,820名 線으로 減員할것을 劃策함으로서 警備用役 業體間의 軋轢은 勿論 勞組員들의 反撥이 豫想되어

0006

關係機關에서 韓國警報側을 調停 1.30 入札登錄을 自進取下시킴으로써 紛糾要因이 一應 解消된바 있었는데

○ 2.12 美8軍側에서 一方的으로 韓國警報側과 用役契約을 締結함에 따라

△ 旣存 4個 警備用役會社는

2.13 韓國警報側의 덤핑入札制裁를 要望하는 歎願書를 마련, 商工部 等 關係要路에 提出하고 處理結果를 觀望中에 있고

△ 警備員들도

韓國警報會社를 排擊하는 歎願書를 作成, 署名 捺印을 받는

等 反撥相을 露呈하고 있는 가운데

○ 慶和企業勞組(組合長 全元一 組合員 1,045名)에서

2.13 15:00～16:50間 緊急對策 會議를 갖고

0007

△ 全勞組員은 韓國 警報側의 덤핑契約을 糾彈하며 再雇傭을 拒否한다

△ 現 慶和企業勞組의 3個地域(東豆川, 議政府, 汶山) 分離를 反對한다

△ 賃金 20%引上및 賞與金 100% 追加支給 等 要求가 貫徹되지 않는 限 어떠한 雇傭契約도 反對할 것이며 86.3.1을 期해 全面 罷業에 突入한다

△ 雇傭契約 滿了日까지 不法實力行使는 自制한다는

等의 行動方針을 決議한 바 있어

關係當局의 事前 調停策이 緊要視됨

18

0008

기 안 용 지

분류기호 문서번호	미안 20294-	(전화 :)	시 행 상 특별취급
보존기간	영구·준영구. 10. 5. 3. 1.	장 관	
수 신 처 보존기간			
시행일자	1986. 3. 27.		

보조기관	국 장	전 결	협조기관		문 서 통 제 검 열 1986. 3. 28
	심의관				
	과 장				
기안책임자		이종국			발 송 인

경 유 수 신 참 조	노동부장관 노정국장	발신명의	12495	반송 1986. 3. 29 외무부
제 목	주한미군 고용 한국인 노동쟁의			

주한미군 고용 한국인 노조측이 주한미군 당국의 용역회사 활용 추진~~과 관련~~에 대해, 최근 귀부에 제출한 노동쟁의 조정 신청과 관련하여 한미 SOFA합동위 미국측 간사는 86.3.26. 당부를 방문하고 별첨과 같은 미측 입장을 통보하여 왔는바, 동건 처리에 참고하시기 바라며 동 처리 결과를 당부에 통보하여 주시기 바랍니다.

별첨 : 동 면담요록 사본 1부. 끝.

0003

1505-25(2-1) 일(1)갑
85. 9. 9. 승인

190mm×268mm 인쇄용지 2급 60g/m²
가 40-41 1985. 10. 29

공　　란

공 란

공 란

공 란

공 란

공 란

공 란

JOINT COMMITTEE
UNDER
THE REPUBLIC OF KOREA AND THE UNITED STATES
STATUS OF FORCES AGREEMENT

13 May 1986

Dear Dr. Hodges,

The 150th Joint Committee held on 29 November 1983 requested the Labour Subcommittee to present a recommendation to the Joint Committee concerning a request for the reinstatement of 12 former KOAX employees, who were removed from their positions in August 1980 and May 1981 on suspicion of PX goods diversion.

I would like to remind you that the Labour Subcommittee has not yet submitted a recommendation to the Joint Committee and it it time to urge the subcommittee to submit a recommendation as soon as possible.

It would be appreciated if you could request the U.S. component of the Labour Subcommittee to expedite the review of the matter.

Sincerely Yours,

Tae Kyu Han
ROK Secretary
Joint Committee
SOFA

앙고재	안보과	86년 5월 13일	담 당	과 장	심의관	국 장
			이종국	[signature]		

0017

JOINT COMMITTEE
UNDER
THE REPUBLIC OF KOREA AND THE UNITED STATES
STATUS OF FORCES AGREEMENT

21 May 1986

Dear Dr. Hodges,

The Article XVII of the SOFA provides that employees of USFK and invited contractors shall be Korean nationals except when the special skilled labor is not available in the ROK labor force.

We are faced with some complaints, however, that USFK and invited contractors are employing some foreign nationals whose skills are widely available in the Korean labor market.

I sincerely hope that this is not true. And it would be very much appreciated if you could provide us with a list of employees of foreign nationalities together with their special skills.

Sincerely Yours,

Tae Kyu Han
ROK Secretary
SOFA Joint Committee

앙고제	안보과		담 당	과 장	심의관	국 장
			이종국			

0018

주한미군 한국인 고용원 파업문제

1. 현 황

   o 5.29. 0시부터 파업개시

   o 주요원인

     - 8% 임금 인상 요구 (미군측은 6.9% 인상 방침)

     - 예산 절감 정책에 따른 고용원 해고 검토에 대한 사전 경고

       • 임시 고용원 감축 계획

       • 직고용제도의 하청 고용형태로의 전환 검토

2. Livsey주한 미군 사령관의 장관님앞 서한 요지

   o 5.29.(목) 12:00 노조 위원장에게 파업이 5.30(금) 12:00까지 종식 되지 않을 경우 하기 조치 예정임을 통보

     - SOFA 협정 17조에 의거 노조의 대표권 인정 철회

     - 주동 노조간부 해고 조치

     - 노조회비 지급 중단

   o 한국 노조측이 SOFA 협정에 의거한 노사 분쟁 해결 절차에 따라 파업을 종식하고 정상 조업에 들어가도록 노조 지도자들을 설득하여 주기 바람.

   o 동서한 전달시 SOFA 합동위 미측간사 통보내용

     - Gramm-Rudman 법의 영향으로 10.1.부터 임시 고용원 450명 감축 예정

0019

- 정규 고용원에는 영향이 없을 것임.
- 동 파업 내용은 미언론의 주요 관심사항이 될 것임.

3. 동 파업의 법적 측면

o SOFA 협정상의 쟁의 절차
- 먼저 노동부에 쟁의 조정 신청
- 쟁의 조정에 실패할 경우 SOFA 합동위원회에 회부
- 합동위원회에 회부된후 70일 이내에는 집단 행동불가
- 위반시에는 노조의 대표권 인정 철회 및 관련자 처벌가능

o 금번 파업은 노동부에 쟁의 조정 신청없이 개시
- 따라서 SOFA 협정 위반

4. 조치사항

o 청와대, 노동부, 안기부, 치안본부등 관계기관 통보, 협조 요청중

o 현재 노동부와 주한미군 당국간에 협의중

0020

1. 주한미군 부대근무 고용원 현황

년도	미국인(군속)	증 감	한 국 인	증 감
82	823		9221	
83	863	+40	9228	+17
84	978	+115	9280	+52
85	1173	+195	9577	+297

(자료 제공 : 안기부)

2. 주한미군의 미군및 군속 가족 고용문제

o 한국인 노조측은, 상기 85년 미군인군속 1173명 이외에 주한미군측에 의해 고용된 제대군인및 군인, 군속가족 459명이 현재 근무중인바, 이는 고용원이 한국인이어야 함을 규정한 SOFA 제17조1항을 위배하였다하여 노동부에 이의 시정을 요청하고 있으나, o 주한미군측이 고용한 미군인 고용원은 군속의 범주에 속한다고 SOFA제1조 2항에 규정되어 있고, 아국인 고용원이 82-85년간 356명 증가하였으며 미국인 고용원(군속)이 아국인 고용원을 대체한것이 아니므로 미군측에 미국인 고용원 채용 문제 제기는 부적당한것으로 사료됨.

0021

美洲局長 (안선리)
5/26

외 무 부

1986 년 5 월 26 일

1) 駐韓 美軍側의 韓國人 從業員 19千名中 1600名 減員 計劃에 反撥

2) 86. 5. 27 부터 示威등 對使用主 斗爭 激化 予想되는바

3) 反美斗爭의 口實 提供 소지 있어

4) 關係部處디 美軍側과 協議 그 計劃 撤回 要望함

장 관 실

0022

86.5 .25

駐韓美軍側 減員計劃에 따른 紛糾解消策 槪要

1 . 現 況 ………………………… 1

2 . 問 題 點 ……………………… 3

3 . 對 策 ………………………… 5

0023

駐韓美軍側 減員計劃에 따른 紛糾解消策 緊要

1. 現 況

○ 駐韓美軍勞組(組合長 姜寅植 組合員 19,000名)
에서는
駐韓美軍側이
韓國政府의 許可없이는 採用할 수 없는
美軍人및 軍屬의 家族들을 韓國 從業員보다
3~4培나 높은 賃金으로 300餘名을 新規
採用하면서
豫算節減이란 理由로

△ 來 6.16 ~ 10.16 美8軍 直屬 韓國人
從業員 833名 減員

△ 美8軍 傘下클럽 體育舘, 劇場을 비롯한
將兵 福祉分野 業務를 工兵參謀部 傘下로
吸收 統合하고 從業員 3,000名中 750名 減員

△ 美8軍 營內 酒類販賣員 11名中 8名을 時間制 勤務(PART TIME)로 轉換하기 爲해 減員狀 發付

△ 通信分野의 現行 週48時間 作業을 32 ~ 40 時間으로 短縮, 賃金引下

等 減員擴大와 勤勞條件 低下를 計劃하고 있는데 反撥

4.28 ~ 5.14間 駐韓美大使館, 美軍司令官및 單位部隊長 等 要路에 減員計劃을 撤回토록 陳情한 後 觀望中에 있는데

○ 駐韓美軍側에서 5.25까지 同計劃을 撤回하지 않을 境遇에는

5.26 ~ 27間 勞使協議會를 要請 是正을 促求한 後

△ 5.27부터 要求事項 貫徹時까지 使用主의 不當橫暴를 糾彈하는 어깨띠와 머리띠 佩用

0025

△ 5.28 ~ 29 兩日間 退勤時間을 利用
2時間씩 營內示威(16:30 ~ 18:30 間)

△ 5.29 緊急中央委員會를 開催하여 「不法
罷業및 籠城方法」協議

等 對使用主 鬪爭을 積極化할 計劃으로 있음

2. 問 題 點

○ 減員計劃은 勤勞者들의 生計와 直結될 뿐아니라
大部分의 組合員들이 美軍側의 減員 底意가

△ 美軍人 및 軍屬家族 新規採用

△ 國內 專門 用役業體에 덤핑入札로 下請하여
勤勞條件 低下

等을 爲한 術策이라고 曲解하고 있는데다
78年度 通信業務 下請企圖를 實力鬪爭으로

0026

3

沮止시킨 先例가 있어 紛糾 激化豫想

○ 一部 過激勞組員들이
勞組事務室을 集團 訪問하여 「駐韓美軍側의
減員計劃」은 現執行部의 無能및 弱化
때문이라면서
傘下組織에 「罷業指令을 내리도록 壓力」을
加하고 있어
駐韓美軍側에서 減員計劃을 强行時는 現執行部
維持를 爲해 不法實力行使 不可避

○ 問題宗教 및 社會團體, 僞裝就業 解雇者
學生 等 時局不滿 勢力들에게 反美鬪爭 및
勞使紛糾 介入 口實提供

○ 美軍側의 減員計劃 撤回를 爲해 不法實力
行使時는
餘他 賃金引上 紛爭을 刺戟, 對使用主鬪爭
雰圍氣 擴散 招來

0027

3 . 對 策

○ 關係部處에서 駐韓 美軍側과 緊密히 協調 「美軍人 및 軍屬家族을 高賃金으로 新規 採用하면서 韓國人 從業員을 大量減員할 境遇 反美 感情誘發」等 豫想되는 問題點을 摘示 減員, 下請 및 勤勞條件 低下計劃 撤回誘導

○ 韓國軍納輸出組合등을 通해

△ 駐韓美軍 內에서 韓國從業員들이 擔當하고 있는 直屬業務에 對해서는 外貨獲得과 失業 防止 次元에서 下請을 받지 않도록 慫慂

△ 駐韓美軍業務를 下請받았을 境遇에는 入札前 「勤勞者 全員 雇傭 承繼및 既存 勤務條件을 保障」토록 行政指導

○ 勞組側에 不法實力行使 時는 「軍業務의 支障과 韓美間에 摩擦을 招來」할 憂慮가 있음을 說得

5

0028

勞動爭議 提起 等 適法節次를 通해 妥結토록 誘導

○ 情報活動을 强化

△ 不法實力行使는 初動段階에서 强力 瓦解 措置

△ 外部 不純勢力의 不法介入 徹底 遮斷

△ 不法行爲時는 强力依法 措置

공람	안보과	86년 5월 26일	담당	과장	심의관	국장	차관보	차관	장관
			이종국	[illegible]		[illegible]	[illegible]	[illegible] 5.26	[illegible] 5.26

주한미군의 한국인 고용원 해고문제

o 치안본부 정보내용 (5.25.)

- 주한미군 당국은 예산절감을 이유로 향후 4-5개월내로 1,900명에 달하는 한국인 고용원 해고 계획 추진중
- 한국인 노조측은 이에 반발, 집단 시위등 노동쟁의 격화 예상

o 미측 SOFA 합동위 간사 확인 내용(5.27.)

- 주한미군 당국은 해고 계획 없으며 소문에 불과
- 해고 계획이 있을시 SOFA 합동위를 통하여 한국측과 협의할 것임.

o 향후 조치계획

- 노동부, 치안본부 및 안기부등 관계부처에 통보
- 정확한 정보 입수후 재검토
- 노동부는 노조측에 대하여 쟁의에 있어 SOFA 협정에 규정된 쟁의 절차를 준수토록 촉구

0030

공 란

공　　　　란

기 안 용 지

분류기호 문서번호	미안 20294-1190 (전화번호)	전결규정 조 항 전결사항	
처리기간		장 관	
시행일자	1986. 5. 26.		
보존연한			
보조기관 국 장	전 결	협조	
심의관			
과 장			
기안책임자	이종국	안 보 과	접열
경 유 / 수 신 / 참 조	노동부장관 / 노정국장(SOFA 합동위 노무분과위원장)	발	통제
제 목	주한미군의 외국인 군용원 채용 문제		

1. SOFA 협정 제17조에 의하면 주한미군 및 초청 계약자는 특수한 기술이 한국 노동시장에서 확보할수 없는 경우를 제외하고는 한국인을 고용하도록 규정하고 있읍니다. 또한 채용절차에 있어서도 가능한한 아국의 모집 사무기관을 이용하도록 규정하고 있으며 주한미군 및 초청 계약자가 직접 고용하는 경우에는 적절한 정보를 귀부에 제출하도록 규정하고 있읍니다.

2. 그러나 관계기관 정보에 의하면 주한미군 및 초청 계약자는 이미 미군및 군속의 가족 300여명을 현재 ~~고용원~~ 군속으로 채용하고 있을 뿐만 아니라 임금이 저렴한 제3국인 채용등으로 한국인 고용원 해고 계획을 추진중이며 이로 인하여 노사 분규가 야기되고 있다고 하는바, 이와같은 주한미군과의 노사분규는 반미감정 촉발등 한미간의 정치 외교적인 문제로까지 확대될 가능성도 배제할수 없다고

/뒷면계속/ 0033

정서 / 관인 / 발송

1205-25(2-1)A(갑) 1981. 12. 18승인 정직 질서 창조 190㎜×268㎜(인쇄용지 2급 60g/㎡) 가 40-41 1985. 8. 7

사료됩니다.

3. 이와관련, 귀부에서 SOFA 합동위 노무분과위원회를 통하여 주한미군 당국이 SOFA 협정을 철저히 준수하도록 촉구하여 주시고 주한미군과 관련한 노사분규가 발생하지 않도록 사전에 필요한 조치를 취하여 주시기 바라며, 그결과를 당부에도 통보하여 주시기 바랍니다.

4. 당부에서도 SOFA합동위 경로를 통하여 주한미군 당국에 한국인 이외의 외국인 고용현황 자료를 제출하여 줄것을 요청하였으니 참고하시기 바라며 관련자료가 입수되는대로 귀부에도 통보할 예정입니다. 끝.

0034

공 란

공 란

안기부 ~~[illegible]~~ 세기관
전달자료 (86.5.28.)

제 목: 미8군, 강제해고 위협등 부당 노동행위로 물의야기

미8군은

- GS -6급 이하 한인 직원은 미장병 가족 여가선용과 복지차원에서 장병 및 가족 등 미국인으로 교체하려는 방침아래 휼병참모산하 클럽, 체육관, 양주 매점 등에 근무하는 한인 직원 2,500명을 상대로 우선 금년 9월까지 인건비 지출 40%로 감축시킬 목적하에
  - 지배인, 회계원을 제외한 직원을 시간제로 교체
  - 주 48시간 근무시간을 40시간으로 감축운영
  - 최대한 직종을 축소할 예정

  에 있어 한화 90억 (1,050만$)의 외화 가득율이 저하될것이라 함.

- 이와관련, 주한 미군 한인 종업원을 클럽등지에서의 직원해고등 보직 축소 조치는 주한 미군 인사 규정상
  - 부대축소 등 편의시설 축소와
  - 적자운영으로 3개월이상 지속될때

0037

(에중 에)

- 또는 미상이 1년을 통하여 감소추세일때 한인 종업원의
운영상태를 확인, 반계직으로 하고 등 조치를 하여야함에도
- 4. 23일 주 48시간 근무시간을 40시간으로 감축
운영토록하고 (실제 영업준비 등 초과 근무시간을 무보수로
봉사중)

- 전임제 직원에서 파트 임시직으로 미8군의 인사조치를
거부시 해고시키겠다는 사용주로써의 횡포를 불사,
4. 28 첫 시범업소로 주류판매 제1지점을 대상으로
11명 정직원 중 7명을 시간제로 전환 불응시
해고시키겠다는 위협으로 한인직원들을 해고 등
공포분위기에 몰아넣고 있어, 직자도 아님에도 강제 해고조치
하겠다는것은 일부 미군 관리층중 공명심에서 (특히
홀병참모 "이사벨" 대령이 장군 진급을 위해) 미국방성에
인건비를 금년 9월까지 40% 절감하겠다는 오용에의해
2,500여 한인 근로자를 불안속에 몰아넣고있다는 미8군을
비난하는 주장이 고조되고있으며, 노조등에 집단 단체행동
등을 요구하고있어 그 실정이 심각한 지경에 이르고있으며

- 대부분 미군지휘층은 접대 한국정부가 농성 등 단체활동을
불법화함으로 한인직원들이 농성 등 시위를 못할것이라며
아국근로자 및 근로자 권익옹호기구인 노동조합을 경시하고
0038 있다며, 도대체 주한 미군에 청춘을 바친 우리는 어디가서

(매중 매)

이 억울한 사정을 어데가서 호소해야 하느냐며 정부 및

노조의 무능을 규탄하고 있음.

* 본건 노동부에 통보

한미행협에따른 주한 미군의 사용주로써의 부당 사용행위를

적정 조사, 근로자의 권익옹호와 노사분규 등 한미간의

물의를 사전 제거할 것을 건의함. 끝.

0033

DEPARTMENT OF THE ARMY
HEADQUARTERS, 501ST SUPPORT GROUP
APO SAN FRANCISCO 96301-0076

REPLY TO
ATTENTION OF:

한 미군 서울 지구 민간인 인사처 1986년 4월 23일

목: 감원 통고서

유: 복지 지원단 사령부

[redacted] 씨 귀하

복지 지원단, 중부 지역 운영 본부, 용산 지구 운영대 주류 판매소, 제1지점의 무량 감소로 인하여 전임제인 귀하의 자리가 폐쇄되고 파타임직으로 변경 습니다. 본 조치는 감원 규정을 적용하였읍니다.

잔류자 명단은 병력 특혜권, 보류 그룹, 감원 경쟁 지역, 감원 경쟁 직종, 산 근무 년한 및 우수 근무 평점등을 충분히 고려하여 감원 규정에 따라 성 되었읍니다. 귀하의 잔류 우선 순위는 다음과 같읍니다.

직책명	노무직 반장
계열, 등급 및 급료	4급 9호봉 시간당 1,352원
감원 경쟁 지역	"4" 주류 판매소 복지 지원단, 중부 지역 운영 본부 군우 96301
잔류자 그룹및 소그룹	IB (전시 제대군인/그룹1)
통산 근무 년월일	1966년 10월 15일

귀하의 잔류 우선 순위에 따라 귀하는 해당되는 감원 경쟁 지역내에 같거나 은 등급의 자리에 밀고갈수 있는 권한을 부여받게 됩니다. 따라서 귀하를 면 해직하는 대신에 계속하여 근무할 수 있도록 다음 자리에 전직을 주선합니다.

직책명	노무직 반장
계열, 등급 및 그룹	4급 9호봉 시간당 1,352원 (파타임 영구직)
근무처	복지 지원단, 중부 지역 운영 본부 용산 지구 운영대, 주류 판매소 1지점

0040

주한 미군 서울 [redacted] 민간인 인사처
제목: 감원 통고서

4. 만일 귀하가 본 조치를 수락하게 되면 귀하는 1986년 5월 31일 부로 감원 해직되고 1986년 6월1일부로 파타임영구직으로 재임용될것입니다. 따라서 귀하가 다른 파견 근무하지 않는한 현직에서 근무 마감일인 1986년 5월31일 까지 계속해서 근무하거

5. 만일 귀하께서 본 조치를 거절하게 되면 귀하는 1986년 5월 31일부로 감원 해직될 감원 해직될 것입니다. 귀하는 귀하에게 해당되는 퇴직금외에 1개월분의 본봉에 해당되는 퇴직금을 추가로 더 받게 됩니다. 귀하가 축적한 연가는 현금으로 환산되어 지급됩니다.

6. 만일 본조치가 규정에 위배된다고 사려될 경우 귀하는 인사처에 본 조치에 대한 재검토를 요청하시기 바랍니다. 질의서는 반드시 감원 효력 발생일로부터 10일 이내에 서면으로 당 인사처로 제출하여야 하며 규정에 위배된다고 사려되는 점을, 예를들면 감원자 차출 순서의 착오, 부적당한 통고서, 참전 제대자에 대한 우선권등을 명확하고 상세하게 기술하여야 합니다.

7. 당 인사처 한국인 채용과 직원이 본조치에 대한 귀하의 질문에 답변하여 드릴것이며 가능한 범위내에서 협조해 드릴것입니다.

8. 본 인사조치가 귀하의 인격이나 품행 또는 근무 성적을 반영하여 결정된 것이 아니라는 것을 확인합니다.

9. 본 서한은 확정 통고서가 아니고 예정 통고서 입니다. 예정 통고서 기간 동안에 상황 변경에 따라서 본 예정 통고서가 감원 규정에 의하여 정정될 수 도 있읍니다.

10. 본 서한에 첨부된 확인서 - 질의사항에 서명과 접수 일자를 기재하여 당 인사처로 본 서한 접수일로 부터 3일 (근무일) 이내에 반송하여 주시기 바랍니다.
귀하의 서명은 본서한에 기재되어 있는 내용을 동의하거나 귀하의 권리를 포기하는 것이 아니고 다만 본서한을 접수하였음을 확인하는 바입니다.

첨부
확인서 - 질의 사항

데이빗 피. 버쇼우
인사 처장

0041

공 란

공 란

공 란

주한미군 한국인 고용원 파업

o 1986.5.29. 0시부터 파업

o 주요원인

- 8% 임금인상 요구 (미군측은 6.9%인상 방침)

- 예산절감 정책의 일환으로 대량 해고, 정규직원의 임시 직원화, 파트타임제 실시, 직고용제도의 하청고용 형태로의 전환등 움직임에 대한 사전 경고

  . 동 계획이 구체화 되지는 않았으나 주한미군측은 국방성으로 부터 미국인 우선고용, 고용원 상한선 (9.300명) 준수등 지시를 접수하였다 함.

  . 미측 SOFA 간사는 이는 풍문에 불과하며 대량 해고등은 없을 것임을 확인

o 문제점 및 대책

- 아국인 노조측은 SOFA 협정에 규정된 합의 절차를 준수치 않고 있음. (SOFA 관계 규정이 아측에 불리하다고 주장)

- 노동부를 통하여 노조측이 SOFA협정을 준수토록 계속 촉구

- 미측에 대하여는 부당해고등 아국 고용원에 대한 부당한 조치를 취하지 않도록 계속 요청

공람	안보과	86년 5월 29일	담당	과장	심의관	국장	차관보	차관	장관
			이종국			출장중			

0045

주한미군 한국인 고용원 파업문제

1. 현 황

   ○ 5.29. 0시부터 파업개시

   ○ 주요원인

   - 8% 임금 인상 요구 (미군측은 6.9% 인상 방침)
   - 예산 절감 정책에 따른 고용원 해고 검토에 대한 사전 경고
     - 임시 고용원 감축 계획
     - 직고용제도의 하청 고용형태로의 전환 검토

2. Livsey주한 미군 사령관의 장관님앞 서한 요지

   ○ 5.29.(목) 12:00 노조 위원장에게 파업이 5.30(금) 12:00까지 종식 되지 않을 경우 하기 조치 예정임을 통보

   - SOFA 협정 17조에 의거 노조의 대표권 인정 철회
   - 주동 노조간부 해고 조치
   - 노조회비 지급 중단

   ○ 한국 노조측이 SOFA 협정에 의거한 노사 분쟁 해결 절차에 따라 파업을 종식하고 정상 조업에 들어가도록 노조 지도자들을 설득하여 주기 바람.

   ○ 동서한 전달시 SOFA 합동위 미측간사 통보내용

   - Gramm-Rudman 법의 영향으로 10.1.부터 임시 고용원 450명 감축 예정

0046

- 정규 고용원에는 영향이 없을 것임.
- 동 파업 내용은 미언론의 주요 관심사항이 될 것임.

3. 동 파업의 법적 측면

o SOFA 협정상의 쟁의 절차

- 먼저 노동부에 쟁의 조정 신청
- 쟁의 조정에 실패할 경우 SOFA 합동위원회에 회부
- 합동위원회에 회부된후 70일 이내에는 집단 행동불가
- 위반시에는 노조의 대표권 인정 철회 및 관련자 처벌가능

o 금번 파업은 노동부에 쟁의 조정 신청없이 개시

- 따라서 SOFA 협정 위반

4. 조치사항

o 청와대, 노동부, 안기부, 치안본부등 관계기관 통보, 협조 요청중

o 현재 노동부와 주한미군 당국간에 협의중

0047

공 란

31 May 1986

Dear Dr. Hodges,

I would like to refer to our meetings on 27 and 29 May 1986 on the possible USFK program to reduce Korean labor force employed by USFK, which is one of the major issues of the ongoing labor disputes.

It is my understanding from your explanations that USFK has a plan to reduce the temporarily employed Korean labor force by about 450 employees starting from 1 October 1986.

Your have reassured that the regularly employed labor force will not be affected in any way by this reduction program.

Our understanding was that, even for the temporarily employed labor force, special consideration should be given in case they are employed full time and dependant soley on the USFK job for their living.

In this connection, I would like to draw your attention again to paragraph 4 of the Agreed Minuntes to Article XVII of SOFA which requires USFK to refer the matter to the Joint Committee in advance when USFK cannot conform with provisions of ROK labour legislation.

Sincerely Yours,

Tae Kyu Han
ROK Secretary
SOFA Joint Committee

Dr. Carroll B. Hodges
US Secretary
SOFA Joint Committee

공람	안보과	86년 5월 30일	담당	과장	심의관	국장
				(서명)		

0049

미 주 국

1986. 5. 29.

안보과	담 당	과 장	심의관	국 장	차관보	차 관	장 관
	(서명)	(서명)	(서명)	출장중	(서명)	(서명)	

제 목 주한미군 사령관의 장관님앞 서한 요지

요 약

o 5.29.(목) 12:00 노조 위원장에게 파업이
5.30.(금) 12:00 까지 종식되지 않을 경우
하기조치 예정임을 통보
- SOFA 협정 17조에 의거 노조의 대표권 인정 철회
- 주동 노조간부 해고 조치
- 노조회비 지급 중단

o 한국 노조측이 SOFA 협정에 의거한 노사 분쟁
해결 절차에 따라 파업을 종식하고 정상 조업에
들어가도록 노조 지도자들을 설득하여 주기 바람.

조치사항

0050

공　　　란

주 한 미 군 사 령 관 과 의

대 담 기 록

1986. 5. 29 (목) 14:43 - 15:20

국방부 장관 집무실

공람	안보과	86년 6월 3일	담 당	과 장	심의관	국 장	차관보	차 관	장 관
			이종국			출장중			

0052

대담요지

립지사령관 : 주한미군에 종사하는 노동자들은 전국적으로 파업하기로 결정을 내렸음. 그리하여 현재 주한미군 시설이 지장을 받고 있음. 노조측의 요구는 임금인상과 미국예산 삭감으로 인한 실직 및 장비 자동화로 인한 노동력 감축을 우려하여 그들의 불만을 표시하고 있음. 이들의 불만은 이해할수 있음. (legitimate). 그러나 이 파업은 SOFA 협정을 위반한 불법시위임. 불만을 제기하려는데는 절차가 마련되어 있음. 본인으로서는 접수된 불만을 워싱톤에 보고할수 있을 뿐이며, 현지 사령관으로는 권한 밖의 일을 요구받고 있음. 본인은 이들의 파업을 불법적 파업이라 단정하는 바임. 오늘 오후 이곳을 방문하기 전에 노동부장관, 외무부장관에게 서한을 쓴 바 있음. 서한내용은 이번 파업이 SOFA 협정 위반이며, 따라서 파업노동자들이 사무실로 돌아가 불만을 적법한 절차에 따라 제기해 달라고 요청하였음.

본인이 장관님을 찾아 뵌 이유는 한국군운영의 총책임을 맡고 계신 국방장관에게 임전태세에 영향을 주는 일의 발생을 보고 드리기 위함임. 현재 이 파업으로 파이프라인(병참선), 직접 정비시설 운영이 마비되고 있고, 일부 전투병력을 취사, 기타 근무지원 업무에 전용하지 않을수 없는 사태가 발생하고 있으며, 수백명의 근로자가 출근해야 하는 병원도 4명밖에 출근하지 않았음. 중요한 것은 단지 주한미군에 한한것이 아니라 한미연합 임전태세에 불리한 영향을 초래하는 일이 발생하였기 때문에 본인은 마땅히 보고 드려야 함. 그밖에도 이 파업이 한미 임전태세에 불리한 영향을 미치는 요인은 약 약 150여가지에 달함. 현시점에서 중요한 것은 북괴의 대남선전에 이용되어서는 안된다는 것임. 그리하여 본인은 노동부장관, 외무부장관에게 파업 근로자가 합법적 절차를 통해 그들의 요구를 제기해 줄것을 요청하였음.

현재 CPO (Civilian Personnel Office :민간인 고용원 인사처) 건물은 한국고용원 300-500인에 의해 포위되어 있음. 본인은 지휘관으로서 본인의 예하 헌병을 이 민간인 노무자와의 분규에 개입시키고 싶지 않아 한국 국립경찰에 도움을 요청한 바 있음. 경찰의 태도에 관해 본인의 참모들이 느낀바를 본인에게 다음과 같이 말하였음. "즉 "한국경찰은 CPO 건물을 포위하고 있는 노무자들의 시위를 묵인·방조 ("condone") 하는 것 같았다고함. 그러나 사실이 그런지 여부는 본인이 이를 입증할 아무런 증거도 갖지 않고 있음.

장 관 : 지금까지 설명 잘 들었음. 한국국민의 책임자로서 이같은 불상사를 유감으로 생각함. 귀하가 말한점은 타당성이 있다고 생각함. 최초에 본인은 일반근로자들의 파업인줄로 알고 지나쳤는데 추후보고된바 의하면 주한미군 노무자들의 파업이라 하였음. 이파업으로 전투병력의 차출, 지휘축선상의 통신기능 마비, 경호상의 문제, 병참선상의 기능마비등 제문제가 대두하고 있음을 들어 알고 있음. 한편, 파업중인 노무자들도 그들의 요구사항이 현지 미군사령관의 재량으로만 해결될수 없는 것임을 점차 알기 시작한 것 같음. 따라서 본인은 안기부장관과 청와대 경제수석에게도 파업이 해결되고 그들의 요구사항이 협의를 통해 원만히 해결되도록 권장해 줄것을 요청하였음.
노동부장관과의 대담에서 얻은 인상은 과거에는 노동조직이 약하여 정부가 관여하면 그의사가 전달 되었으나, 지금은 노조의 힘이 강화되어 정부측의 조정 기능에도 한계가 있음을 느끼게 하였음. 본인이 듣기에는 노무자측은

-2-

0054

14.25%의 임금인상을 요구하고 있으나 미측은 6.9%를 말하고 있고. 고도장비의 자동화로 고용감축을 말하였으나 그와는 달리 미국 군속가족들은 신규고용하면서 한국인 노무자들은 감원하는 조치를 취하여 9월중 883명의 노무자들이 해고 될것을 염려하고 있었음. 또한 이들의 처우문제만 해도 정식채용이 아니라, 1년마다 현지 고용을 통해 매년 재채용하는 방식을 취하는데 대해 불만을 품고 있었음. 이와같이 노조의 힘이 강화되고 정부의 정치 일정과도 복합적으로 관련을 맺게되어 있음을 감안할때 이일은 단시간에 협의를 통해 해결되는 것이 바람직함.

한국경찰의 태도에 대하여 말씀하셨는데 귀하 참모들이 말하듯 방관만 하고 있었다는 것이 사실이라면 유감스러운 일임. 그러나 경찰은 외기노조와 충돌하는것이 북괴의 대남선전을 이롭게 할수 있다는 점에서 신중을 기하려는 의도라고 생각됨. 따라서 우선 직장에 돌아가고, 불만은 합법적 절차를 통해 해결하도록 노동부와 안기부에 요청하였음.

립 지 : 본인의 가장 큰 우려는 파업으로 인한 불편이 아님. 한국인이 없어도 미군은 취사할수 있고 전투기를 띄울수 있음. 재삼 강조하고자하는 점은 이 파업이 불법이요, 둘째로 전반적인 한반도 전쟁억지를 위한 전력을 약화시킨다는 점임.

장 관 : 연합방위력을 약화시키는 이러한 일이 발생한데 대해 유감으로 생각함 노사문제가 원만하게 "당사자" 간에 해결될수 있도록 정부로서는 최선을 다하겠음. 이미 노동부와 안기부에 협조를 요청했고, 금일 1600 청와대에서 내무장관을 만나 이 문제에 관해 토의 할것임.

노사문제가 단순한 문제가 아니며, 어려운 문제임을 알아 주시고 현재 파업도 그간 노사협의가 계속되어 오다가, 오늘 오후 현재까지도 타결되지 않고 결렬되었음을 알고 있음. 주한미군측도 성의를 보여 원만한 타협점을 찾아주기 바람.

립 지 : 본인은 이번 사태를 와싱턴에 전달할수 있을 뿐임. 이미 외무부측에도 이야기한 바와같이 이 파업은 SOFA 협정에 대한 명백한 위반이며 또 노조를 인정할수 없고 적법한 근거없이 이들과 타협할수 없음.

장 관 : 우리 두사람은 입장이 같음. 북괴를 이롭게 하는 일은 말도록 해야함.

립 지 : 지금 이시간 현재 본인이 취한조치는 현재 한국에서 파업이 진행중임을 워싱턴에 보고 하였음. 내일 아침까지 상황이 호전되지 않는 경우 미태평양 사령관과 합참에 한국의 전투력이 약화 되었음을 보고 드리지 않을수 없음. 끝.

-4-

0056

	분류번호	보존기간

발 신 전 보

WAU－0392
번 호 : WPH－0535 일 시 : 60531 1200 전보종별 :

수 신 : 주 호주, 필리핀 대사 · 총영사

발 신 : 장 관 (미안)

제 목 :

주둔미군 지위협정

업무에 참고코자 하니 귀지 주둔 지위협정(SOFA) 의 노무관계 규정중 주둔미군과 고용원과의 노동쟁의 해결 절차를 지급 보고바람.

조사

암호타전

보안 통제	

앙 고 재	86년 5월 3일	안 보 과	기안자		과 장		국 장		차 관	장 관

0057

외신과	접수자	통 제

기 안 용 지

분류기호 문서번호	미안 20294- 20918	(전화번호)	전 결 규 정 조 항 전결사항
처리기간		장 관	
시행일자	1986. 5. 31.		
보존연한			

보조기관	국 장	전결		협조
	심의관			
	과 장			
기 안 책 임 자		손성환	안 보 과	

경 유		발송	통제
수 신	노동부장관	1986. 6. 02	1986. 6. 02
참 조	노정국장		
제 목	주한미군 사령관 서한		

주한미군 부대근무 아국 노동자의 파업과 관련, Livsey주한미군 사령관의 외무장관앞 5.29.자 서한 사본을 별첨 송부하오니 참고하시기 바라며, 중재의조정 진척사항을 당부에 통보하여 주시기 바랍니다.

첨부 : Livsey 주한미군 사령관 서한 사본 1부. 끝.

정서 / 관인 / 발송

0058

1205-25(2-1)A(갑) 1981. 12. 18승인

정직 질서 창조

190㎜×268㎜(인쇄용지 2급 60g/㎡) 가 40-41 1985. 8. 7.

공 란

분류번호	보존기간

발 신 전 보

번 호: WUS-2209 일 시: 60602 1530 전보종별:

수 신: 주 미 대사 · 총영사

발 신: 장 관 (미안)

제 목: 주한 미군 고용원 감축 계획

암호송신

1. 주한미군 한국인 고용원 노조는 미군 당국이 예산 삭감을 이유로 대량 감원을 추진중이라고 주장, 해고에 강력히 반대하면서 5.29. 1일간 전면 파업하였음. 동 파업은 일단 중단되고 5.30.부터 정상근무를 개시하였으나 상기 문제등으로 노사 협의가 원만히 타결되지 못하고 있음.

2. 이와관련, 미국방당국 예산 삭감 조치가 주한미군측에 얼마나 영향을 미칠것인지 가능하다면 탐문, 보고바람.

차관 이상옥

암호관리

보안 통제	

앙 고 재	86년 6월 2일	안보과	기안자		과 장	심의관	국 장	차관보	차 관	장 관
							출장中			

0060

외신과	접수자	통 제

JOINT COMMITTEE
UNDER
THE REPUBLIC OF KOREA AND THE UNITED STATES
STATUS OF FORCES AGREEMENT

1 June 1986

Dear Dr. Hodges,

I would like to refer to our meetings on 27 and 29 May 1986 on the possible USFK program to reduce Korean labor force employed by USFK, which is one of the major issues of the ongoing labor disputes.

It is my understanding from your explanations that USFK has a plan to reduce the temporarily employed Korean labor force by about 450 employees starting from 1 October 1986.

You have reassured that the regularly employed labor force will not be affected in any way by this reduction program.

Our understanding was that, even for the temporarily employed labor force, special consideration should be given in case they are employed full time and dependant solely on the USFK job for their living.

In this connection, I would like to draw your attention again to paragraph 4 of the Agreed Minutes to Article XVII of SOFA which requires USFK to refer the matter to the Joint Committee in advance when USFK cannot conform with provisions of ROK labor legislation.

Sincerely Yours,

Tae Kyu Han
ROK Secretary
SOFA Joint Committee

Dr. Carroll B. Hodges
US Secretary
SOFA Joint Committee

0061

기 안 용 지

분류기호 문서번호	미안 20294-	(전화번호)	전결규정 조 항 전결사항
처리기간		장 관	
시행일자	1986.6.2.		
보존연한			
보조기관 차 관		차관보	협조
국 장		심의관	
과 장			
기안책임자	손성환	안보과	
경유 수신 참조	내부 결재	발신	통제
제 목	주한미사령관앞 장관님 회신		

주한미군 근무 한국인 노조 파업과 관련, Livsey 주한 미사령관의 장관님앞 5.29.자 서한에 대한 장관님 회신을 별첨과 같이 작성한바 재가하여 주시기 바랍니다.

첨부 : 상기 서한 1부. 끝.

정서

관인

발송

0062

1205-25(2-1)A(갑)
1981. 12. 18승인

정직 질서 창조

190㎜×268㎜(인쇄용지 2급 60g/㎡)
가 40-41 1985. 8. 7.

THE MINISTER OF FOREIGN AFFAIRS
SEOUL, KOREA

2 June 1986

Dear General Livsey,

I have received your letter of May 29 requesting the assistance of the Korean Government in persuading Korean Employees Union leaders to end the strike staged by the Korean employees working with the US Forces in Korea.

I am glad that the strike came to an end before your deadline with an agreement to settle the dispute through negotiations and that you need not take the withdrawal or dismissal actions, which you had been considering to take if the deadlne was not met.

It is my sincere hope that the resumed negotiations between USFK and KEU could result in a satifactory arrangement to both sides, thus not disrupting normal work requirements of the US Forces in Korea.

Sincerely,

Won Kyung Lee
Minister of Foreign
Affaires

General William J. Livsey
Commander, U.S. Forces, Korea
Seoul

0063

미 주 국

1986. 6. 3.

안보과	담 당	과 장	심의관	국 장	차관보	차 관	장 관
	이종국						

제 목 SOFA 합동위 미측간사 통보내용

요 약

o 한국인 고용원 파업시 아국 경찰이 적극적인 사전예방조치를 취하지 않고 수수방관적 태도를 취한데 대하여 유감표명

o 본국정부로부터오는 9.30.까지 총 900여명 (미8군 소속 759명, 미공군소속150여명)의 한국인 고용원을 감축토록 지시 받음.
  - 2개사단 추가 창설계획및 예산삭감에 따른 불가피한 조치
  - 동고용원 감축 조치는 아국의 노동관계 법규에 위반되지 않음.
  - 금번 감축 조치는 임시(temporary)고용원에만 국한됨.

o 노사협상 진전사항 설명
  - 상금 특별한 합의사항은 없음.
  - 향후 SOFA협정에 위반한 파업 재발시는 강경대응 예정

0064

공 란

공 란

공 란

공 란

기 안 용 지

분류기호 문서번호	미안 20292-1435 (전화번호)	전결규정	조 항 전결사항
처리기간		장 관	
시행일자	1986. 6.3.		
보존연한			

보조기관	국 장	전결	협조	
	심의관			
	과 장			
기안책임자		이종국	안 보 과	

경유 수신 참조	노동부장관 노정국장(SOFA 노무분과위원장)	발신		통제
제 목	주한 미군 한국인 노조와의 노사분규			

1. Hodges 미측 SOFA 합동위간사 및 Shirley 미측 노무분과위원장은 86.6.3. 당부를 방문, 최근 주한미군 당국과 한국인 노조간의 노사분규에 관하여 설명한바, 동요지를 별첨 송부하오니 참고하시기 바랍니다.

2. 또한 주한미군당국이 오는 9.30 까지 900여명의 한국인 고용원을 대량 해고할 계획을 추진하면서 동 계획이 아국의 노동법규에 전혀 위반되지 않는 것이라고 주장하고 있는 바, 이에 대한 귀견을 조속 회보하여 주시기 바랍니다.

첨부 : 상기 면담록 1부.

정서 / 관인 / 발송

0069

1205-25(2-1)A(갑) 1981. 12. 18승인

정직 질서 창조

190mm×268mm(인쇄용지 2급 60g/m²) 가 40-41 1985. 8. 7.

기 안 용 지

분류기호 문서번호	미안20294 -21436 (전화번호)	전결규정 조 항 전결사항	
처리기간		장 관	
시행일자	1986. 6.3.		
보존연한			

보조기관	국 장	전결	협조
	심의관		
	과 장		
기안책임자	손성환	안 보 과	

경 유		발송	발송 1986.6.04
수 신	노동부장관	통제	1986.6.04
참 조	노정국장		
제 목	주한미군 사령관앞 외무장관 회신		

연 : 미안 20294-20918

주한미군 부대근무 한국인 노조파업과 관련,
주한미군 사령관의 외무장관앞 5.29.자 서한에 대한 외무장관
회신 사본을 별첨 송부하오니 참고하시기 바랍니다.

첨부 : 외무장관의 Livsey 주한미군 사령관앞 서한 사본 1부.

끝.

정서 관인 발송

0070

1205-25(2-1)A(갑)
1981. 12. 18승인

정직 질서 창조

190㎜×268㎜(인쇄용지 2급 60g/㎡)
가 40-41 1985. 8. 7.

원 본

외 무 부 착 신 전 보

번 호 : PHW-0982 일 시 : 606051000 종 별 :

수 신 : 장 관 (미안,기정동문)

발 신 : 주 필리핀 대사

제 목 : 주둔 미군 지위협정

대: WPH-0535

대호 관련 필리핀 미군기지내 필리핀인 고용에 관한 필리핀 및 미국정부간 협정(68.5.27 체결)에의한 노동쟁의 해결 절차를 보고함.(동 협정 정파편 추송)

1. 필리핀 고용원은 직접 또는 대표자를 선정 소청(GRIEVANCE) 을 제기할수 있음.

2. 소청 절차에 따른 분쟁해결이 불가능한 경우, 양 당사자(미군당국 또는 필리핀 고용원(조합)중 일방은 이를 양국 정부로부터 임명되는 3인이내의 위원 및 노사전문가로 구성되는 합동위원회(JOINT COMMITTEE) 에 제소할수 있음.

3. 합동위원회는 먼저 양당사자간 합의에 의한 분쟁해결 방안을 강구하거나 소청절차에 의한 분쟁해결을 권고함.

4. 위 방법에 의한 해결이 불가능한 경우 양당사자중 일방은 합동위원회에 분쟁 해결을 재청구하며,합동위원회는 최종 결정에 앞서,양당사자에게 조정,중재 또는 사실확인을 요청하거나 다른 해결방안을 권고할수 있음.

5. 양국 정부는 대표기관 또는 대표자등을 통해 합동 위원회(조정자등을 프함)에 브안상 필요한 경우를 제외하고는 관계자료를 제출토록 되어있음.

(대사 김창훈-국장)

예고 : 86.8.31까지

예고문에 의거 재분류(1986.8.31.)
직위 성명

미주국 차관실 1차보 정문국 청와대 안 기

86.06.05 14:21
외신 2과 통제관

0071

안

외 무 부 착 신 전 보

번 호 : AUW-0709 일 시 : 60606 1600 종 별 :

수 신 : 장 관(미안, 아동)

발 신 : 주 호주 대사

제 목 :

암호수신

원 본

대:WAU-0392

1. 당지 주둔 미군 지위협정상에는, 미군의 현지민간 노무수요를 호주군의 노무수요 충족방법과 같은 방법으로, 요청이 있을경우 호주 당국의 원조를얻어, 충족하도록 규정되어있을뿐, 아국에서의 지위협정 17조와같은 노무에대한 상세한 규정은 지위협정 상에 규정하지않고있음.

2. 상기와관련 당지 외무성및 국방성에 조회한바, 호.미 합동군사시설(JOINT DEFENCE FACILITIES) 의 호주민간 고용원은 호주정부의 고용원으로 되어있어 모든문제를 호주정부와 고용원과의 관계에서 처리하고 있다함. 다만 NORTH WEST CAPE 에있는 미해군기지에서는 미해군이 호주민간인을 직접고용하고있는바, 동기지당국과 WEST AUSTRALIA 주의 노동조합(LABOUR COUNCIL) 과의 협정이 체결되어있으며, 동협정에의하면 파업이 금지되어있다함.

(대사 임동원-국장)

예고:해독후일반

미주국 차관실 1 차보 아주국 청와대 안 기

PAGE 1

86.06.06 20:09

외신 1과 통제관

0072

순

안

원본

*** 대 외 비 ****

번 호: USW-2825　　　일 시: 60606 1916

수 신: 장관(미안)

발 신: 주미대사

제 목: 주한미군 고용원 감축계획

대: WUS-2209

대호 고용원 감축계획관련, WILLIAM COAKLEY 국방성 담당과장 (DIRECTOR, COMPENSATION, OVERSEAS AND POSITION MANAGEMENT) 에게 문의한바, 동 과장은 현단계에서 GRAMM-RUDMAN 균형예산 법안이 주한미군 고용인원 문제에 미치는 영향이 없다고 하면서, 다만 87 년 또는 88 년 이후 균형예산 법안을 시행해나가는 과정에서 재정 작자폭을 적극 줄여나가야할경우 어떠한 영향이 미칠런지 현재로서는 알수없다고 답변하였음. (대사김경원-국장)

예고문: 1986.12.31. 까지

배부처							
	장관실	의전실	아프리카국	총무과	청와대 ✓	재무부	보안사
	차관실 ✓	아주국	국기국	감사관	총리실	해협위	문공부
	1차보 ✓	미주국 ○	경제국	공보관	안기부 ✓	체육부	
	2차보	구주국	정문국	외연원	법무부	SLOOC	
	기획실	중동국	영교국	상황실	상공부	국방부	

예고문에 의거 재분류 (1986.12.31.)
직위 성명

- PAGE: 1 -

0073

공 란

공　　　란

공 란

공 란

공　　　란

공 란

공 란

공 란

공 란

공 란

주 필 리 핀 대 사 관

주비(노무) 770-530

1986. 6. 5.
No.
86.6. 6
주필리핀대사관

수 신 : 외무부장관

참 조 : 미주국장

제 목 : 주둔 미군 지위 협정 (자료송신 133호)

대 : WPH-0535

연 : PHW-0982

연호 관련 필리핀 미군 기지내 필리핀인 고용에 관한 필리핀 및 미국정부간 협정을 별첨과 같이 송부합니다.

예고문에 의거 재분류(1986.8.31.)
직위 성명

첨 부 : 협정문 사본 1부. 끝.

선 결			결재	
접수일시	86.6.7	4016		
처리과			공람	

주 필 리 핀 대 사

0084

APPENDIX 7

AGREEMENT BETWEEN THE GOVERNMENT OF THE REPUBLIC OF THE PHILIPPINES AND THE GOVERNMENT OF THE UNITED STATES OF AMERICA RELATING TO THE EMPLOYMENT OF PHILIPPINE NATIONALS IN THE UNITED STATES MILITARY BASES IN THE PHILIPPINES

The Government of the Republic of the Philippines and the Government of the United States of America:

Having agreed in the Military Bases Agreement of 1947, as amended, to establish United States bases in the Philippines to serve the common defense of the two countries;

Noting the absence in that Agreement of provisions concerning labor relations and terms and conditions of employment of Filipino citizens employed by United States Armed Forces in the Philippines;

Recognizing the need to promote and maintain sound employment practices which will assure equality of treatment of all employees and their right to self-organization and effective operation of the bases; and continuing favorable employer-employee relations thereon; and

Believing that an agreement will be mutually beneficial and will strengthen the democratic institutions cherished by both Governments;

Have agreed as follows:

Article I
EMPLOYMENT STANDARDS

1. *Preferential Employment* – The United States Armed Forces in the Philippines shall fill the needs for civilian employment by employing Filipino citizens, except when the needed skills are found, in consultation with the Philippine Department of Labor, not to be locally available, or when otherwise necessary for reasons of security or special management needs, in which cases United States nationals may be employed. Exception is permitted, however, in the case of third country nationals already employed on the date of entry into force of this Agreement and in the case of technical personnel of third country nationality as envisaged in paragraphs 1 and 2, Article XI of the Military Bases Agreement of 1947, as amended.

1. *Uniform Standards.* -- To the extent consistent with the provisions of this Agreement and the national laws of either country and regulations pursuant thereto and in the conformity therewith, terms and

standards of employment, including wages, working conditions and benefits shall be subject to collective bargaining and, under uniform personnel policies and administration, shall apply equally to all employees, regardless of nationality and sources of funds used.

2. *Overtime Compensation.* — Work performed in excess of the regular workday and workweek shall be considered overtime to be paid the corresponding overtime compensation.

3. *Manpower Allocation.* — In the event the Philippine Government adopts measures allocating Manpower, the two governments shall work out in the Joint Committee established under Article III measures ensuring fulfillment of the labor needs of the United States Armed Forces.

4. *Social Security Benefits.* — The United States Armed Forces in the bases shall implement, as of July 1, 1968, a health insurance program and shall consider the adoption of additional social security benefits to Filipino employees consistent with prevailing industry practices in the Philippines.

5. *Security of Employment.* — Consistent with their military requirements, the United States Armed Forces shall endeavor to provide security of employment and, in the event certain activities or services are contracted out, the United States Armed Forces shall require the contractor or concessionaire to give priority consideration to affected employees for employment. The United States Armed Forces shall at the same time give to such employees priority consideration for reemployment by the base. If reemployed by the base, such employment shall be without loss of seniority.

6. *Severance Pay.* — Except when separation is for cause, severance pay benefits shall be granted to those employees whose employment is terminated involuntarily, including termination by reduction in force, caused by disestablishment or deactivation of a function, activity or command. For purposes of computing severance pay, the basis shall be the employee's total or aggregate service, less periods of service for which he had already been paid severance pay.

Article II
RIGHT TO SELF-ORGANIZATION AND COLLECTIVE BARGAINING

1. Filipino employees of the United States Armed Forces in the Philippines shall have the right to self-organization and to collective bargaining in accordance with the provisions of this Agreement. The right to self-organization shall include the right to join or refrain from joining a union or labor organization without interference, coercion, restraint, discrimination or reprisal.

2. Any federated labor organization or individual labor organization duly registered in accordance with Philippine laws and repre-

senting the majority of the Philippine employees of the United States military bases in the Philippines shall be entitled to recognition by the United States Armed Forces and shall enjoy exclusive bargaining representation for such employees. The United States Armed Forces will make provision for voluntary checkoff of labor organization dues. In the event a labor organization does not represent a majority of such employees, any duly registered labor organization representing a majority of the employees at a base or group of bases shall be entitled to recognition and enjoy exclusive bargaining representation for such base or group of bases. Nevertheless, any employee shall have the right to present a grievance directly or through a representative under established grievance or labor relations procedures. Questions concerning recognition may be referred to the Joint Committee provided for in Article III of this Agreement.

3. In view of the common security interests of the two Governments, as recognized in the Military Bases Agreement of 1947, as amended, the Joint Committee described in Article III, below, at the request of either party to a dispute which threatens the orderly and effective operation of the bases, shall direct measures to promote resolution of that dispute. Any action taken by a recognized labor organization which interrupts or disrupts the orderly and effective operation of the bases before the Joint Committee has taken its final action in such a case may be considered just cause for withdrawal of recognition of that organization. Disciplinary action may be taken against any individual employee or group of employees participating in such action, subject to review, however, by the Joint Committee, which shall proceed in accordance with Article III hereof.

4. The Joint Committee shall not be deemed to have taken final action until the dispute has been resolved between the parties under the procedures provided in Article III of this Agreement. During this period, the parties to the dispute shall observe utmost good faith in collective bargaining and in negotiating their differences without resorting to acts inimical to their mutual interests.

Article III
JOINT COMMITTEE

1. Any disputes between the United States Armed Forces and Filipino employees or duly recognized union or organization of employees which cannot be settled through grievance or labor relations procedures provided for in Article II of this Agreement may be referred by either party to the dispute to a Joint Committee which shall be composed of not more than three representatives appointed by each Government and shall include labor relations specialists.

2. The Committee shall determine its own procedures and, whenever a dispute has been referred to it, shall:

0086

(a) Devise means by which the parties themselves can settle their dispute rather than render final decisions; and

(b) Satisfy itself that every effort has been fully exerted by the parties to settle the dispute through the grievance or labor relations procedures referred to above. Otherwise, it may refer the dispute back to the parties, indicating what further steps may be taken to reach a settlement.

3. *In the event the dispute remains unresolved, and either party* resubmits it to the Joint Committee, the latter may refer the matter back to the parties requiring either mediation, conciliation or fact-finding or recommending any other measure.

4. The Governments of the Philippines and of the United States through their respective authorized agencies or representatives shall, upon request, make available to the Joint Committee or any mediator, conciliator or fact-finder indicated in the preceding paragraph, all pertinent materials, data or information, except those which are classified for security reasons.

5. The Joint Committee, referred to above, shall likewise serve as a channel for continuing consultation between the two Governments and as the principal channel for the implementation of this Agreement.

Article IV
GENERAL PROVISIONS

1. Contractors and concessionaries performing work for the United States Armed Forces in the Philippines shall be required by their contracts or concession agreements to comply with all applicable Philippine labor laws and regulations. For the effective enforcement of these labor laws and regulations, base authorities shall facilitate access by appropriate Philippine government officials to sites where such contractors work, upon prior request and proper identification.

2. Nothing in this Agreement shall imply any waiver by either of the two Governments of its immunities under international law.

Article V
MID-YEAR ANNUAL BONUS

In view of the concern of both governments for the general welfare of the employees of the United States Armed Forces in the Philippines and in response to a request from the Philippine government, the United States Armed Forces will, as an incentive to such employees, pay each Philippine national employed by them for one year or more on July 1, 1968, a mid-year bonus of two hundred pesos and to those employed on July 1 of each subsequent year the same amount. Those employed for less than one year on the date of payment will be paid

a prorata share of two hundred pesos for each full month of employment.

Article VI
ENTRY INTO FORCE

1. This Agreement shall enter into force upon signature by the two Governments except with respect to any provision which requires further administrative action for its execution. Any such provision shall enter into force as soon as the requisite administrative action has been taken but in no case later than six months from the date of signature by the two Governments.

2. Employment policies, practices and benefits existing at the time this Agreement enters into force shall continue unless modified by collective bargaining in accordance with this Agreement or by subsequent agreement between the two Governments.

3. Either Government may at any time request the revision of any provision of this Agreement, in which case the two Governments shall enter into negotiations through diplomatic channels.

4. This Agreement, and agreed revisions thereof, shall remain in force for the duration of the Military Bases Agreement of 1947, as amended, unless terminated earlier by agreement between the two Governments.

IN WITNESS WHEREOF, the undersigned, being duly authorized by their respective Governments, have signed this Agreement, incorporating the attached Agreed Minutes.

DONE at Manila, in duplicate, this 27th day of May, 1968.

For the Government of the Republic of the Philippines:
S/ BLAS F. OPLE
Secretary of Labor
Members of the Philippine Panel
S/ RAOUL M. INOCENTES
Chairman
S/ GAUTTIER F. BISNAR
Vice-Chairman
S/ RUBEN F. SANTOS
S/ APOLONIO V. CASTILLO
S/ PACIANO C. VILLAVIEJA
S/ FRANCISCO A. FUENTES
S/ CRISTETA A. FERIA
S/ S. TOMAS DELA CRUZ

For the Government of the United States of America:
S/ JAMES M. WILSON, JR.
Charge d'Affaires, a.i.
Members of the United States Panel
S/ HUGH APPLING
Chairman
S/ WILLIAM PAZ
S/ ROBERT M. FISK

0087

공 란

공 란

돈

"근로자의 웃음속에 밝아오는 우리사회"

노 동 부

노정 32220-15297　　503-9731　　1986. 9. 17.

수신 외무부장관

참조 미주국장

제목 한미행정협정에 관한 질의

[redacted]가

별첨과 같이 질의서를 당부에 제출하였는바 귀부에 의견을 조회하오니 조속히 회시하여 주시기 바랍니다.

첨부 질의서(사본) 1부. 끝.

발송 1986. 9. 17 노동부

노 동 부 장 관

선 결			결재 · 공람		
접수일시	1986. 9. 20	023346			
처리과					

0090

원서류
처리기한 1986. 9. 20

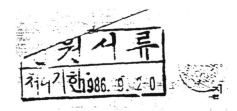

질 의 서

수 신 : 노동부 장관 귀하
경기도 과천시 중앙동 1번지 정부제2 종합청사

제 목 : 한.미 행정협정에 관한 질의

[redacted]

질의내용 : 아 래

아 래

대한 민국과 아메리카 합중국간의 상호 방위조약 제4조에 의한 시설과 구역 및 대한민국에서의 합중국 군대의 지위에 관한 협정 (한.미 행정협정)

제7조 (접수국 법령의 존중)는

합중국 군대의 구성원, 군속과 제15조에 따라 대한민국에 거주하고 있는자 및 그들의 가족은 대한민국 안에 있어서 대한민국의 법령을 존중하여야 하고, (이하생략) 라고 명시되어 있고,

동 제17조 (노무) 3항은

본조의 규정과 합중국 군대의 군사상 필요에 배치되지 아니하는 한도내에서, 합중국 군대가 그들의 고용원을 위하여 설정한 고용조건, 보상 및 노사관계는 대한민국의 노동법령의 제 규정에 따라야한다. 라고 명시되어 있는바 그에 대하여

1. 위의 노동법령의 제 규정에 따라야한다 라고 함은

가. 근로 기준법 및 동시행령과 정부의 시행지침,

나. 산업재해 보상보험법 및 동시행령과 정부의 시행지침,

등이 포함되는 지의 여부,

0091

2. 동협정의 취지로 보아

가. 대한민국의 민간인 근로자가 미 합중국부대에 고용되어 근무하던중 당한 부상 및 질병등 산업 재해의 적용, 판단 여부의 결정은 대한민국의 어느 기관이 하여야 하는지,

나. 고용주 국가가 임의로 판단 결정하였는바 그 에 대하여 민간인 근로자가 불만 또는 이의가 있을경우 어느기관에 판단, 결정을 구해야 하는지,

위 사항에 대하여 노동부 장관님께 질의 하오니 조속한 시일내에 선처하여 주시기 바랍니다.

1986. 8. 30.

위 발신인 [redacted]

노 동 부 귀중

0092

민 원 서 류
처리기한 : 198 . . .

협 조 문

감 사 125.4 - 516 (720-2315) 198 6. 9. 22.

수 신 미주국장

제 목 민원서류송부

198 6. 9. 17 .자로 당부에 접수된 별첨 민원사안은 " 한미 행정협정에 관한 질의 " 내용으로 귀 (실·국) 소관사항으로 사료되어 이송하오니 민원사무처리규정등 관계 규정이 정하는 바에 따라 처리하시고 그 결과를 민원인에게 회신하는 동시 감사관실에도 통보하여 주시기 바랍니다.

첨 부 : 민원서류 1부, 끝.

민 원 사 무 통 제 관

0093

[redacted]

180-85

받는사람

서울 종로구 세종로 1가 77번지

외무부 장관 귀하

110-□□

0094

송탄 우체국

0038

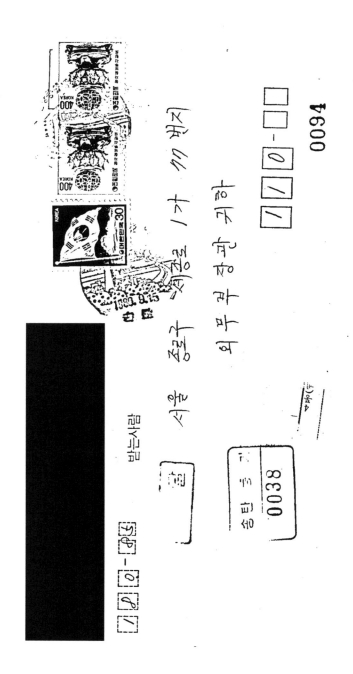

질 의 서

1986. 9. 17
No 1101
16:00

수 신 : 외무부 장관 귀하

서울 종로구 세종로1가 77번지

제 목 : 한,미 행정협정에 관한 질의

발 [redacted]

질의내용 : 아 래

- 아 래 -

대한민국과 아메리카 합중국간의 상호 방위조약 제4조에 의한 시설과 구역및 대한민국에서의 합중국 군대의 지위에 관한 협정(한,미 행정협정) 제7조 (접수국 법령의 존중)는 합중국 군대의 구성원,군속과 제15조에 따라 대한민국에 거주하고 있는자및 그들의 가족은 대한민국안에 있어서 대한민국의 법령을 존중하여야 하고,(이하생략)라고 명시되어 있고,

동제17조(노무)3항은 본조의 규정과 합중국 군대의 군사상 필요에 배치되지 아니하는 한도내에서 합중국 군대가 그들의 고용원을 위하여 설정한 고용조건, 보상및 노사관계는 대한민국의 노동법령의 제 규정에 따라야 한다. 라고 명시 되어 있는바 그에 대하여

1. 위의 노동법령의 제 규정에 따라야 한다 라고 함은
   가. 근로기준법및 동시행령과 정부의 시행지침,등이 포함되는지의여부
   나. 산업재해보상보험법및 동시행령과 정부의 시행지침동이 포함되는지의 여부
2. 동협정의 취지로 볼때
   가. 대한민국의 민간인 근로자가 미합중국부대에 고용되어 근무하던중당한 부상및 질병등 산업재해의 적용,판단 여부의 결정은 대한민국의 어느 기관이 하여야 한는지를

접수일시	1986. 9. 17	023264	결재공람
처리과			

0095

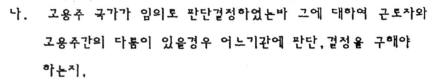

나. 고용주 국가가 임의로 판단결정하였는바 그에 대하여 근로자와 고용주간의 다툼이 있을경우 어느기관에 판단,결정을 구해야 하는지,

위 사항에 대하여 외무부 장관님께 질의 하오니 선처하여 주시기 바랍니다.

1986. 9. 3.

위 발신인 [redacted]

외 무 부 귀중

기 안 용 지

분류기호 문서번호	미안 20294- 037167	(전화: 720-2239)	시 행 상 특별취급	
보존기간	영구·준영구. 10. 5. 3. 1.	장 관		
수 신 처 보존기간				
시행일자	1986. 9. 23.			

보조기관	국 장	전 결	협조기관		문 서 통 제
	심의관				
	과 장				발 송 인
기안책임자	손성환				

경 유 수 신 참 조	노동부장관 노정국장(SOFA 합동위 노무분과위원장)	발신명의	
제 목	한.미 행정 협정에 관한 질의		

노정 3220-15297과 관련, 주한미군의 아국 노동관계 법령 준수 의무, 아국인 고용원에 대한 산업 재해 적용여부 결정기관 및 해결절차등에 대한 당부 의견을 아래와 같이 회보합니다.

1. 주한 미군의 아국 노동관계 법령준수 의무

: SOFA 협정 제17조 3항은 SOFA 관련 규정과 군사상 필요에 배치되지 않는 한도내에서 주한 미군이 아국 고용원을 위하여 설정한 고용조건, 보상, 노사관계는 대한민국의 노동 법령의

0097

1505-25(2-1) 일(1)갑
85. 9. 9. 승인

190mm×268mm 인쇄용지 2급 60g/㎡
가 40-41·1985. 10. 29.

제규정에 따라야 한다고 규정하고 있으므로 SOFA 관련규정의

범위내에서 군사상 필요에 배치되지 않는한 주한 미군은 아국

근로 기준법 및 동 시행령, 산업재해 보상 보험법 및 동 시행령등

노동관계 제법령을 준수하여야 할것임.

2. 아국인 고용원에 대한 산업재해 적용 여부 결정기관 및 해결절차 :

가. 동 협정 제 17조 4항은 주한미군과 아국 고용원간의 쟁의로서

미군측의 불평처리 또는 노동관계 절차를 통하여 해결되지 않은

경우에는,

(1) 조정을 위하여 대한민국 노동부에 회부하고

(2) 노동부에서 해결되지 않을경우 합동위원회에 회부하되

합동위원회는 그가 지정하는 특별분과위원회에 동 문제를

회부할수 있도록 규정한 바, 주한미군의 내부 조정 절차를

마치고도 해결이 되지않은 아국 근로자의 근무중 부상 및

질병 등에 대한 산업재해의 적용, 판단여부는 노동부가

하도록 되어있음.

0098

나. 따라서 아국 고용원이 주한 미군측의 결정에 불만과 이의가 있는 경우 상기 SOFA 규정에 따라 우선 주한 미군 내부의 이의 신청 절차를 통하여 해결을 모색한후 에도 해결되지 않으면 노동부에 회부하도록 되어 있음. 끝.

0093

1205-25(2-2)(을)
1981. 12. 18승인

190mm×268mm(인쇄용지 2급 60g/m²)
조 달 청(1,500,000매 인쇄)

기 안 용 지

분류기호 문서번호	미안 20294- 037355 (전화 : 720-2239)	시 행 상 특별취급	
보존기간	영구·준영구. 10. 5. 3. 1.	장 관	
수 신 처 보존기간			
시행일자	1986. 9. 24.		

보조기관	국 장	전 결	협조기관		문 서 통 제
	심의관				검인 1986.9.24 통제관
	과 장				
기안책임자		손성환			발 송 인

경 유 수 신 참 조	[redacted]	발신명의		발송 1986.9.24 외무부
제 목	민원 서류에 대한 회신			

1. 한·미 행정협정에 관한 86.9.3자 귀하의 질의서에 대한 회신입니다.

2. ~~당부는 노동부로부터~~ 귀하께서 노동부에 ~~송부~~ 문의한 동일한 내용의 ~~민원~~ 질의서에 대한 하여 ~~당부 의견을 요청받고 당부 의견을 노동부에 가회~~보 ~~한 바, 귀하의 질의서에 대해서는~~ 노동부로부터 ~~에서~~ 회신할 예정임을 양지하여 주시기 바랍니다. 끝.

0100

1505-25(2-1) 일(1)갑 85. 9. 9. 승인

190mm×268mm 인쇄용지 2급 60g/㎡ 가 40-41·1985. 10. 29.

협 조 문	응신기일 198 . . .

분류기호 및 문서번호	미안 125•4– 54 제목 **민원 서류 회신**
수 신 **감사관**	발신일자 : 1986 . 9 . 24 .

대 : 감사 125•4-516

당국은 노동부로부터 대호 민원서류와 동일한 내용의 민원 서류에 대한 당부 의견을 요청받고 노동부에 별첨과 같이 당부 의견을 회보하였으며, 민원인에게도 별첨 (2) 회신을 하였는 바, 참고하시기 바랍니다.

첨 부 : 1. 노동부앞 회신 공문 사본 1부.

2. 민원인 앞 회신 사본 1부. 끝.

미 주 국 장

영 제	안보과	86 9 24 일	담 당	과 장	심의관	국 장
			33			

0101

1205—8A
1981. 12. 1 승인

190mm×268mm (인쇄용지(2급)60g/m²)
가 40—41 1985. 9. 5

대 한 민 국
외 무 부

미안 20294-　　　　　　　　　　　　　　　　1986 . 9 . 24 .

[redacted]

제 목 : 민원서류에 대한 회신

1. 한.미 행정협정에 관한 86.9.3.자 귀하의 질의서에 대한 회신입니다.

2. 귀하께서 노동부에 문의한 동일한 내용의 질의서에 대하여 노동부가 회신 예정임을 양지하여 주시기 바랍니다. 끝.

외 무 부 장 관

미주국장

0102

26

노 동 부

노정 32220-3378 503-9731 1987. 3. 3

수신 외무부장관

참조 미주국장

제목 한.미 주둔군지위 협정 노무조합 개정

전국 주한미군 노동조합으로부터 별첨과 같이 한.미 주둔군 지위협정(SOFA) 제17조에 대한 일부 개정 요청이 있어 이를 통보하오니 적극 검토하시어 금후 SOFA 개정시 참고하여 주시기 바랍니다.

첨부 공문사본 1부. 끝.

선 결			결재(공람)		
접수	1987. 3 5	번호			
처리과	004947				

노 동 부 장 관

노정국장 전결

0103

전 국 주 한 미 군 노 동 조 합

전주노 제87-22호 793-1862 1987. 2. 9.

수 신 노동부 장관

참 조 노정 국장

제 목 한미행협 노무조항 일부 개정 요청건

1966년 7월 9일에 서명되고 이듬해 2월9일에 발효 된 한미 행협 노무조항은 주미노조산하 대한민국 국민으로 구성된 2만 3천 여명이 미8군에 직업을 가졌다는 단순한 이유 하나 때문에 인간의 최소한의 생계를 보장하는 대한민국 근로기준법이나 노동법의 보호를 받지 못하고 있으며 또한 미 합중국 법도 적용이 허용되고 있지 않습니다. 이 세상에 존재하는 모든 국민은 그 나라의 관계 법령에 보호를 받을 권리를 향유 한다는 극히 상식적인 제도적 장치가 미8군 종업원들에게만 배제되어 오늘 이시점까지 인내와 지혜로서 조직을 연계하여 왔으나 20여년전 발효된 한미 행협이 현실적으로 너무나 맞지 않은 괴리 현상으로 부각되어 고용주의 부당 노동행위가 상승 가도를 달리고 있는 실정이오니 가능한 한 한미 행협 노무조항의 독소 조항을 개정하여 전체 8군 한인 종업원들이 대한민국 관계 법령의 보호를 받을 수 있도록 선처하여 주시옵기 바라면서 하기와 여히 개정안을 제출코저 하오니 양지 하시옵기 바랍니다.

아 래

제17조 3항

1. "본조의 규정과 합중국 군대의 군사상 배치되지 아니하는 한도내에서 합중국 군대가 그들의 고용원을 위하여 설정한 고용조건, 보상및 노사관계는 대한민국 법령의 제 규정에 따라야 한다."

밑줄친 부분의 해석상의 문제 때문에 대한민국 노동 법령이 적용되지 않고 있는 실정이며 근로 기준법 제2[illegible]조(근로조건의 기준)가 무시된체 직속업무가 하청으로

				결재 (공람)		
접수일시	1987. 2. 12 시 분	번호	619			
처리과	노정과	공람				

0104

전환되어 노사간의 마찰을 수없이 연발 시키고 있으며 근로기준법 제42조 ("근무시간은 휴식 시간을 제하고 1일 8시간 1주 48시간을 기준으로 한다.")또한 무시된채 미8군 인사규정 690-1 주40시간 기준 근무가 32시간 이하로 전락하여 임금 저하는 물론 의료보험 혜택도 상실 당하고 있는 실정 이옵니다. (참고 : 주한미군 한인 근로자는 시간제 임금 임) 또한 고용주에 의한 부당 해고자가 본인의 결백을 밝히기 위한 수단으로 대한민국 사법부에 상고 사법부의 무혐의 판결도 묵살 된채 단 한명의 복직의 사례도 없는 실정 이옵니다.

따라서 군사상 배치되지 아니하는 한도내에서의 정의를 전쟁, 적대행위 혹은 전쟁이나 적대행위가 절박한 국가 비상과 같은 위급한 경우로 명문화 시켜 제한하여 주시옵기 바랍니다.

2. 제17조 4항(가) (5)

"고용원 단체나 고용원은 쟁의가 전기(2)에 규정된 합동위원회에 회부된 후 적어도 70일의 기간이 경과 되지 아니하는한 정상적인 업무 요건을 방해하는 어떠한 행동에도 종사하여서는 아니된다 "에서 합동위원회에 회부된 후 적어도 40일로 수정하여 주시옵기 바랍니다. 왜냐하면 노동쟁의 조정법 제14조(냉각기간) 일반 사업30일 공익사업 40일로 규정한 법정신이 존중되어야 한다고 사료 됩니다.

3. 제17조에 대한 합의 의사록 2항

"합중국 정부가 대한민국 노동 관계 법령을 따른다는 약속은 합중국 정부가 국제법상의 동 정부의 면제를 포기하는 것을 의미하지 아니한다. 합중국 정부는 고용을 계속하는 것이 합중국 군대의 군사상의 필요에 따라 배치 되는 경우에는 어느때든지 이러한 고용을 종료 시킬수 있다."

상기 밑줄친 문장은 합중국 정부가 대한민국 노동 관계 법령에 면책 특권을 가질수 있다는 해석이 가능하기 때문에 이를 현시점까지 악용하고 있으며 필연적으로 사후 대책이 전무한 상태에서 노사간의 마찰이 지속되고 있으며 전쟁, 적대행위 혹은 전쟁이나 적대행위가 절박한 국가 비상과 같은 위급한 경우를 제외한한 대한민국 관계 법령에 따를 수 있는 준법 정신의 철학이 삽입되어 한인근로자들의

0105

권익신장과 인권보호에 이바지 할수 있도록 선처를 바라옵는 바입니다.

4. 17조 1항은 주한미군은 필요한 용역을 한국 국적을 가진 민간인으로 정의하고 있으나 제8조(출입국) 관리법은 미군구성원(여권및사증) 군속및 그들 가족은 (외국인의등록및관리)에 관한 한국의 법령으로 부터 면제 된다고 규정하고 있는바 미군 혹은 군속 가족이 대한민국 국적을 가진 민간인 일자리에 취업 하는것은 출입국 관리법 목적외 사항이라 사료 되기 때문에 자국의 실업자를 보호하는 측면이나 한미 행협 17조 1항의 근본적인 법정신이 존중되는 측면에서 마당히 규제 조항이 삽입되어야 함이 마당 하다고 양해 되고 있읍니다.

5. 제17조 노무조항에서 대한민국 노동법에 따른다는 (Conform) 이 내포하고 있는 뜻은 준한다라는 외교상의 애매한 뜻이 내포되어 있어 따라도 좋고 따르지 않아도 좋다는 해석 때문에 노사간의 마찰의 계속되고 있는바 차제에 의무적으로 따르기 하기위한 (Comply)로 반드시 수정하여 주시옵기 바랍니다.

— 끝 —

위원장 강 인

0106

분류기호 문서번호	미안20294-	기 안 용 지 (전화 :)	시 행 상 특별취급
보존기간	영구·준영구. 10. 5. 3. 1.	장 관	
수 신 처 보존기간			
시행일자	1987. 3. 10.		

보조기관	국 장	전 결	협조기관	문 서 통 제
	과 장			
기안책임자	장 호 진			발 송 인
경 유 수 신 참 조	노동부장관	발신명의		
제 목	한.미 주둔군 지위협정 노무조항 개정			

1. 노정 32220-3378 과 관련입니다.

2. 전국 주한미군 노동조합이 귀부에 제출한 SOFA 협정 제 17조 개정 요청에 대하여는, 우선 귀부에서 파악하고 있는 동건관련 미측입장 및 귀부 견해를 당부로 통보하여 주시기 바랍니다.

끝.

0107

1505-25(2-1) 일(1)갑
85. 9. 9. 승인

190㎜×268㎜ 인쇄용지 2급 60g/㎡
가 40-41 · 1985. 10. 29.

14551

<table>
<tr><td>분류기호
문서번호</td><td>미안20294-</td><td>기 안 용 지
(전화 :)</td><td>시 행 상
특별취급</td><td></td></tr>
<tr><td>보존기간</td><td>영구 · 준영구.
10. 5. 3. 1.</td><td colspan="3">장 관</td></tr>
<tr><td>수 신 처
보존기간</td><td></td><td colspan="3"></td></tr>
<tr><td>시행일자</td><td>1987. 4. 7.</td><td colspan="3"></td></tr>
<tr><td>보조기관</td><td>국 장: 전결
과 장:</td><td>협조기관</td><td></td><td>문서통제</td></tr>
<tr><td>기안책임자</td><td>장 호 진</td><td></td><td></td><td>발 송 인</td></tr>
<tr><td>경 유
수 신
참 조</td><td>노동부장관
노정국장</td><td>발신명의</td><td></td><td>(stamp: 1987. 4. 21)</td></tr>
<tr><td>제 목</td><td colspan="4">SOFA 노무조항 개정 문제</td></tr>
</table>

1. 한국 노동조합 총연맹은 별첨 공문을 통하여 현행 SOFA 노무 조항중 노동쟁의의 합동위 회부후 70일간의 단체 행동 규제 조항 (제 17조 4항 (가)의 (5)) 및 합동위 결정 불복시의 고용원 단체 승인 철회 규정 (제 17조 4항 (가)의 (4))등은 아국 노동법상의 냉각기간 단축 추세를 감안하여 볼 때, 낙후된 조항이라고 지적하면서 이의 개정을 건의하여 왔읍니다.

/계 속/

0108

1505-25(2-1) 일(1)갑
85. 9. 9. 승인

190mm×268mm 인쇄용지 2급 60g/㎡
가 40-41 1986. 4. 8.

2. 동건은 귀부에서 노정 32220-3378 (87.3.3)로

통보해준 전국 주한미군 노동조합의 진정에도 포함되어 있는바,

노총에 대한 회신 작성에 참고코저 하니 이에관한 귀부 견해를

통보바라며, 아울러 그간 노무분과위원회를 통해 미측입장이

파악된 바가 있으면 함께 회신해 주시기 바랍니다.

첨 부 : 노총측 공문 사본 1부. 끝.

0109

韓 國 勞 動 組合總聯盟

서울特別市永登浦區汝矣島洞35番地

FEDERATION OF KOREAN TRADE UNIONS

電 話 (782) 3884~7

노총기획 제 177호

수 신 외무부 장관

제 목 한. 미행정협정 개정건의

1. 당연맹 87년도 전국 대의원 대회에서는 한. 미행정협정의 내용의 일부를 개정요구하기로 한 의안을 채택결의한바 있읍니다.

2. 귀하도 주지하시는 바와같이 한. 미행정협정은 한미방위조약 제 4조에 근거하여 1967. 2. 9일에 체결된바 있으나 그간 우리나라의 경제적 사회적 여건 변화에도 불구하고 20여년이 경과한 지금까지 전혀 개정되지 않고 있어 불합리한 점이 발생되고 있어 양국간 호혜평등원칙에 어긋나는 사례가 있읍니다.

3. 특히 노무관계 조항에 있어서는 한국의 노동쟁의 조정법상 냉각기간이 일반사업및 공익사업에 있어서 다같이 단축되고 있음에도 현행 한미행정협정에 있어서는 단체행동에 관한 규정은 1차적으로 노동부에 회부하고 여기에서 해결되지 않을시는 합동위원회에 회부되어 70일이 경과 되지 아니하는한 단체행동을 할수없도록 규정하고 있어 실제에 있어서는 3개월간 이상의 단체행동을 규제하고 있으며 (제17조 노무4(가)(1. 2. 5))또한 노동쟁의 조정에 대한 합동위원회의 결정에 불복시는 고용원단체의 승인을 철회할수있는 규정 (4(가)(4))등은 우리나라 노동법에 비해 후퇴되고 있읍니다.

선 결			결재 (공람)		
접수	1987. 4. 4	번호			
처리과	007450				

0110

4. 최근 미국정부가 수입규제 및 개방확대를 위한 종합무역법 제안 과정에서도 우리나라를 비롯한 동남아 제국에 대한 노동기본권의 제약을 들고 있는가 하면 미 노총에서도 우리나라의 노동정책에 불만을 표시하고 G·S·P·수혜국 대상에서 제외시킬것을 정부에 촉구한 사실을 감안할때 우리나라 노동관계법보다 후퇴하고 있는 내용는 당연히 개정되어야 할것으로 사료되어 건의 하오니 당연맹의 건의가 관철될수 있도록 각별한 배려가 있으시기 바랍니다. 끝.

발송 1987. 3. 31

한국노동조합총연맹
위원장 김동

0111

공　　　　　란

공 란

23314

기 안 용 지

분류기호 문서번호	미안20294-	(전화 :)	시행상 특별취급
보존기간	영구·준영구. 10. 5. 3. 1.	장 관	
수신처 보존기간			
시행일자	1987. 6. 9.		
보조기관 국장	전결	협조기관	문서통제 (1987. 6. 9 통제관)
과장			
기안책임자	장호진		발송인
경유 수신 참조	노동부장관 노정국장	발신명의	
제목	민원사항 협조 의뢰		

1. 미공군 군산기지 극장에 근무해온 [redacted]씨는 86.10.21. 표준운영 수칙위반으로 해고되었는 바, 이는 86.7.21. 미군 당국의 기지 극장 불시 점검시 입장료 착복혐의가 적발됨에 따른것이라고 합니다.

2. 그러나, 동인은 별첨 탄원서를 통하여 점검당시 극장내의 37명의 입장객중 금전 등록기에는 33명만이 등록되었고 4명은 등록되지 않은 관계로 상기 혐의를 받게 되었으나, 이는 미등록자 4명이 회수권 (무료입장권)을 사용하고도 점검시 회수권 사용자가 있느냐는 미군

/계속/

0114

1505-25(2-1) 일(1)갑
85. 9. 9. 승인

190mm×268mm 인쇄용지 2급 60g/㎡
가 40-41 1987. 2. 13.

점검자의 질문에 응답치 않았기때문으로, 미군당국의 수색시에도
자신의 입장료 착복의 물증을 찾지 못하였음에도 불구하고,
부당하게 해고 당하였다고 주장하면서 복직을 위한 정부의 도움을
호소하여 왔읍니다.(청와대,외무부,노동부에 탄원서 송부)

3. 동건은 우선 노무분과위에서 거론, 미측의 협조를 구함이 좋을것으로
사료되니, 미측과 협의후 그결과를 당부에 회보하여 주시기 바랍니다.

첨 부 : 동 탄원서 1부. 끝.

0115

민 원 서 류
처리기한 : 198 . . .

협 조 문

감 사 125.4 - 214 (720-2315) 1987. 6. 3.

수 신 미주국장 (안보과장)

제 목 민원서류송부

안보과	년월일	과 장	담 당	처 리 지 침
			장	검토

1987. 6. 1. 자로 당부에 접수된 별첨 민원사안은 " 미당국의 부당 해고 시정 요망 " 내용으로 귀 (실·국) 소관사항으로 사료되어 이송하오니 민원사무처리규정등 관계 규정이 정하는 바에 따라 처리하시고 그 결과를 민원인에게 회신~~하는 동시 감사관실에도 통보~~하여 주시기 바랍니다.

첨 부 : 민원서류 1부, 끝.

민 원 사 무 통 제 관

0116

[redacted]

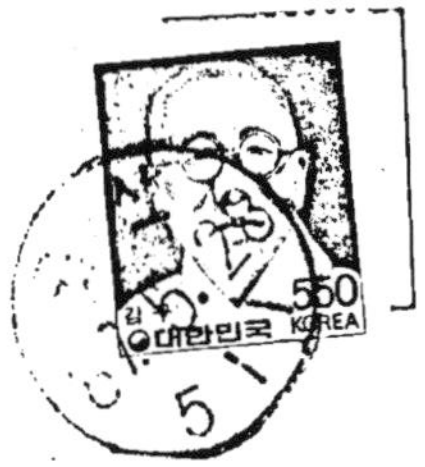

5 1 1 - □□ 받는사람

특수 수취인

경기도 ~~과천시~~ 종합청사 내

군산등기
757

(외무부) 장관 귀하 1 7 1 - 1 1

0117

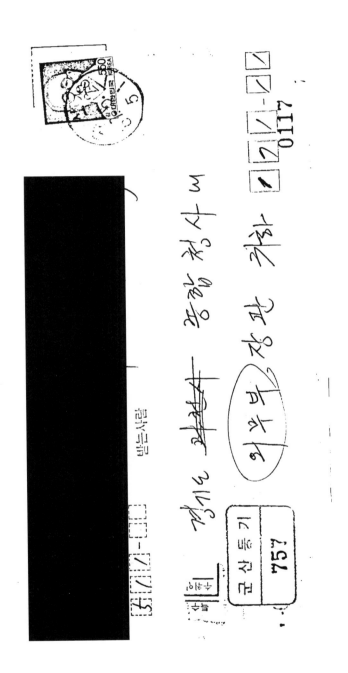

No.

歎願書

本人은 美空軍 群山基地 交易處 所屬 基地
극장에서 22年間 誠實히 勤務하였읍니다 마는
1986年 10月21日字로 解雇되었읍니다
解雇 通知 事由는 標準運營守則 違反입니다
마는 當時의 事況은 다음과 같읍니다
1986年 7月21日 저녁 7時30分頃 美軍特殊수사
대 要員이 保安官(美國民間人)과 基地극장을
不時 臨檢하였읍니다 그때 保安官은 극장밖
게 있었고 수사대 要員는 극장내에서 관람객을
세웠고 또 두사람은 本人이 運營하는 金錢登錄
機도 계속 처다보고 있었읍니다 그후 保安官과
수사대 要員은 영화를 중단하라 지시하고 극장내
에서 관람객 37名을 確認하였읍니다 이때 回
收券(무료입장권) 使用者가 있나고 물었으나 관
람객중 대답하는 사람이 없었답니다 本人을
立會식켰드라면 몇명은 面식者가 있어 찾았
섰을 것입니다 本人이 作成한 극장 現金報告
書(樣式番号 6900-24)는 現金으로 33名 回收
券으로 4名 였읍니다 美軍들은 回收券 4名分(美
弗 8弗)은 本人이 착복하였다고 本人의 몸을 수
색하였으나 現金이 나오지 않자 화장실에 버렸
다고 바로 화장실을 봉인하고 本人의 基地出入

규격 177㎜×257㎜

0118

No.

證을 몰수하였읍니다 다음날 美工兵隊를 動員
봉인한 화장실 내부를 解体 하였으나 現金8弗
은 나오지 않았답니다 (同僚職員이 立會하였다함)
本人은 基地出入證을 압수당하였기에 休職中에
1986年 9月30日 標準守則 違反으로 解雇하니 異議
가 있으면 書面으로 解明 하라는 通知가 왔기에 解
雇는 不當하다는 解明書를 提出하니 理由없다
고 또 通知書가 왔읍니다 1986年 11月10日 再次
解雇의 不當性을 書面으로 提出하니 1987年 1月9日
廳間會議(美8軍 不當解雇에 対한 最終審
議機関)를 開催하니 出頭하라는 通知가 왔기에
當日朝에 基地에 出頭하여 解雇의 不當性을 解
明 하였읍니다 그러나 1987年 2月10日 解明한것은
理由없다고 即解雇 되고 말았읍니다
過去에 당한일은 극장표매상조작 죄로 1983年 11月
8日 부로 5日間 정직 당하였고 運營守則違反및
뇌물로인하여 1984年 9月12日부로 30日間 정직 당
하였으나 이는 美軍들이 (OSI) 채용할직장이
있으니 한국인을 알선하라기에 그인을 알선 채용
하였읍니다 1個月 후 한국사람은 은혜에 보답한
다는데 어떻게 할것이냐 하기에 양복한벌을 해
주겠다 하니 현금으로 달라기에 현금으로 주었읍
니다 이봉투를 그대로 OSI(수사대)에 제보하

규격 177mm×257mm

0113

No.

고 이사람은 바로 자기本國으로 보낸뒤 本人을 수사하였읍니다. 이는 本人을 解雇시키기 위한 수단으로 알고 강력히 항의하였더니 30日정직으로 끝났던 것입니다

本人은 22年間 勤務하면서 勤務優秀賞과 感謝狀을 받은바 있고 本人自身도 誠實히 勤務하였다고 자부합니다 現金8弗을 찾기爲하여 本人의 몸수색과 심지어 화장실을 봉인하고 다음날 美軍工兵隊을 動員 화장실 변기를 解体하였으나 現金8弗(回收券4枚分)는 찾아내지 못하였음에도 불구하고 現金을 착복(回收券4枚分)하였다고 解雇當하니 억울하기 짝이 없으며 大家族의 家長으로서 生計가 막연합니다 自由와 人權을 遵重한다는 美國人들이 우리韓國人에 對하여 이토록 무자비하게 取扱하니 정말 억울합니다 同僚職員들도 本人의 解雇는 不當하다고 方面會議에 陳情하였읍니다

大統領 閣下 長官님 저의 不當解雇에 對하여 복직할수있도록 하여주시고 美軍基地에 勤務하는 우리韓國人을 저와 같은 일이 당하지 않도록 最善을 다하여 주시면 感謝하겠읍니다 國家大事를 앞에두고 바쁘신줄 알면서도 하도나 억울해서 歎願하오니 最善을

규격 177㎜×257㎜

0120

No.

다하여주시기 바랍니다

첨부 1 진정서 ([redacted] 부당해고에 대한진정) 1부

2 진술서 (청문회시 법정대리인) 1부

1987年 5月 26日

[redacted]

大統領 閣下

外務部長官 님

勞動部長官 님

규격 177mm×257mm

0121

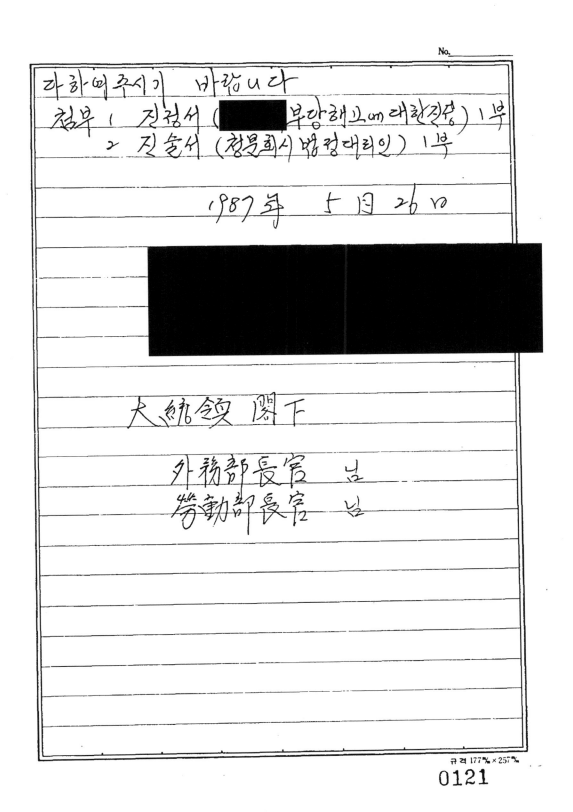

TO: USFK Appeal Board 10 Nov 1986
Attn: Commander, Korea Area Exchange
Seeul CPO Box 5081

Info: Personnel Manager
Korea Area Exchange

SUBJECT: Letter of Petition
(Removal of Mr [redacted], Theater Supervisor)

1. This petition is in regards to Mr [redacted], Theater Supervisor, Kunsan Fighter Theater, Base Exchange, Kunsan Air Base and his removal action imposed on 31 October 1986.

We, the undersinged, Korean employees of the Base Exchange, Kunsan AB, have knov Mr [redacted] professionally and personally since we have been employed at the Base Exchange. During the past, Mr [redacted], as a senior employee, has always helped to promote the friendly relationship, that exists among the Korean employees and US military customers. His pleasant and cheerful manner has won his many frienc We have found him to be an industrious and tireless worker. He has also endeavc to create an atmosphere of harmony at work with other employees, and he has take initiative to set a good example. His immeasurable services have consistently demonstrated professionalism and attention to detail that have produced an outstanding record of performance.

2. With almost 23 years of meritorious services to the US Air Force, Mr [redacted] has shown loyalty and integrity towards the US military customers and the peers he has served. We urge you to consider this matter with his family circumstance he is the primary supporter of a large family. We courteously request that your final decision would allow him to retain his present duty position until his damaged trustworthiness will be fully recovered. We are sure that if he is allowed to retain in his present position, he will be able to create the most desireable and highest qualified individual for this position and become even more trusted employee to allKorean employees.

[redacted] (극장책임자) 씨에 대한 진정서

1. 이는 1986년 10월31일부로 해직처리된 군산미공군기지 극장 책임자 [redacted] 씨에 대한 진정입니다. 아래에 서명한 우리군산기지 교역처 한국인 종업원들은 개인적으로 또는 직업적으로 우리가 이곳에 취업한 이래 [redacted]를 잘알고있읍니다. 지난동안 [redacted]는 고참 종업원으로써 항상 우리종업원과 미군고객들의 우호증진에 앞장서왔으며 명랑하고 쾌활한 성품으로 많은 친구들을 사귀어왔을뿐만아니라 생산적이며 지칠줄 모르는 직업인으로 타종업원들과 융화하는 분위기를 조성하는데 노력하여왔으며 동료들에게 솔선수범하였읍니다. [redacted]의 헌신적인 봉사는 끊임없이 직업적 전문성과 침착성을 과시 함으로써 임무완수에 우수한 기록을 산출케하였읍니다.

2. 거의 23년동안 미공군에게 훌륭한 봉사정신으로 [redacted]는 미군고객들과 동료직원들 에게 충성과 성실을 보여왔읍니다. 귀하가 [redacted]의 이런사실을 고려하고 아울러 그의 대가족을 혼자서 부양하는 가족환경을 참작하여 주시기를 갈망합니다.

0122

귀하의 최종결정이 [redacted]에게 현재의 근무지에서 손상된 신뢰성이 완전히 회복될때까지 머므르도록 허락하며 주시기를 간곡히 청원하오며 만약 그렇게 된다면 [redacted]는 가장 바람직하고 자격이 있는 책임자로써 모든 한국인 종업원들에게 더욱 모범이 될수있을것으로 우리는 확신하는바 입니다.

Name (성명)	Position Title (직책)	Signature (서명)

[redacted]

0123

No 589
10:00

1. 美空軍 釜山基地극장 責任者로 勤務하던 [redacted] 氏에게 내려진 1986年10月21日字 解職通告書에는 그 解雇理由를 標準業務守則의 違反이라고 指摘하였으며 提起된 懲戒措置를 뒷받침하는 確實한 事由를 解雇通告書에 다음과같이 記載되어있읍니다.

1986年7月21日 19시30분경 特殊수사대 要員의 支援을 받어 保安官이 釜山基地극장에서 不時人員点檢을 實施하였읍니다. 保安官은 극장 밖에서 관람객을 세었고 수사대要員은 극장 안에서 관람객을 세였읍니다. 수사대要員은 또한 관람객이 Return check을 提出하는지의 與否를 確認하기 爲하여 金錢登錄機의 運營을 지켜 보았읍니다. 保安官과 수사대 要員은 똑같이 관람객 37명을 세였읍니다. 또한 Daily Branch Report (AAFES FORM 7200-14)와 Theater Supervisor & Cashier Report (AAFES FORM 6900-24)를 검토하여 나타난바로는 관람객이 33명이였으며 4명의 차이가 나타났읍니다. 最終確認措置로써 映画上映을 暫時中断하고 Return check을 使用하였는지의 與否를 관람객에게 물어보았으나 結果는 使用者가 없었읍니다.

2. 이와같은 使用主의 懲戒措置事由에 대한 本人의 反論은 다음과 같읍니다.

a. 提起 Return check의 一連番号와 그 発行日字는 說明하면 다음과같읍니다.

1847210 — 25 May 86
1847218 — "
1847224 — 21 Jun 86
1847199 — 2 Mar 86

b. 이들 Return check는 Exchange Service Manual 55-14에 規定된 節次에 따라 正當하게 発給되었으며 관람객으로부터 극장입장권으로 받은것들이였읍니다. (AAFES FORM 3100-19 제시)

그날밤 수사대要員은 관람객이 Return check이나 Pass를 극장入場時 提出하는가를 ~~確認하기爲하여~~ 金錢登錄機의 運營을

선결			결재(공람)			
접수일시	1987. 6. 1.	번호				
처리과	013556					

0124

지켜보았읍니다. 수사대 要員이 바로 [redacted] 곁에 서 있었기 때문에 問題의 8枚를

[redacted]가 自己몸안에 감추었다면 수사관이 分明하게 目撃하였어야만 합니다.

왜냐하면 萬若 [redacted]가 問題의 8枚를 金錢登録機가 아닌 다른곳에

숨기려고 試圖하였다면 수사관은 [redacted]의 그러한 行為를 目撃할수가 있었을

것이기 때문입니다.

더군다나 그러한 行為는 단 한번뿐이 아니라 [redacted]가 4번을 반복하였어야만

합니다. 그理由는 映画관람料金이 一人当 2枚이였기 때문입니다.

그러나 무엇보다도 重要한것은 [redacted]의 몸수색에서 4名의 관람料에 該当하는

現金을 찾어내지 못하였다는 事実입니다. 이것은 관람객들이 4枚의 Return

check을 提出하고 映画館에 入場하였음을 正確하게 立証하는것입니다.

c. 金錢登録機와 現金換算이 始作된지 約一時間后에 [redacted]의 化장室

使用이 許諾되였읍니다. [redacted]는 수사대 要員의 Escort를 받었으며 化장室

使用이 끝난后 水洗式便機의 단추를 누를때까지 継続 감시를 받었

읍니다. 또한 다음날 아침 이 化粧室은 合同調査班에 依하여 問題의

8枚를 찾으려고 수색作業을 벌였으나 現金을 찾어내지 못하였읍니다

(添付된 証人陳述書参照)

d. Return check 使用與否의 最終確認措置로써 수사要員들은 映画를

中断시키고 관람객들에게 Return check의 使用與否를 問議하였으나

그 물음에 아무런 対答이 없었으므로 使用되는 指摘하였읍니다. 그러나

本人이 主張하고 싶은것은 수사요원들이 수사과정에서 造成하는 環境分囲気

에 따라 관람객들은 그들의 Return check 使用에 対한 正直한 対答을 할수도

있고 안할수도 있다는 点입니다. 그理由는 관람객들中에는 아무도 그들의

映画관람을 이러한 일로 因해서 妨害받고 싶지 안기 때문입니다.

0125

e. 관람객 人員点検은 捜査隊要員과 保安官에 依하여 ([redacted]의 立会없이) 實施되였으며 이 人員点検에서 入場料金총액과 관람객 머리수가 맞지 안었읍니다. 即 8弗이 不足하였읍니다. 수사요원들은 4枚의 Return check을 認定하지 안었읍니다. Return check을 使用한 관람객을 그들이 찾어내지 못한것은 [redacted]에게 그들을 찾어내는 機会를 주지 못한데도 原因이 있읍니다.

萬若 蔡氏에게 Return check을 使用한 관람객을 가려내는 機会를 주어서 그들을 가려내고 그들에게 그 事実을 証言케 하였더라면 관람객 머리수는 現金과 4매의 Return check을 合한것으로 一致되였을것입니다. 그러나 本人이 앞에서 말한바와같이 [redacted]에게는 그러한 機会를 주지 안었으며 使用者는 애당초 現金計算을 始作할때부터 그릇된 先入感을 가지고 8弗의 不足함이 [redacted]의 잘못으로 因한것으로 断定하였든것입니다.

f. Daily Branch Cash Report 와 Theater Supervisor & Cashier Report 를 검토한 結果 관람객수가 33명으로 밝혀졌다는것은 事実과 닳읍니다. Daily Branch Cash Report (AAFES FORM 7200-24)는 오직 現金額数만을 記録하는 報告書입니다. Return check 이나 Pass를 使用한 관람객記録은 Supervisor & Cashier Report의 備考欄에 적게되며 있지 Daily Branch Cash Report는 該当欄이 없읍니다.

(提示하는 두 報告書를 参照)

蔡氏가 지난번에 提出한 答書에서 解明한바와같이 Supervisor & Cashier Report는 Return check 使用을 그 報告書 備考欄에 記入하기前에 不時人員検査와 現金調査를 始作하였기 때문에 完成시킬수가 없었든것입니다. 그 報告書는 完成되기前에 保安官의 要請에 따라 그에게 提出되였든것입니다.

0126

따라서 本人은 [redacted]가 Supervision & Cashier Report 備考欄에 Return check의 使用記錄을 빠트렸다는것은 그다지 重要한 問題라고는 生覺치 안습니다. 이 事件에서 重要한 事實은 [redacted]가 問題의 8弗을 감추었느냐 또는 감추지 안었느냐가 核心이 되는것 입니다. 바꾸어 말하면 Supervision & Cashier Report의 檢討結果 관람객수가 33명으로 밝혀졌다는 事實만으로는 使用主의 懲戒事由가 될수없다는 것입니다.

3. 거의 22 年동안 미8군에 충정한 奉仕精神으로 [redacted]는 美軍고객들과 同僚職員들에게 誠實과 最善을 당하여 왔읍니다. [redacted]의 이런 事實을 참작하고 아울러 그의 大家族을 혼자서 扶養하는 家族事項을 參酌하여 주시기를 바랍니다. 여러분들의 最終決定이 [redacted]에게 現在의 勤務地에서 損傷된 信賴性이 完全히 回復될때까지 繼續勤務를 許諾하여 주시기를 간곡히 請願하오며 그렇게만 된다면 [redacted]는 앞으로 가장 바람직하고 資格있는 직원자로써 同僚職員들과 使用主에게 더욱 信賴 받을수있게 될것을 確信합니다.

0127

23416

기 안 용 지

분류기호 문서번호	미안20294-	(전화 :)	시 행 상 특별취급
보존기간	영구·준영구. 10. 5. 3. 1.	장 관	
수 신 처 보존기간			
시행일자	1987. 6. 9.		

보조기관	국장	전결	협조기관	문 서 통 제
	과장			
기안책임자	장호진			발 송 인
경 유 수 신 참 조	[redacted]	발신명의		
제 목	민원 처리결과 중간회보			

87.5.26자 귀하의 민원과 관련하여, 당부는 우선 주한미군과 관련된 문제를 다루고있는 한·미 합동위원회 산하의 노무분과 위원회에서 귀하의 문제를 협의토록, 노동부측에 의뢰하였음을 알려드립니다. 끝.

0128

1505-25(2-1) 일(1)갑
85. 9. 9. 승인

190mm×268mm 인쇄용지 2급 60g/m²
가 40-41 1987. 2. 13.

사본

노 동 부

노정 32220-1317 503-9731 1987. 8. 17

수신 주한미군사령관

참조 민간인인사처장

제목 진정서 처리

1. 주한 미공군 군산기지 [redacted]의 해고 구제요구 진정 관련입니다.

2. 동 건에 대하여 귀 사령부는 '87.2.10 소청심사 청문회 및 '87.7.2 서신에서 [redacted]에 대한 해고는 적절하다고 하고 있으나, [redacted]은 '86.7.21,19:30분경 발생한 자신의 운영 수칙 위반에 대한 조치로 해고 처분함은 위반 내용에 비하면 중한 징계라고 부당성을 주장하며 특히 다음과 같이 이의를 제기하고 있으니 이에대한 귀 사령부의 해명이 요구됨을 유념하여 동인에 적용한 규정등 해고 정당성의 거증 자료를 통보하여 주시기 바랍니다.

가. '86.7.21,19:30분경 [redacted]이 극장 근무중 4명의 입장료를 계산하지 아니한 운영수칙 위반이 귀 사령부 규정상 해고 또는 정직, 감급등의 처벌 대상인지 여부와 그 규정의 구체적 내용

나. [redacted]에 대한 해고 예고 통보서의 해고 사유에 동인의 과거 규정 위반('83.11.8, '84.9.12)이 포함 되었으나 이는 당시 기 처벌된 규정 위반을 재론, 후에 발생한 행위에 가중하여 처벌한 조치로 이에대한 귀 사령부 규정의 구체적 내용. 끝.

노 동 부 장 관

0129

공 란

공　　　란

공 란

공 란

안보과

민 원 서 류
처리기한 : 198 . . .

협 조 문

감 사 125.4 -295 (720-2315) 1987 . 8 . 19.

수 신 미주국장

제 목 민원서류송부

안보과	년 월 일	과 장	담 당	처 리 지 침
		(서명)	(서명)	

1987 . 8 . 18 . 자로 당부에 접수된 별첨 민원사안은 "한미 행정 행정 제 15조 3항 및 제 17조에 관한 질의" 내용으로 귀(실·국) 소관사항으로 사료되어 이송하오니 민원사무처리규정등 관계 규정이 정하는 바에 따라 처리하시고 그 결과를 민원인에게 회신하여 주시기 바랍니다.

첨 부 : 민원서류 1부, 끝.

민 원 사 무 통 제 관 (서명)

0134

JIN OUK KIM
WOONG SHIK SHIN
ROK SANG YU
YONG WHAN KIM
YONG YIL PARK
HAE DUK JUNG
KEUN BYUNG LEE
SUNG WHAN LEE
KYU HWAN HAN
JAE RYUN SONG
(PATENT ATTORNEY)
LARRY L. GREENWALD
HIESUCK KIM
DUNCAN L. EDWARDS
(NOT ADMITTED IN KOREA)

LAW OFFICES OF
KIM, SHIN & YU

C. P. O. BOX 3238
13TH FL., LEEMA BUILDING
146-1, SUSONG-DONG, CHONGRO-KU
SEOUL, KOREA

CABLE ADDRESS
"ATTKSY SEOUL"
TEL. 735-5822, 5823, 5824, 3782, 2662
732-8532, 8557, 8573, 8582, 8593
TELEX: ATTKSY K23168
FACSIMILE: (02) 739-6606 (G II, III)

1987. 8. 19
No 799
11:00

01

수 신 : 외무부장관님 귀하　　　　　　1987. 8. 13.

제 목 : 한미행정협정상의 초청계약자의 지위

노심초사 국사에 진력함에 경의를 표합니다.

질의인의 의뢰인 [redacted] 는 한미행정협정상의 초청계약자로서 주한미군의 각종 건설공사의 설계용역 사업에 종사하는 회사로서 20명 미만의 한국인 근로자를 고용하고 있읍니다. 그런데 금번 퇴직한 근로자 1명이 퇴직금 지급을 한국 근로기준법에 준하여 지급하여 달라는 취지로 한국 노동부에 진정을 하고 있으므로 이와 관련하여 초청계약자와 한국 노동관계 법규와의 관계에 관하여 한미행정협정 제15조 3항 (자)와 제17조에 관련하여 몇가지 질의를 하오니 국사다망 하신중에도 빠른 시일내에 회신주시면 감사하겠읍니다.

1. 초청계약자와 한국인 근로자의 한국 근로기준법과 관련한 분쟁에 관하여 한국 노동부가 관할권을 가지는지 여부.

2. 초청계약자가 고용한 한국인 근로자에게도 한국 근로기준법이 적용되는지 여부.

변호사 김 진 억
변호사 이 성 환

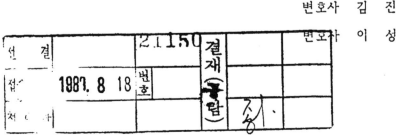

선 결		21150	결재 (공람)		
접수	1987. 8. 18	번호			
처리과					

0135

34274

분류기호 문서번호	미안 20294-	기 안 용 지 (전화 :)	시 행 상 특별취급	
보존기간	영구·준영구. 10. 5. 3. 1.	장 관		
수 신 처 보존기간				
시행일자	1987. 8. 25.			

보조기관			협조기관		문 서 통 제
	국 장	전결			검 열 1987. 8. 25 문서과
	과 장				
					발 송 인
기안책임자		장 호 진			발송 1987. 8. 2. 외무부

경 유 수 신 참 조	수신처참조	발신명의	
제 목	한·미 주둔군 지위협정 (SOFA) 문의에 대한 회신		

귀하의 87.8.13자 SOFA 협정상 초청계약자의 노무관계 문의와 관련하여, 당부의 검토결과를 다음과 같이 회보합니다.

가. SOFA 제15조 3항 (자)와 제 17조의 관계

o SOFA 제15조 3항 (자)에서는 초청계약자가 고용조건 및 사업과 법인의 면허와 등록에 관한 대한민국 법령으로부터의 면제를 규정

/계 속/

0136

1505-25(2-1) 일(1)갑
85. 9. 9. 승인

190mm×268mm 인쇄용지 2급 60g/m²
가 40-41 1987. 2. 13.

ㅇ SOFA 제 17조 에서는 미합중국 군대의 군사상 필요에 배치되지 아니하는한 합중국 군대의 고용조건, 보상 및 노사관계는 대한민국의 노동법령에 따라야 한다고 규정하고 노동쟁의가 합중국 군대의 불평처리 또는 노동관계 절차를 통하여 해결되지 못하는 경우 대한민국 노동청, 한·미 합동 위원회등의 조정을 받도록 규정

ㅇ 상기 SOFA 15조 3항 (자)와 17조는 아국 노동관계 법령의 적용에 있어서 일응 상호 상충되는 것으로 보일수 있으나 SOFA 15조 3항 (자)의 고용조건에 관한 대한민국 법령으로 부터의 면제는 초청계약자의 미국적 고용인등 외국인의 경우에 한하는 것으로 해석되며 한국인 고용인의 경우에는 제 17조에 의하여 당연히 아국 노동관계 법령의 준수 의무가 있는 것으로 해석됨.

ㅇ 만약, SOFA 15조 3항 (자)의 대상을 한국인을 포함한 모든 초청계약자의 고용원으로 해석하여 아국 노동관계 법령의 전면적 배제를 주장한다면, 이는 국제법상 특권·면제의 주체인 국가 및 군대에 대하여도 SOFA 17조 에서

0137

한국의 관계법령 준수 의무를 규정하였음에도 상기 주 체라 할수 없는 초청계약자에 대하여 보다 광의의 면제를 규정 하였다는 것이 되므로 국제법의 기본원칙상으로도 타당하다고 볼수 없음.

o 실제에 있어서도 78.3.9. 제124차 SOFA 합동위원회에서는 당시까지 법적 지위가 분명치 않았던 미8군 내의 Bank of America 를 미측 요청에 따라 초청계약자로 지명, 동 은행의 한국인 종업원들이 SOFA 제17조의 적용을 받게된 사례도 있음.

나. 한국 근로기준법의 초청계약자 고용관계 적용 및 아국 노동부의 관할권 여부

o 상기와 같이 초청계약자에게도 SOFA 17조가 적용되므로 초청계약자는 한국인 근로자의 고용조건등에 있어서 군사상 필요에 배치되지 않는한 아국 노동법령의 제 규정에 따라야 하며 아국 근로기준법이 적용되는 것으로 해석됨.

- 3 -

0138

1505-25(2-2) 일(1)을
85. 9. 9. 승인

268mm×190mm 인쇄용지 2급 60g/m²
가 40-41 1986. 2. 15.

o 또한, 초청계약자와 한국인 근로자의 분쟁의 경우 에도 자체 해결이 되지 않는 경우, SOFA 17조의 노동쟁의 조정 절차에 따라 아국 노동부의 관할권이 인정되는것으로 해석됨. 끝.

수신처 : 변호사 김진억, 이성환 (서울 종로구 수송동 146-1, 이마빌딩 13층, CPO BOX 32 38 KIM, SHIN & YU 법률 사무소)

(사본 : 마포구 염리동 156-1, 한일칼라빌딩 노동부 서울지방 사무소 근로감독과 남경원 감독관)

0133

報告畢

長官님 報告事項

1987. 8. 26.

美洲局 安保課

題目 : 駐韓美軍 勞組 動向

1. 최근 동향

o 주한미군 노조, 미군측에 임금인상등 고용조건 개선요구

- 8.20. 주한미군 사령관앞 서한을 통해 임금인상등 14개 요구사항 (상세별첨) 제시
- 상기요구사항이 관철되지 않을경우, 노사분규 가능성 예고

o Menetrey 주한미군 사령관, 노동부장관 및 국방부장관에게 협조 요청

- 8.25. 노동부장관 앞 서한으로 주한미군 노조 동향을 알리고, 현재 노조측과 협상중이나, 노조측의 실력행사 가능성이 있음에 따라 불법적인 분규행위 방지를 위한 노동부측의 협조 요청 (불법행위시에는 SOFA 규정에 따른 참여자 징계, 노조와의 관계 단절, 주모자 및 폭력행위자 해고등의 단호한 조치를 취할 방침)
- 8.25. 국방부장관에게도 불법적 분규행위 방지를 위한 협조 요청서한 발송

o SOFA 합동위 미측간사, 8.26. 상기서한 사본을 안보과장에게 송부하면서 협조요청

o 현재 관계부처에서 대책 검토중

0140

2. SOFA 협정상 관련규정 (17조)

o 노동쟁의 해결절차

- 미군내부 절차를 통하여 해결될 수 없는 것은 다음 절차에 따라 해결
  - 1단계 : 노동부에 회부, 조정
  - 2단계 : SOFA 합동위에 회부
  - 3단계 : 합동위 자체 해결 (동 결정은 구속력을 가짐)
  - 4단계 : 한국정부와 미대사관간의 협의

o 정상업무 방해금지

- 합동위 결정 불복 또는 해결절차 진행중의 정상업무 방해행위시는 노조에 대한 승인 철회 및 고용원의 해고 가능
- 쟁의가 합동위원회에 회부된 후 70일이내에는 정상적인 업무 방해 행위 불가

o 미군측의 일방적 해고 가능

- 미군은 SOFA 17조 규정과 군사상 필요에 배치되지 않는 한, 아국의 노동관계 법령을 준수해야 하나, 고용의 계속이 군사상 필요에 배치되는 경우는 해고 가능

별 첨 : 1. 주한미군 노조측 요구사항
2. 주한미군의 임금인상율 결정 방식

0141

(별 첨)

1. <u>주한미군 노조측 요구사항</u> (14개항)

(8.20자 주한미군 사령관앞 서한)

o 임금 인상 (15.8%) 및 정년 연장

o 장기 임시직의 정식 고용원 전환

o 미군 및 군속 가족의 취업 중지

o 퇴직금 누진제 부활 및 출장비 지급 중지 철회

o 하청 전환 전면 철회 및 음성적 감원 계획 중단

o 의료보험 현실화

o 차량 출입 제한 철폐

o 인권탄압으로 인한 불만 및 처벌과정의 불합리 시정

o 합정수사 지양

o 단체협약 재검토 및 SOFA 노무규정 현실화

2. <u>주한미군의 임금인상율 결정방식</u>

o 미 국내법 및 국방성의 현지 고용원 임금 정책은 접수국의 지배적인 보수지급 관행에 근거토록 규정

o 이에따라 매년 한국내 임금실태 (기본급, 학비보조금, 전체 인상율 등)를 조사, 이에따라 임금인상을 결정

- 매년 3,4월 한국의 일부 업체(87년의 경우 77개 사업장)를 지정, 임금 인상율 조사

. 이에대해 주한미군 노조측에서는 동 업체 선정이 노조측의 참여없이 미군당국에 의해 일방적으로 선정되고 있다는 문제를 지적

- 87년도 임금 인상 : 7.2%

0142

장 관 님 보 고 사 항

87.8.26.

안 보 과

제 목 : 주한미군 ~~노무관계~~ 노조 동향

1. 최근 노무동향

o 주한미군 노조, 미군측에 임금인상등 고용조건 개선요구

- 8.20. ~~주한미군 노조측 (위원장 : 강인식)~~, 주한미군 사령관앞 서한을 통해 임금인상등 14개항 (~~상세~~ 별첨)의 요구 사항 제시

- 상기 요구사항이 관철되지 않을경우, ~~미군-노조간의~~ 노사분규 가능성 예고

o Menetrey 주한미군 사령관, 노동부장관 및 국방부장관에게 불법적인 분규 행위 방지를 요청

- 8.25. 노동부장관앞 서한으로 주한미군 노조 동향을 알리고, 현재 ~~주한미군 당국과~~ 노조측~~이~~과 협상중이나, 노조측의 실력행사 가능성이 있음에 따라 불법적인 분규행위 방지를 위한 노동부측의 협조 요청

. 불법행위시에는 SOFA 규정에 따른 참여자 징계, 노조와의 관계단절, 주모자 및 폭력행위자 해고등의 단호한 조치를 취할 방침

앙고재	안보과	87년 8월 26일	담 당	과 장	심의관	국 장
			(서명)	(서명)		(서명)

0143

- 8.25. 국방부장관에게도 불법적 분규행위 방지를 위한 협조 요청 서한 발송

o 현재 관계부처에서 대책 검토중 < o SOFA 합동위 미측간사, 8.26 상기 서한 사본을 안보과장에게 송부하면서 협조요청

2. SOFA 협정(17조)상의 관련규정

o 노동쟁의 해결 절차

~~고용주와 고용원 또는 고용원 단체간의 쟁의로서~~

- 미군 내~~의 불평처리 또는 노동관계~~ 절차를 통하여 해결될수 없는것은 다음 절차에 따라 해결

  - 1단계 : 노동부에 회부, 조정
  - 2단계 : SOFA 합동위에 회부 ~~(합동위원회는 특별위원회에 회부 가능)~~
  - 3단계 : 합동위 자체 해결 (동 결정은 구속력을 가짐)
  - 4단계 : 한국정부 와 미대사관 ~~관계관과 미국 외교 사절~~간의 협의

o 정상업무 방해금지

- ~~고용원 단체 및 고용원의~~ 합동위 결정 불복 또는 해결절차 진행중의 정상업무 방해행위시는 동 단체의 승인 철회 및 고용원의 해고 가능

- 쟁의가 ~~상기 절차에 따라~~ 합동위원회에 회부된후 70일이내에는 정상적인 업무 방해 행위 불가

o 미군측의 일방적 해고 가능

- 미군은 SOFA 17조 규정과 미군의 군사상 필요에 배치되지 않는한, 아국의 노동관계 법령을 준수해야 하나 고용의 계속이 군사상 필요에 배치되는 경우는 ~~언제든지~~ 해고 가능

- ~~군사상 필요에 따라 아국의 노동관계 법령의 준수가 불가한 경우는 합동위에 회부 결정 (합동위 합의 불가시 양국 외교 사절간 재검토)~~

별 첨 : 1. 주한미군 노조측 요구사항

2. 주한미군의 임금인상율 결정 방식

0145

(별첨)

1. 주한미군 노조측 요구사항 (14개항)

(8.20자 주한미군 사령관앞 서한)

- 임금인상 (15.8%) 및 정년연장
- 장기 임시직의 정식 고용원 전환
- 미군 및 군속 가족의 취업 중지
- 퇴직금 누진제 부활 및 출장비 지급 중지 철회
- 하청 전환 전면 철회및 음성적 감원 계획 중단
- 의료보험 현실화
- 차량 출입제한 철폐
- 인권탄압으로 인한 불만 및 처벌과정의 불합리 시정
- 함정수사 지양
- 단체협약 재검토 및 SOFA 노무규정 현실화

2. 주한미군의 임금인상율 결정방식

- 미국내법 및 국방성의 현지 고용원 임금 정책은 접수국의 지배적인 보수지급 관행에 근거토록 규정

o 이에따라 매년 한국내 임금실태 (기본급, 학비보조금, 전체 인상율 등)를 조사, 이에따라 임금인상을 결정

- 매년 3,4월 한국의 일부 사업장 (87년의 경우 77개 사업장)을 지정, 임금 인상율 조사
  - 이에대해 주한미군 노조측에서는 동 사업장 선정이 노조측의 참여없이 미군당국에 의해 일방적으로 선정되고 있다는 문제를 지적
- 87년도 임금 인상 : 7.2%

공 란

공 란

공　　　　란

공 란

공 란

공 란

공 란

공 란

공 란

공 란

면 담 요 록

1. 일 시: 1987년 8 월 27 일(목 요일) 1700 시~ 1740 시

2. 장 소: 외무부 안보과

3. 면 담 자: - 유광석 안보과장
   - Pierce 주한미대사관 1등서기관

4. 내 용:

안보과장 : (Pierce 서기관으로 부터 주한미군 노조측의 미군 사령관앞 서한 사본 접수후)

- 주한미군 노조의 임금인상등 근로조건 개선 요구와 관련하여, 현재까지의 진전상황은?

Pierce 서기관: - 8.26(수) 오후 주한미군측과 노조간 회의에서 9.8까지 금번 노사문제를 해결토록 노력한다는데 양측이 일단 양해하였음.

공람	안보과	87년 8월 일	담당	과장	심의관	국장	차관보	차관	장관

0158

- 또한 노사문제 해결을 위해 노.사간 협의체 (Council or Group) 의 설립을 검토한다는 데도 합의하였으며, 당장 사태가 악화될 것으로 전망되지는 않음.

안보과장 : - 8.25(화) 귀하와의 면담시 언급한바와 같이, 현재 아국내의 노사문제가 매우 심각하며 정부 개입의 효과도 의문시됨에 따라, 정부로서도 가능한한 개입을 자제하고 노.사간의 협의를 통한 자율적 해결을 촉구하고 있는 입장임. 이를 감안, 미측에서도 사태 악화 방지를 위한 노력을 경주 바람.

Pierce 서기관: - 방산업체인 삼성정밀 같은 경우는 노사분규가 일어나지 않고 있는데, 방산업체에 대하여는 특별한 조치를 취하고 있는지?

안보과장 : - 삼성정밀에서 노사분규가 일지않고 있는것은 동사가 방산업체이기 때문이 아니라, 그룹 차원에서의 적절한 대처로 삼성그룹 전체에서 노사분규가 생기지 않고 있는것으로 알고 있음.

노 동 부

노정 32220-18525 503-9731 1987. 11. 21

수신 외무부장관

참조 미주국장

제목 민원사항 처리결과 회보

인보과	년월일	과 장	담 당	처 리 지 침

1. 관련 : 미안 20294-23314('87.6.9)

2. 위 관련호의 미 공군 군산기지 [redacted]의 민원 사항에 대하여 당부 및 당부 군산사무소에서 조사 처리한 내용을 별첨과 같이 회보하오니 참고하시기 바랍니다.

첨부 1) 군산사무소의 진정사건 처리결과 통보서 사본 1부.

2) 주한미군 사령부에 요청한 공문사본 1부.

2) 주한미군 사령부의 회신사본 1부. 끝.

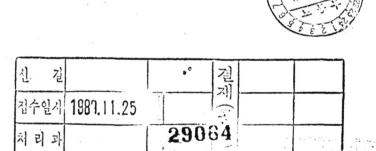

1987. 11. 23

선 길			결재		
접수일시	1987.11.25				
처 리 과		29064			

노 동 부 장 관

0160

노 동 부 군 산 사 무 소

군산 01254-2683 [redacted] (2-0009) 0614 [redacted] 1987. 8. 8.

수신 노동부장관

참조 노정국장

제목 진정사건 처리 결과 통보

1. 노정 32220-9144(87. 6. 4)및 노정 32220-9950(87. 6. 20)의 관련입니다.

2. [redacted]의 해고구제 요구 진정사건에 대하여 별첨과 같이 처리 한후 그결과를 보고 합니다.

첨부 : 민원사안 처리결과 통보서 1부. 끝.

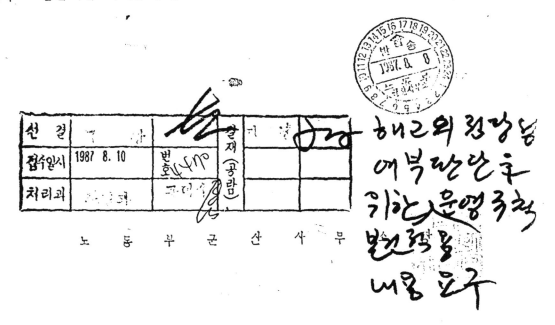

발송 1987. 8. 8

선결			결재(공람)		
접수일시	1987. 8. 10	번호			
처리과					

해고의 정당성 여부판단후 위한 운영규칙 보완할 내용 요구

노 동 부 군 산 사 무 소

0161

85. 9. 9. 승인

가 40-41 1987. 2. 13.

민원 사안 처리 결과 통보서

1. 인적사항

가. [redacted]

나. 피진정인 주소 (기관명): 서울 용산구 주한미군 인사국 (미태평양 지역 한국지구 교역처), 주한 미공군 군산기지

성　　　명 (직성명): 사령관 David. K. kramer.

2. 민원요지 및 조사 결과

순번	민원요지	조, 사 결 과	조치 (개선) 내용	관련책임자
1	부당 해고 구제 요구	○ 민원인이 미공군 군산기지 극장 관리 사원으로 근무하던중 86. 7. 21. 19:30경 군산기지 극장에서 수사요원의 지원을 받아 보안관이 불시 인원 점검을 실시하였던바 4명의 영화 관람객에 대한 입장료가 계산되지 않았으며 불법으로 입장된 것을 발견하였다는 것임. ○ 보안관은 37명의 관람객이 입장했는데 33명의 입장료만 계산되었으므로 모든 관람객	○ 본건 진정 이전에 민원인은 86. 9. 30. 해고 예정 통지를 받았으며 그후 86. 10. 5. 복직 요구 소청심사를 미태평양 지역한국지구 교역처에 제출하였으나 기각당하여 86. 10. 31.부로 해고조치 결정 통보서를 받았음. ○ 87. 1. 9. 민원인은 주한 미군 사령부에 복	주한 미공군 군산기지 사령관 David. K. Kramer (주한미군 인사국)

0162

85. 9. 9. 승인

가 40-41 1987. 2. 13.

순번	민원요지	조사 결과	조치 ( ) 내용	관련책임자
		으로 부터 받아야 하는 입장료를 완전하게 받지 못했다는 것임. o 민원인의 주장은 관람객수 4명이 차이가 나는 것을 사용주측이 4매의 무료 관람권을 인정하지 않았다는 것이며, 무료 관람권을 사용한 관람객을 가려 낼 수 있는 시간적인 기회를 주지 않았으므로 입장료 8불의 부족함은 민원인의 잘못이 아니라고 하였음. o 진정인의 주장이 사실이라면 4매의 무료 관람권에 대해서 현금 보고서의 비고란에 기록하도록 되어 있는데 점검 당시 민원인이 이를 기재하지 아니하여 8불의 부족함을 입증치 못함으로서 운영수칙을 위반 하였다는것 이며. o 민원인은 84. 9. 12. 운영수칙 및 뇌물 제공으로 30일간 정직 당한 사실이 있으며, 그리고 83. 11. 8. 운영수칙 위반, 직무 유기 미	직 요구 소청 심사를 청구 하였으나 청문회에서 87. 2. 10. 민원인의 해고는 적절한 것으로 최종 결정 통보 하였음.	

0163

85. 9. 9. 승인 가 40-41 1987. 2. 13.

순번	민원요지	조 사 결 과	조치(개선) 내용	관련책임자
		극경표 매상 조작으로 인하여 5일간 정직 당한 사실에 비추어 사용측은 민원인을 해고 한것임. o 상기 사실로 보아 본건은 부당한 해고라고 볼 수 없으므로 종결처리 한 것임.		

3. 민원동기 및 조사자의 종합의견 (조치 및 개선안등) 민원인은 본인의 잘못을 인정하고 있으나 해고 까지 당한 것은 억울하다고 진정을 제기 하였으나 민원인의 해고 결정은 부당한 해고라고 볼수 없어 종결처리 하였음

4. 기타 참고 사항: 없음

5. 증거 서류: 없음

6. 조사자 소속: 노동부 군산 사무소
   직성명: 근로감독관 김 용 ○

0164

가 40-41 1987. 2. 13.

정 리 보 존 문 서 목 록					
기록물종류	일반공문서철	등록번호	2012090578	등록일자	2012-09-18
분류번호	729.42	국가코드		보존기간	영구
명 칭	SOFA - 주한미군 한국인 고용원 문제, 1985-91. 전2권				
생 산 과	안보과	생산년도	1985~1991	담당그룹	
권 차 명	V.2 1988-91				
내용목차					

0001

주한미군의 한국인 고용원 감원계획

88. 2. 17.
안 보 과

1. 주한미군의 한국인 고용원 감원계획

   o 2.11. SOFA 노무분과위 미측위원장, 노동부측에 하기사항 통보
      - 미의회의 예산 삭감조치에 따라 주한미군도 한국인 고용원 감축 계획
      - 1차로 5.1자로 공병대 고용원등 440명 감원예정
      - 노조측과 협의예정

   o 2.17. SOFA 합동위 미측간사, 상기사항 당부 통보
      - 안보과장, 예산삭감에 따른 감축은 불가피한것으로 이해하나, SOFA 협정에 위배되는 미국인 고용원을 우선 감원해야 할것임을 언급

2. 노조측 반응

   o 예산절감을 위해서라면 고용원 감원보다는 불필요한 물자낭비 억제가 필요
   o 미8군 노조 공병대 분회는 2.17. 17:00 궐기대회 예정
   o 노조측입장을 정립, 내주 노동부측 접촉 예정

3. 노동부 입장

   o 내주 노조측 의견 청취후, 주한미군측과 협의예정

공람	안보과	담당		심의관	국장	차관보	차관	장관

주한미군의 한국인 고용원 감원계획 관련동향

88.2.29.

o 노 동 부

- 주한미군측에 하기 내용 공문 발송예정

  . 물가절약등 비인력부문에서의 예산절감을 통해 의회의 예산 삭감조치에 부응함으로써 한국인 고용원 감원이 없도록 협조 요청

  . 감원이 불가피할 경우라도 정년퇴직으로 인한 자연적 감소에 한정되도록 협조 요청

  . 노사분규 발생치 않도록 고용원들과 대화로써 해결 바람.

- 노조측에 하기내용 공문 발송예정

  . 전통적 한.미 협력관계 및 주한미군의 중요성을 고려해 대화를 통해 미군측과 협의바람.

앙고재	안보과	88.3. 월일	담당	과장	심의관	국장	차관보	차관	장관
			이						

0003

주한미군 및 가족현황

1. 주한미군 및 군속 : 46,000명 (군인 41,000, 군속 5,000)

구 분	인 원	비 고
육 군	33,500	2사단 및 전투지원 부대 31,950 항공, 통신, 정보, 군수등 1,550
공 군	12,000	
해군 및 해병대	500	

2. 민간인 : 25,552명

구 분	인 원	비 고
미국인	3,100명	세출자금기관 1,600명 (a) 비세출 자금기관 1,500명
한국인	22,500명 (b)	세출자금기관 약16,000명 비세출 자금기관 약 6,000명

(a) 이중 약420명이 주한미군가족등 현지 채용
(약45%가 한국계 미국인)

(b) 기타 개인이 고용한 한국인 가사사용인 약 5,500명
(SOFA 에 해당되지 않음) 포함시 약28,000명

0004

3. 미군가족 : 20,000명

구 분	인 원	Command Sponsored (a)	Non-Command Sponsored (b)
육 군	10,646	4,724	5,922
공 군	5,100	1,600	3,500 (c)
해군 및 해병대	600		53
계		10,113	10,031

(a) 2년 장기근무자 가족 (NATO, 일본은 3년 장기근무)

(b) 1년 단기근무자 가족

(c) Designated Location Move (DLM) 가족 포함

4. KATUSA : 5,200명, 한국 노무단 (KSC) : 3,162명

* 출처 : 88.5.26. 미상원 세출위 국방소위 청문회시
주한미군 사령관 증언등 종합

0005

全 國 駐 韓 美 軍 勞 動 組 合
USFK KOREAN EMPLOYEES UNION
서울특별시 용산구 한강로2가363-1
(TEL. 793-1862, 7913-7535)

한·미행협 노무조항 개정
청 원 서

외무부 장관 귀하

국가 안위와 국리민복을 위해 항시 노고가 많으신 귀하께 주한미군 25,000여한인 직원을 대표하여 깊은 감사를 드립니다.

당 조합은 불합리한 한·미행협 노무조항을 개정하기 위해 수년전부터 관계당국에 요청해왔으나 현재까지 이루어지지 않아 많은 문제점이 대두되고 있는 실정입니다.

동법이 1966년 7월 9일에 서명되고 이듬해 2월 9일에 발효된 이후 현재까지 적용해오는동안 그 부당한 독소조항으로 대한민국 근로기준법이나 노동법의 보호를 받지 못하고 있으며 또한 미합중국법도 적용이 허용되고 있지 않습니다.

모든 국민은 그 나라의 관계법령에 보호를 받을 권리를 향유한다는 것은 극히 상식적인 것이나 주한미군 한인직원에게만 배재되어 오늘 이시점까지 인내로 조직을 연개해 왔읍니다.

하오나 날이갈수록 주한미군 당국이 동법에 애매한 부분을 악용하고 있어 주한미군 한인직원들의 권익을 보호하는 당조합은 노사문제에 크게 봉착되고 있음은 물론 전 조합원들에 불만이 더욱 고조되고 있으며 86년 5월 29일 전면파업과 88년파업결의까지 하고 있는 실정입니다.

당조합 결의 기구인 중앙위원·상집연석회의(88년 7월 12일)에서 동법 독소조항개정을 강력히 추진해 나가기로 만장일치 결의함과 동시에 전체 한인직원들에 한결같은 염원임으로 이에 청원하오니 동법 개정안(별항)을 검토하시여 대한민국 관계법령에 보호를 받을수 있도록 선처하여 주시기 바랍니다.

유첨 : 1. 한·미행협 제17조(노무조항) 개정(안) 1부
2. 한·미행협 노무조항 제17조 1부

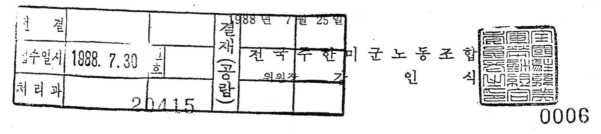

선 결			결재(공람)	1988년 7월 25일
접수일시	1988. 7.30	호		전국주한미군노동조합
처리과	20415			위원장 강 인 식

0006

한•미행협 제 17조(노무조항) 개정(안)

1. 제 17조 노무

"본조는 미국 군대가 고용주로서 한국인을 고용할 경우 고용원에 대한 대우는 원측적으로 한국노동관계법령에 따라 규제하는데 그 목적이 있다."

※ 원측적인것은 한국노동관계법령을 따르게 되어 있으므로 "규제" 사항은 명백히 해야함.

2. 제 17조 1항

주한미군은 고용원정의에서 "한국 국적을 가진 민간인으로하며" 되어 있으나 제 8조(출입국) 관리법은 미군 구성원(여권 및 사증) 군속 및 그들 가족 (외국인의 등록 및 관리) 에 관한 한국의 법령으로부터 면제된다고 규정하고 있는바 미군 혹은 군속가족이 대한민국 국적을 가진 민간인 일자리에 취업하는 것은 출입국 관리법 목적외 사항이라 사료되기 때문에 자국의 실업자를 보호하는 측면이나 한•미행협 17조 1항의 근본적인 법정신이 존중되는 측면에서 맞당이 규제 조항이 삽입되여야 함이 타당함.

3. 제 17조 3항

"본조의 재규정과 미군의 군사상 필요에 배치되지 않는한 미군은 그들의 고용원을 위하여 설정할 고용의 조건, 보상 및 노사관계에 있어서 대한민국의 노동관계법령을 준수하기로 되어 있다"

※ "배치되지 아니하는 한도"의 해석상의 난 문제로 한국법 적용이 애매하므로 그 정의를 "전쟁 및 절박한 국가비상시"로 명문화하고 이외는 한국노동관계법령을 따르도록 해야함.

4. 제 17조 4항

동 조항에 쟁의냉각기간이 70일로 되어 있으나 한국쟁의 조정법 제 14조에는 "쟁의행위신고가 노동위원회에 접수된 날로부터 일반사업에 있어서는 10일, 공

0007

의 사업에 있어서는 15일"로 명시되어 있음으로 한국법을 준수한다는 원칙에 따라 이를 명시해야함.

5. 단체교섭권, 단체행동권은 한국노동관계법령을 적용 노·사가 합의 처리토록 명문화 해야함.

6. 주한미군에 종사하는 모든 고용원은 한국 국적을 가진 민간인으로 할것을 규정하여야함.

7. 단서 조항에 17조3항 군사상필요시 따르지 않는다는 조항은 애매함으로 "따르지 않아도될 사항"을 확실히 명시해야함.

8. 한·미행협 제17조(노무조항)는 1966년 7월 9일 서명(이듬해 2월 9일 발효) 이후 현실에 맞지않는 규정들을 거의 수정없이 20여년간 존속해 왔고 노동청이 노동부로 승격된지도 7년이 지났음에도 변경이 없었다는 것은 큰 모순이며 근본적으로는 한국노동법을 따르게 되어 있으나 단서조항에 정확히 명시함이 없이 비전투 사항에서도 군사상 이유를 들어 "한국법을 따르지 않을수도있다"는 것은 극히 부당한 것이라고 봅니다. 또한 주한미군 당국은 이를 악용하고 있어 노·사간에 모든 문제의 쟁점이 되고 있음으로 정부차원에서 확고한 개정을 요합니다.

0008

전국외국기관 노동조합 연맹
(Federation of the Foreign
Organizations Employees Union)
: 58개 노동조합이 소속

주한미군 노조 : 산하에 15개지부
(서울, 오산, 평택,
의정부 .... 등)

외국인회사들 노조
합작회사들 ..

노동부 노동조합과 503-9734, 9735
외기 노조연맹 757-2355
주한미군노조 795-6695

0003

주한미군 한국인 근로자 임금 인상 문제

88.7

ㅇ. 노사협약상 매년 6.1 임금 인상토록 규정.

-. 87년도에는 6.1 및 10.16 2회 인상

ㅇ. 88년도에는 임금인상을 위한 사전 작업이 지연 (노조에서는 강력 항의), 7.18부터 임금조사 시작된 바, 임금 인상 시기에 대해 이견.

-. 노조측: 6.1 소급 적용 주장

-. 미군측: 10.1 적용 주장

ㅇ. 노조측에서는 8.1한 임금인상 안될 경우 파업 예정임을 통보.

-. 현재 노동부 조정중.

0010

주한미군 노조 파업문제 (8.29 노동부 통보내용)

o. 8.25 노조측과 주한미군 당국간 합의도달

-. 임금인상폭

· 사무직 14.1% 인상

· 생산직 14.2% 인상

· 보너스 500%에서 600%로 인상

· 학자보조금 51,000원 지급

-. 임금인상시기

· 88.8.25

0011

全國택시 勞動組[redacted]合聯盟

서울特別市 松坡区 石村洞 217番地(달성빌딩)
FEDERATION OF KOREAN TAXI TRANSPORT WORKERS' UNIONS
217 SONGPA-GU SUKCHON-DONG
SEOUL, KOREA
TEL 416-8325~7
414-9653~4

F.K.T.T No. 전택노련 기획 제187호 DATE 1988.10.22.

수 신 노동부장관, 외무부장관
제 목 택시기사에 대한 부당행위 근절요청

1. 최근 주한미군에 의한 택시기사폭행사건이 국민의 대미감정을 악화시킨것으로 보도되는등 바람직하지 않은 사태가 유발되고 있읍니다.

2. 주한미군에 의한 택시기사에 대한 불법 행위발생은 최근에 국한된것이 아니라 과거부터 요금지불거부, 폭행, 택시강도형태등으로 발생되어 왔음은 주지의 사실입니다.

3. 이러한 일련의 사태에 대하여 전국의 13만택시운전근로자의 권익을 대변하는 저희 노련으로서는 좌시할수 만은 없어 주한미군사령관에게 별지와 같은 각서를 전달하였음을 알려드리니 귀부에서도 저희 노련의 요청이 수용될 수 있도록 적극협조하여 주시기 바랍니다.

첨 부 : 주한미군사령관에게 보내는 공문사본 1부.

전국택시노동조합연맹 1988.10.22

신결		전국택시노동조합연맹
접수일시	1989.11.4	번호 29603
처리과		위원장 광남

0012

全國택시勞動組合聯盟

서울特別市 松坡区 石村洞 217番地(달성빌딩)

FEDERATION OF KOREAN TAXI TRANSPORT WORKERS' UNIONS

217 SONGPA-GU SUKCHON-DONG
SEOUL, KOREA
TEL 416-8325~7
414-9653~4

F.K.T.T No. 전택노련 기획제 187호 DATE 1988.10.22.

수 신 주한 유엔군 사령관겸 미 8군 사령관
제 목 택시기사에 대한 부당행위 근절요청

1. 한반도에서의 전쟁억지와 평화유지의 지렛대로서 고국을 떠나 우리나라에 주둔하고 계신 귀하와 귀하의 휘하전장병의 노고에 대하여 심심한 사의를 드리며, 위로의 뜻을 전하고자 합니다.

2. 본인은 대한민국 영토내에서 대한민국법이 정한 절차에 따라 자격을 취득한 후 사업용택시회사에 취업근로하고 있는 13만 전국택시운전근로자의 권익단체인 전국택시노동조합위원장으로서, 본인이 권익과 안전한 취업환경을 조성, 보호신장시켜야 할 전국의 13만 사업용택시운전기사를 대표하여 이러한 각서를 전달하게 된것임을 밝힙니다.

3. 귀하께서도 주지하고 계시리라 사료되오나 택시운전직근로자는 불특정승무요구승객을 목적지까지 운송한 후 그 요금을 수수하는 것을 직무로 하고 있읍니다.

4. 그러한 직무를 수행하는 과정에서 택시운전기사들은 종종 주한미군을 포함한 외국인 승객을 승차시키게 되는 사례가 많읍니다.

0013

5. 불행하게도 저희 택시운전직 근로자가 귀하의 지휘하에 있는 주한미군을 승차시켰을 경우 극히 일부에 국한하겠으나, 운전기사에게 요금을 지불치않고 도주하거나, 요금지불을 요구하는 기사를 폭행하는 사례가 있는가하면, 심지어는 택시운전기사를 대상으로 금전을 탈취하려는 목적으로 흉기나 물리력을 사용하는 경우까지 있음을 유감으로 생각하지 않을 수 없읍니다.

6. 최근에도 각종보도매체에 보도된 바, 있는 서울특별시 미태원에서의 미군에 의한 택시기사에 대한 폭력사용이 택시기사개인의 인권을 유린함은 물론, 전통적인 우방인 한.미간의 신뢰를 손상시키는 경우까지 비화할 수 있음을 주목하여 주시기를 바랍니다.

7. 따라서, 귀하의 지휘하에 있는 주한미군전장병에 의한 이러한 비인권적이고, 반문명적인 행위가 재발되지 않도록하는 근본적이고, 항구적인 대책을 강구시행하여 주시기를 바라며, 그 내용을 본인에게도 알려 주시기를 요청합니다.

8. 본인은 여사한 사례로 우리의 택시운전직근로자가 위험을 극소화하는 자구수단으로 주한미군에 대한 승차를 전면거부하는 사태를 미연에 방지하기 위하여 귀하와 더불어 최선의 노력을 경주할 것임을 알려드리며, 귀하의 적극적이고 능동적인 대응을 희망합니다.

전국택시노동조합연맹
위원장 이 광 남

0014

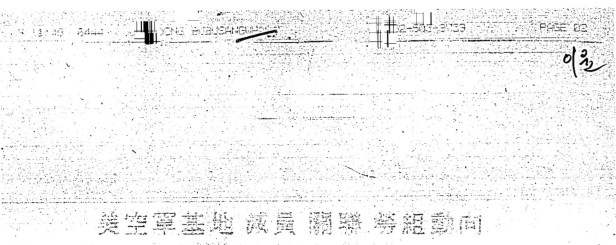

美空軍基地 減員 關聯 勞組動向

1988. 11. 24.

勞 政 局

0015

1. [illegible]

[illegible]

2. [illegible]

[illegible]

- 1 -

0016

3.

0017

-2-

[illegible]

(미주 안보과 귀하)

☎ 720-4685 (Fax)

건명 : 주한 미군기지 파업관련 노조 동향

(2P)

노동부 노정과

0018

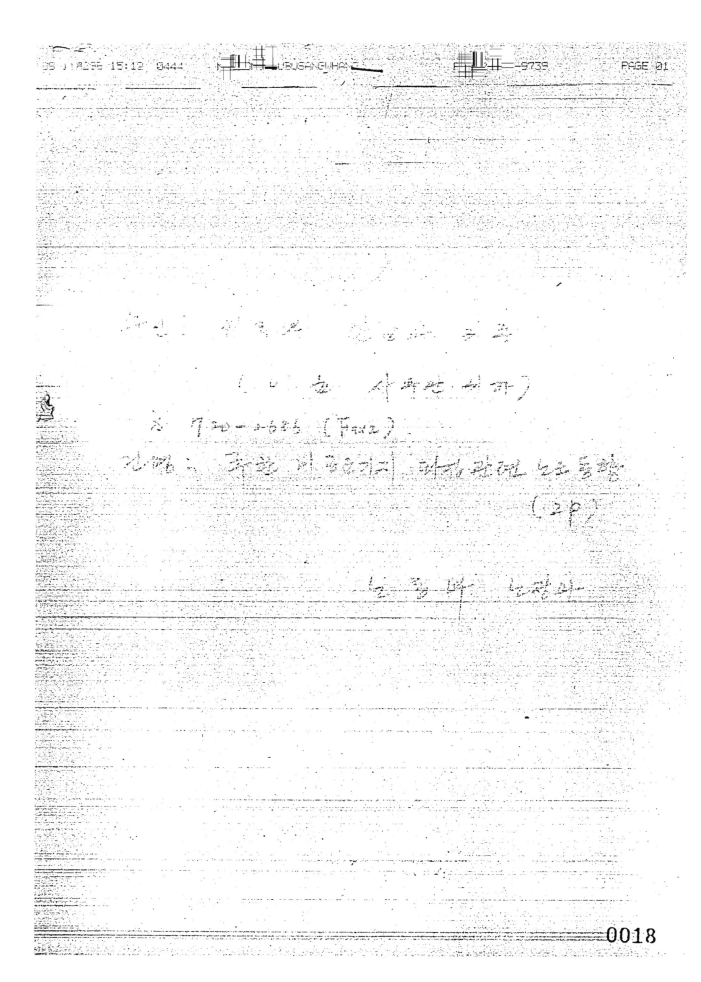

미공군기지 감원 관련 노조동향

10. 28.	제2차회의 [illegible]	11.30 부로
	- 사 측 : [illegible]	
	Trans Asia PEMCO→등 PAS	
	- 인 원 : 총인 [illegible]명중 105명	
11. 3.	감원예정 사실 전부 통보	미8군 민간인 인사 규정상 60일전에 노동부, 노조에 통보 해야함
11.22.	노동부 : 미8군의 적절 대책촉구	
11.22.	감원 조치 철회 안될시 11.29. 0시부터 무기한 파업 결의	
11.23	노동부 : 미8군측에 적극 해결촉구 (미8군 인사규정 위반 지적)	
11.23. 14:00	노.사 간부회의(미8군 인사처) - 미8군은 감원철회 불합리성 인정 - 미8군 인사처는 미공군 당국등과 협의하여 적절 방안 모색	

0019

- 1 -

11.25. 08:00	노.사 간부회의(미8군 인사처) - 노조측의 불만사항 통보 [illegible] [illegible] [illegible] - 군산포망 종사자 135명의 파트타임 전환 [illegible] [illegible] * 25일 11시 후 [illegible] 관련문제에 대한 [illegible] 요청했으나 미군측은 [illegible]	본부참모장, 공군 인전 사령관, [illegible]
11.29. 00:00	파업 돌입 - 야간 근무자부터	군산 749명 제외 (파트타임 전환시기 변경 조치로)
11.29. 08:00	4개 공군기지에서 파업중 - 오산 : 1,773명(수원포함) - 광주 : 340명 - 대구 : 400명 계 : 2,739명	
11.29. 08:00	미8군 본부에 [illegible] 직원 게재홍보	

0020

— 2 —

<재타본>

주한미군노조 동향

○ 12.17 10:00 철도노조회의실에서 전국 주한미군노조 27차 정기 대의원대회가 개최될 예정이었으나 노조원 50여명의 대회 방해로 유회된 가운데 긴급 중앙위 결의에 따라 교통사고로 구속된 미8군 운전원 [redacted]의 석방대책이 11:00에 도착한 주한미군 민간인 인사국장 SEGENSMAN 과 미군노조위원장 장인식 사이에 16:15 까지 논의되었음

○ 이 논의에서는

△ 교통사고 피해자에 대한 치료비를 노조측에서 보상하는 합의각서를 작성. 검찰에

0021

복사: 美洲局 安保課長

88-12-17 18:38

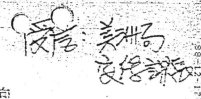

駐韓美軍勞組 動向

○ 12.17 10:00 鐵道勞組會議室에서 全國 駐韓美軍勞組 17次 定期 代議員大會가 開催될 豫定이었으나 勞組員 50餘名의 大會 妨害로 流會된 가운데 緊急 中央委 決議에 따라 交通事故로 拘束된 美8軍 運轉員 [redacted]의 釋放對策이 11:00에 到着한 駐韓美軍 民間人 人事局長 SEGESMAN과 美軍勞組委員長 姜信植 사이에 16:15까지 論議되었음

○ 이 論議에서는

- 交通事故 被害者에 대한 治療費를 勞組側에서 補償하는 合意要請書를 作成, 法院에

0021-1

<재타본>

제출하여 석방토록 한다

△ 한미협행(한미행정협정)에 따른 협상을 추진하여 보상금이 노조측으로 변제될 수 있도록 미8군측이 노력한다

는데 합의하였으며

○ 이에 따라 SEGESMAN 인사국장은 16:15경 아무런 불안감없이 회의실을 떠났고 시위로 대회를 방해하던 노조원 50여명도 16:30경 해산하였는데 미국대사관에서는 SEGESMAN의 참석이 장시간되자 인질로 잡힌 것으로 보고 외무부측에 보상확인을 요청했었다함

0022

提出하여 釋放토록 한다

△ 韓美行協에 따른 協商을 進行하여
補償金이 勞組側으로 辨濟될 수 있도록
美8軍側이 努力한다

는데 合意하였으며

○ 이에 따라 SEGESMAN 人事局長은 16:15頃
아무런 不安感없이 會議室을 떠났고 示威로
大會를 妨害하던 勞組員 50餘名도
16:30頃 解散하였는데 美國大使館에서는
SEGESMAN 의 參席이 長時間되자 人質로
잡힌 것으로 보고 外務部側에 事實確認을
要請했었다함

0022-1

美空軍減員關聯罷業動向

88. 11.30 - 12. 1.

노 동 부

0023

[illegible] 3144 0444 [illegible] ONG SUBU[illegible] [illegible] 2-503-9739 PAGE 03

o 11.30 오전 미국軍은 下部業體와의 契約關係를 [illegible] 계약 [illegible]

[illegible]

[illegible]

- [illegible] 有勤部 [illegible] (13:00[illegible])

- 問題[illegible] 韓解를 위한 [illegible]

[illegible] 의 [illegible]

[illegible]

o [illegible] 노조에 대하여 조속 파업해제하고 협상에 [illegible]

[illegible] 雇主 解雇解除의 [illegible]

o [illegible] 105명중 59명이 [illegible]

[illegible] (19:00경)

o [illegible] 있는 [illegible] 支配人 [illegible] 不當行爲에 대해 [illegible] 人事措置를 요구

o 미군측이 이정호에 대한 [illegible] 12.1 새벽 7:00를 기하여 解雇解除 (다만, 중한 [illegible] 하고 있음)

공람	안보과	행정사원	담당	과장	심의관	국장	차관보	차관	장관
			이	[signature]	[signature]				

0024

한국노무단(KSC) 노조원 시위사건

(치안본부, 노동부 통보내용 종합)

1. 사건 개요

   o 12.17 10:00 주한미군 노조는 제 27차 정기대의원대회를 철도노조회의실에서 개최예정이었으나, KSC 지부 노조원 50여명이 11.19 교통사고로 인해 구속중인 동료의 석방대책 우선수립을 요구하며 회의를 방해

   o 주한미군 노조측은 미군측에 연락, 주한미군 민간인 인사처장 Segesman이 11:00 경 회의장에 도착함에 따라 협의진행

2. 노조측과 Segesman 간 협의

   o 노조측(주한미군 노조위원장, KSC 지부장등 간부 5명)은 Segesman에게 석방대책 제시요구

   o Segesman은 자신의 소관사항이 아닌바 주한미군 법무참모와 협의하겠다고 답변하며 12:10 경 돌아가겠음을 통보

   o 노조측은 협의계속 및 석방대책 제시 요구반복
     * 용산경찰서 직원이 노조위원장을 면담, 미 8군내로 옮겨 협의 진행할 것을 종용한바 있으나, 노조측에서는 노사간 협의 진행일뿐 별 문제가 없을 것임을 언급

   o 13:50 경 철도노조 사무국장실에서 협의계속
     (경찰관 입회중임을 Segesman 에게 언급)

   o 16:00 하기 구두합의
     - 교통사고 피해자 치료비를 노조측에서 부담

0025

- 미군측은 SOFA 협정에 따른 보상절차 협의진행
  * 노동부에서는 동 구두합의를 노사간 공식적 합의 행위로 볼수 없으며 당사자간 개인적 차원의 문제인것으로 생각한다는 입장

ㅇ 16:30 해산

3. 노조측과 Segesman 간 협의시 분위기

ㅇ Segesman 은 13:30 경 미 8군측과 전화 협의중 자신의 신변 위협에 대해서도 언급한 것으로 알려지고 있음

ㅇ 노조측에서는 KSC 운전기사 구속사건에 대해 노사간 협의를 진행했을뿐 강압이나 신변위협등을 전혀 없었다는 입장

ㅇ 현장에 있었던 용산경찰서 직원들에 의하면 노사협의 현장의 분위기로서는 비교적 자유스러운 분위기였으며 Segesman 에 대한 신변위협은 없었던 것으로 판단

0026

KSC 운전기사 교통사고

ㅇ 88.11.19 14:15 동부이촌동에서 미군차량(East 655)이 보행인 상해

- 운전기사 : [redacted](KSC 소속)
- 피해자 : [redacted](74.11.29, 한강중 2년)
- 피해정도 : 3개월 부상진단(중대부속병원)

ㅇ 차량 종합보험 미가입 및 가해자와 피해자간 합의 미성립으로 인해 구속중

  * 교통사고 발생시 통상적으로 교통사고처리 특례법 제 3조 2항상 8가지 경우(신호위반, 중앙선 침범, 속도위반, 추월방법위반, 건널목 통과방법 위반, 횡단보도 보행자 보호의무 위반, 무면허운전, 음주운전 등)외에는 종합보험가입시 또는 피해자와 가해자간 합의 성립시에는 형사소추 안함

0027

44시간 노동... 기필코 관철하자

韓 國 [redacted] 動 組 合 總 聯

서울特別市永登浦區汝矣島洞 35番地

FEDERATION OF KOREAN TRADE UNIONS

電 話 (782) 3884~7

노총정연 제 167호 DATE 1989. 3. 13.

수 신 수신처 참조

제 목 한.미 행정협정 노무조항의 개정

1989년 2월 15일-16일 양일간에 걸쳐 개최된 당 연맹의 '89년도 전국 대의원 대회에서는 다음과 같은 의안을 채택하고 이의 해결을 위한 적극적인 노력을 경주하기로 결의한 바 당 연맹의 요구사항을 최대한 반영하여 주시기 바랍니다.

첨 부 : 한.미 행정협정 노무조항 개정의안 1부. 끝.

1989. 3. 14

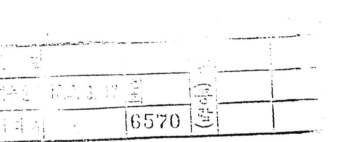

6570

한국노동조합총연맹
위원장 박 종

수신처 : 국회노동위원회 위원장, 민정당 대표위원, 평민당 총재
민주당 총재, 공화당 총재, 청와대, 노동부 장관,
외무부 장관,

노조 탄압하는 삼성 제품 사지 맙시다

0028

나. 외기노련 산하 경비노동조합은 매년 주한미군 산하 경비용역하청 과정에서 발생하는 덤핑입찰의 문제점을 지적하며 미8군 계약처의 공정원칙에 입각한 민주적인 임금정책과 입찰시책으로 수정할것을 요청합니다.

4. 주한외국 대사관 한국인 직원노조 설립

가. 주한외국 대사관에 근무하는 한인직원들에 대한 인권탄압 문제가 날로 심각한 사회문제로 대두되고 있기에 자유로운 노조활동보장이 요구됨.

나. 주한외국 대사관의 한인직원들의 노조설립 문제는 현노동조합법상 아무런 하자가 없음에도 불구하고 대사관측의 치외법권이란 특권을 악이용하여 조합설립을 원칙적으로 봉쇄하고 있으므로 한인직원들의 인권보호를 위해서 과감한 대책이 요구됩니다.

0023

[redacted] 구 내 용 [redacted]

1. 한. 미 행정협정(SOFA) 노무조항 개정요청

가. 한. 미 행정협정은 1967년도에 체결되어 본노련 산하 주한미군 노동조합은 국내법보다 행협이 우선 적용되므로 부당한 독소조항으로 인하여 주한미군 근로자들은 국내 노동관계법의 보호를 받지 못하고 있으며, 또한 미합중국법도 적용받지 못하는 실정입니다.

나. 한. 미행정협정 제 17 조 노무조항은 불합리한 독소조항이 많아 하루속히 개정이 요망됨. 실례로 노동쟁의 냉각기간이 국내법은 10일이나 행협에는 70일로 되어 있어 사실상 쟁의활동을 못하게 하고 있는 실정임.

2. 주한미군 당국의 감축 및 예산절감으로 인한 감원대책 수립

가. 주한미군 한인 근로자들의 집단적 대량감원이 예상 되는바 한. 미합동으로 구제방안을 모색 KNOP(이직교육)교육이 절실히 요망됨.

나. 주한미군의 예산절감 및 기구축소로 인하여 장기근속 근로자들이 감원으로 인하여 집단실직 사태가 예상되므로 이에따른 한. 미 합동 대책이 요구됨.

3. 주한미군 산하 경비용역 하청업체 전환문제대책수립

가. 외기노련 산하 경비노조협의회는 미8군 계약처의 비인도적인 입찰정책과 임금의 비현실성으로 인한 차별대우와 인권유린으로 국내 악덕업자들의 덤핑입찰로 근로자들은 저임금으로 생활고에 시달리고 있읍니다.

0030

주한미군 종사 근로자 동향

1989. 3. 27

노 정 국

0031

1. 주한미군노동조합 개요

- 위 원 장 : 강인식
- 조합원수 : 전국 15개지부, 18,975명(근로자수 22,811명)
- 사 용 자 : 주한미군사령관(Louis C. Menetrey 대장)

2. 감원문제의 발생

- 미정부 공개입찰 결과 미공군 영선 청부업자 교체에 따른 인력계획 변경
  - 교체일 : '88.12.1
  - 교 체 : Trans Asia Femco → PA & E
- 당초 감원 예정인원 : 현 580명중 105명

3 조합원 징계조치의 진행 과정

- '88.10.28 해고대상자 사전예고
- '88.11. 3 미8군 인사처장이 감원예정 사실을 당부 및 노조에 통보
- '88.11.22 주한미군노조 해당지부장 회의
  - 인사규정을 위배한 일방적 감원계획 철회 강력 촉구
  - 감원계획 철회 안될시 11.29부터 무기한 파업 돌입
- '88.11.23 노동부는 미8군측에 적극적 자세로 해결 촉구
  - 10명이상 감원시 60일전에 당부 및 노조에 통보토록 된 미8군 민간인 인사규정 위반을 지적

0032

o '88.11.23 노사간부 회의(미8군 인사처)
- 미8군은 감원절차의 불합리성 인정
- 미8군 인사처는 미공군 당국 및 계약처등과 협의하여 적절 방안을 모색하고 11.28까지 노조측에 통보키로

o '88.11.26 노사간부회의(미8군 인사처)
- 노사측 불만사항 통보

o '88.11.28 노사간부회의(송탄공군인사처)
- 하와이 출장중인 공군사령관등과 협의하여 추후 처리키로

* 11.29, 0시로 예정된 파업이전에 감원문제에 대한 대책통보를 요청했으나 미군측은 그 시점까지 통보안함.

o '88.11.29-'89.2.1 파업
- 4개 공군기지에서 총 2,739명 참가
- 당부는 미8군 본부에 동 사태의 적극 개입 처리 촉구

* 미군측은 이 파업의 불법성을 이유로 대규모 징계조치 결정
- 파면 4명, 정직 43명, 경고 24명

o '89. 2. 2 당부 차관이 미군참모장 Staddler 소장에게 징계 최소화 요청

o '89. 2. 3 미군 인사처장 Segesman이 노정국장을 방문하여 파면 3, 정직 3, 기타 인원에 대한 경고 등으로 징계정도를 낮출것 시사

o '89. 2. 4 당부의 공식서한 미군사령부에 전달

o '89. 2.13 66명에 대한 경고조치

o '89. 2.21 노조위원장(강인식), 오산지부장, 광주지부장등 노조간부 3명에게 정직 5일의 징계 예고

0033

- 당부는 당사자 항변등 소정절차에 따르되, 극한 대립을 피하도록 노조측에 촉구
- 노조측은 징계조치가 노조탄압이라고 반발

o '89. 2.24 노조 임시중앙위원회 개최(전국 15개 지부장 참석)
- 쟁의발생신고 결정
- 2.27, 15개 지부에서 100명씩 총 1,500명이 용산 미군사령부에 집결, 농성키로 결정

(* 2.27 부시 미대통령 방한시 미군부대 방문을 예상한 행동으로 판단됨)

o '89. 2.25 당부 차관이 강인식위원장 면담하여 취소 종용
- 노정국장이 Segesman을 만나 얘기하도록 함.

o '89. 2.27 Segesman과 강인식 회동
- 예정된 농성계획 일단 취소
- 노조간부에 대한 징계건은 항변절차를 거쳐 3월에 결정될 것이므로 그때 고려할 것임.

o '89. 2.27 강인식위원장 2.27일자 노동쟁의 발생신고

o '89. 3.14 당부는 주한미군사령관에게 노동쟁의 발생신고 접수 통보

o '88. 3.22 - 3.27 - 3.22자로 광주지부장 유왕수에게 정직 5일, 3.27자로 송탄부지부장 이원구에 대한 파면통보 확정
- 이에 노조 반발

o '89. 3 28,13:00 노조중앙위원회 개최(전국 15개 지부장 참석)
- 3.29 파업여부 투표

0034

주한미공군 기지 감원관련 파업동향

1. 감원문제의 발생

88.10.28 미측, 미공군 영선청부업자 교체에 따른 인력계획변경에 따라 105명에게 88.11.30 일부 해고 통지

11.3 미측, 동 감원사실을 노동부 및 노조에 통보

2. 협상의 결렬

11.22 주한미군 노조 해당지부장 회의개최

- 미8군 인사규정(10명이상 감원시60일전 통보요)을 위배한 일방적 감원계획이 철회안될 시 11.29 부터 무기한 파업 결의

11.23 노동부, 미측에 인사규정 위반사실 지적 및 적절 해결 촉구

11.23 노사간부회의

- 미측, 감원절차상 불합리성 인정, 11.28까지 적절방안 마련 약속

11.28 미측의 회의연기 요구로 협상결렬

- 미측, 당초 약속한 감원조치에 대한 대책 불통보

3. 파업 및 징계조치

88.11.29 -89.2.1 4개 미공군기지(송탄, 수원,광주, 대구) 노조원 2,739명 파업

- 미측, 파업의 불법성을 이유로 파면4, 정직43, 경고24명 조치 결정

공람	안보과	88년 12월 [illegible]일	담 당	과 장	심의관	국 장	차관보	차 관	장 관
			이상학						

0035

89.2.2-4 노동부, 징계 최소화 요청 및 공식 서한 송부

2.13 미측, 66명에게 경고 조치

2.21 미측, 노조위원장(강인식)등 간부3명에게 정직5일 징계예고

2.24 노조 임시 중앙위원회 개최

- 노조측은 징계조치가 노조탄압이라고 반발
- 2.27, 전국15개 지부 총1,500명의 용산집결 농성 결정

2.27 강인식-Segesman간 회의에서 협상결렬

- 노조측, 노동쟁의 발생신고

3.14 노동부, 미측에 노동쟁의 발생신고 접수통보

3.22-27 미측, 송탄부지부장(이원구) 파면 및 광주지부장(유왕수) 정직5일 확정 통보 ↳ 89.5 초 미측, 정직으로 변경

3.28 노조중앙위 개최(전국15개 지부장 참석)

- 파업 시행일자를 4.7로 연기
- 미측의 부당조치에 대한 시정을 요구하는 주한미사령관앞 결의문 채택

※ 주한미군 노동조합 개요

- 위원장 : 강 인식
- 조합원수 : 전국15개 지구, 18,975명(근로자수 22,811명)
- 사용자 : 주한미군 사령관(Louis C. Menetrey 대장)

89.3.28 유광석 안보과장, 주한 미1등 서기관과 통화시 노조측을 자극하지 않도록 하여 줄 것을 요청함

0036

주한미군 노조 동향 (속보)

노 조 개 요

- 조 합 명 : 전국주한미군노동조합
- 조합원수 : 18,975명
- 위 원 장 : 강 인식
- 사 용 자 : 주한미군사령관(Menetrey 대장)

o 동 향

전국주한미군노동조합은 조합간부에 대한 징계조치에 반발, '89.3.28,13:00 용산구 한강로 소재 노조사무실에서 전국 15개 노조지부장들과 중앙위원회를 개최, 노조간부 징계철회 등이 이루어 지지 않는 한 빠른 시일내에 파업 가부 부표를 단행키로 결의하고 이 결의문을 주한미군사령부에 통보하였음.

0037

o 그간의 경위

- '88.11.29-'89.2.1 미군의 근로자 감원조치(105명) 철회를 요구하며 근로자 2,700여명이 오산, 광주, 대구등에서 파업

- 미군측은 이 파업의 불법성을 이유로 대규모 징계조치 결정(파면 4명, 정직 43명, 경고 24명)

- '89.2.2, 노동부차관이 미군 참모장에게 징계의 최소화를 요청하여 징계축소 결정(파면 1, 정직 3, 경고 65)

- '89.2.21, 미군측이 노조위원장등 노조간부 3명을 포함하여 징계를 예고하자 2.24,11:00 노조측은 중앙위원회를 개최하여 Bush 미국대통령이 서울에 오는 2.27 아침 용산 미군사령부 연병장에서 1,500명이 농성키로 결정 했으나, 노동부의 적극 만류로 자제

- '89.3.22자로 광주지부장 유왕수에게 정직 5일, 3.27자로 송탄부지부장 이원구에 대한 파면 통보가 확정

- 이에 반발하여 '89.3.28,13:00 중앙집행위원회에서 결의문 채택

0038

o 향후 전망

- 주한미군사령부의 긍정적인 답변이 없는경우 노조측은 파업 가부투표를 실시할 것임('89.4.6까지 기다린후 4.7에 가부투표를 실시키로 내부적으로 합의한 것으로 파악됨)

- 노동부는 사령부측의 반응을 예의 주시하면서 노사가 대화로서 사태를 해결하도록 적극 유도

0033

報告畢
(signature)

報 告 事 項

1989. 4. 15.

美 洲 局
安 保 課 (23)

題 目 : 駐韓美軍 勞組 總罷業 움직임

1. 事件의 發端

88.11.29 -89.2.1 4개 미공군기지 노조원, 미군의 일방적 근로자 감원(105명) 조치 철회요구 파업

- 미측, 파업 105명중 73명 재고용(나머지 32명중 16명은 정년퇴직, 16명은 재고용되지 않음)

89.2.27 미측이 파업의 불법성을 이유로 관련자 처벌을 결정한데 대해 노조측이 노동쟁의 발생신고

89.3.22-27 미측, 노조간부 1명파면, 1명정직 조치

↳ 정직으로 변경 이원구

2. 現況(파업 가부투표 실시)

4.7 13개 지방지부 투표(투표율 86.6%) 결과 93.8% 파업찬성

4.13-14 서울지부 및 한국노무단(KSC) 투표 실시

- 4.15 투표결과 집계 예정(안기부는 파업 찬성율 90% 이상으로 추정)

3. 措置事項

o 안보과장은 4.14오후 Christenson 주한미 1등서기관에게 아래요지의 아측입장을 전달

- 현 상황이 심각한 사태로 발전되지 않기 위해서는 미측의 적극적인 교섭태도가 요망되므로 대사관에서 개입하여 주기바람

- 노조간부에 대한 파면과 같은 극단적인 조치는 오히려 사태를 악화 시킬것이므로 대화를 통해 원만히 해결되기를 희망함.

끝.

0040

報 告 畢

報 告 事 項

1989. 4. 15.

美 洲 局
安 保 課 (23)

題 目 : 駐韓美軍 勞組 總罷業 움직임

1. 事件의 發端

88.11.29 -89.2.1 4개 미공군기지 노조원, 미군의 일방적 근로자 감원(105명) 조치 철회요구 파업

- 미측, 파업 105명중 73명 재고용(나머지 32명중 16명은 정년퇴직, 16명은 재고용되지 않음)

89.2.27 미측이 파업의 불법성을 이유로 관련자 처벌을 결정한데 대해 노조측이 노동쟁의 발생신고

89.3.22-27 미측, 노조간부 1명파면, 1명정직 조치

2. 現況(파업 가부투표 실시)

4.7 13개 지방지부 투표(투표율 86.6%) 결과 93.8% 파업찬성

4.13-14 서울지부 및 한국노무단(KSC) 투표 실시

- 4.15 투표결과 집계 예정(안기부는 파업 찬성율 90% 이상으로 추정)

3. 措置事項

o 안보과장은 4.14오후 Christenson 주한미 1등서기관에게 아래요지의 아측입장을 전달

- 현 상황이 심각한 사태로 발전되지 않기 위해서는 미측의 적극적인 교섭태도가 요망되므로 대사관에서 개입하여 주기바람

- 노조간부에 대한 파면과 같은 극단적인 조치는 오히려 사태를 악화 시킬것이므로 대화를 통해 원만히 해결되기를 희망함.

끝.

공람	안보과	년 월 일	담 당	과 장	심의관	국 장	차관보	차 관	장 관
			시						

0041

720-2686
수신: 이상학 사무관님
발신: 노정과 신기창

주한미군 노조 동향 (속보)

노 조 개 요

o 조 합 명 : 전국주한미군노동조합

o 조합원수 : 18,975명

o 위 원 장 : 강 인식

o 사 용 자 : 주한미군사령관(Menetrey 대장)

o 동 향

- 주한미군 노동조합 파업 가부투표 실시

. 일 시 : 4.13-14일

. 대 상 : 서울지부 및 KSC(한국노무단) 7,000여명

. 투표결과 : 4.15(토) 집계 예정

* 4.7 지방 13개 지부 투표결과

- 투 표 율 : 86.6%(대상인원 11,175명중 10,179명 투표)
- 파업찬성율 : 93.8%(반대 5.6%, 무효 0.5%)

0042

o 그간의 경위

- '88.11.29-'89.2.1 미군의 근로자 감원조치(105명) 철회를 요구하며 근로자 2,700여명이 오산, 광주, 대구등에서 파업
- 미군측은 이 파업의 불법성을 이유로 대규모 징계조치 결정(파면 4명, 정직 43명, 경고 24명)
- '89.2.2, 노동부차관이 미군 참모장에게 징계의 최소화를 요청하여 징계축소 결정(파면 1, 정직 3, 경고 65)
- '89.2.21, 미군측이 노조위원장등 노조간부 3명을 포함하여 징계를 예고하자 2.24,11:00 노조측은 중앙위원회를 개최하여 Bush 미국대통령이 서울에 오는 2.27 아침 용산 미군사령부 연병장에서 1,500명이 농성키로 결정 했으나, 노동부의 적극 만류로 자제
- '89.3.22자로 광주지부장 유왕수에게 정직 5일, 3.27자로 송탄부지부장 이원구에 대한 파면 통보가 확정
- 이에 반발하여 '89.3.28,13:00 중앙집행위원회에서 결의문 채택
- 4.4일 서울지부는 홍보 미숙등의 사유로 파업 가부 투표를 4.14 실시키로 지부운영위원회에서 결정
- 4.5, 12:00 참모장과 강인식위원장이 면담 교섭하였으나 진전이 없었음
- 4.7을 기해 서울지부와 KSC(한국노무단)를 제외한 13개 지부에서 파업 가부 투표 실시

0043

o 향후 전망

- 13개 지부의 투표결과와 서울지부 및 KSC의 투표(4.14), 결과를 토대로 단계적으로 재교섭 노력을 계속할 것으로 보임.

- 미군측의 반응이 적극적이지 못할 경우 노사관계는 매우 악화될 우려가 큼.

- 노동부는 양측의 반응을 예의 주시하면서 노사가 대화로서 사태를 해결하도록 적극 유도할 것임.

0044

노 동 부

노정 32200-1411 503-9730 1989. 9.28

수신 외무부장관

참조 미주국장

제목 초청계약업체 한국인 근로자 지위에 관한 질의

1. 초청계약업체인 암코 A&E 소속 한국인 근로자들은 1988. 9.12 서울시에 노조설립 신고후 단체협약 체결하여 주한미군 노조와는 별개의 노조로서 활동중 1989.9.19 서울지방노동위원회에 사용자측의 단체협약 거부를 이유로 하는 부당노동행위 구제 신청을 하였습니다.

2. 이에대해 주한미군 인사처에서는 초청계약업체의 한국인 근로자들은 SOFA 제15조 및 제17조에 따라 처리되어야 하고, 서울지노위에의 구제신청은 적절치 아니하며, 암코 사용자측은 서울지노위의 출석요구등에 응할 의무가 없다고 주장하고 있습니다.

3. 따라서 당부에서는 다음 사항을 질의 요청하오니 조속 회신하여 주시기 바랍니다.

가. 초청계약업체의 한국인 근로자들이 SOFA 제17조의 적용을 받는지 여부

나. SOFA 규정이 국내법 (헌법. 노동관계법)과 상충시 적용 우선 순위

첨 부 : 주한미군 인사처 공문 사본등 1부. 끝

발신 1989. 9. 28 노동부

1989. 9.30 26636

노 동 부 장

노정국장 전결

0045

공 란

제 목 : 사용자측의 단체협약 거부에 대한 구제신청 사유

저희 엠코 노동조합은 노동조합법 제13조 3호에 의거 단위노조 형태로 서울시에 신고하여 서울시로부터 합법적인 노동조합으로 허가를 득하여 1985년 9월 12일 노동조합 설립신고필증을 수령하였는 바 1986년에는 사용자측과 단체협의를 거쳐 1986년 12월에 1989년도 단체협약을 체결한 바 있으며 현재까지 합법적으로 노동조합 활동을 계속하고 있습니다.

이에 저희는 단체협약에 의거 1990년도 단체협약을 위하여 9월 11일부터 노사협의를 하고자 사용자측에 서면 요청한바 사용자 대표(김주엽)가 우리 회사는 주한미군 초청업체로써 독립된 단위노조로 인정할 수 없다는 내용의 서신을 주한미군 인사처로부터 받았으므로 회사에서는 엠코 노동조합은 절대로 인정할 수 없으며 그런 이유로 인하여 1990년도 노사간의 단체협의를 가질 수 없다고 일방적으로 강력히 거부하고 있습니다.

이에 저희 엠코 노동조합에서는 노동조합법 제39조 3호에 의거 사용자인 김주엽은 부당노동행위 위반으로 사료되어 이에 구제신청을 하오니 조속한 시일내에 처리하여 주시기 바랍니다.

(참 조)

저희 노동조합에서는 이 문제에 대하여 해당 행정관청인 서울시에 수차 방문 질의한바, 담당자로부터 엠코 노동조합 인정및 활동에 아무런 하자가 없음을 확인받아 회사측에 통보했으나 회사에서는 이를 강력히 인정하지 않고 있습니다.

0047

(서식제1호)

부당노동행위구제신청서(초심/재심)

(노위규칙 제30조 참조)

신청인 (재심신청인)	명칭	[redacted]	
	성명		(TEL: 265-9873)
	주소	서울특별시 중구 신당동 22번지 1호 명신 빌딩 12층	
피신청인 (재심피신청인)	명칭	[redacted]	
	성명		(TEL: 265-9873)
	주소	서울특별시 중구 신당동 22번지 1호 명신 빌딩 12층.	
청구할 구제 내용		사용자 측의 단체 협상 거부.	
부당노동행위를 구성하는 구체적인 사실	노동조합법 제39조 제(3)호 제( )호 제( )호 위반	∙ 사용자가 노동조합과의 단체협상을 거부한 행위.	
첨부서류		별첨 : 1. 사용자 측의 단체 협상 거부에 대한 구제신청서 1부. 2. 노동조합 설립 신고 필증 사본 1부.	

P.P.I.P.

1989년 09월 19일

신청인(재심신청인) 직 성명 [redacted]

서울특별시지방노동위원회 위원장 귀하

89- 9-28 ; 4:16PM ; OCPDHQIEUSA, APO 96301 ;# 5

0048

출 석 요 구 서

서울 32601 -5711 934-0268~9

①주소 또는 사업체소재지	[redacted]						
②사업체명 또는 소속	[redacted]						
출석자의 직위 및 성명	③주민등록 번호		④성명	[redacted]	⑤19 . . 생	⑥직위	대표
⑦출석장소	서울특별시지방노동위원회						
⑧출석일시	89. 9. 27. 09:30						
⑨지참서류	해설계획, 관련 서류, 답변서						
⑩용건	부당노동행위 구제신청사건						
⑪비고	대리인이 출석할 때는 반드시 위임장을 지참할 것.						

위와 같이 노동위원회법 제16조에 의하여 출석을 요구합니다.

19 89. 9.

1989. 9. 21

서울특별시지방노동위원회 위원장

9602-5-6A
1971.12.22승인

190mm × 268mm
백상지 40g/m²

89-9-26 ; 4:15PM ; OCPDHQEUSA, APO 96301 ;# 4

0043

서울특별시지방노동위원회

(634-0268-9)

서 울 32601-5721　　　　1989. 9.

수 신 [redacted]

제 목 부당노동행위 구제 신청에 대한 답변서 제출

1. 귀하를 상대로 제기된 부당노동행위 구제 신청을 처리하고자 노동위원회 규칙 제35조 규정에 의하여 신청인이 제출한 신청서의 사본을 별첨과 같이 송부하고 이에 대한 답변서 및 그 이유를 소명하기 위한 증거의 제출을 요구하오니 다음에 의하여 제출하시기 바랍니다.

가. 신청인 [redacted]

나. 제출일자 89 년 9 월 27 일까지

2. 기일내에 제출치 않을시는 제출할 의사가 없는 것으로 간주하겠음.

첨 부 부당노동행위 구제 신청서 사본 1부. 끝.

발송 1989. 9. 21

서울특별시지방노동위원회 위원장

89- 9-26 ; 4:14PM ; OCPDHQEUSA, APO 96301 ;# 3

0050

44660

기 안 용 지

분류기호 문서번호	미안 20294-	(전화 : 720-2324)	시 행 상 특별취급
보존기간	영구. 준영구 10. 5. 3. 1.	장 관	
수 신 처 보존기간			
시행일자	1989. 10. 11.		

보조기관	국 장	전 결	협조기관	문서통제
	심의관			검열 1989. 10. 14 통제관
	과 장			
기안책임자		권 희 석		발 송 인

경 유 수 신 참 조	노동부장관 노정국장	발신명의	1989. 10. 14
제 목	초청계약업체 한국인 근로자의 지위		

한.미 주둔군 지위협정(SOFA) 제15조에 규정된 초청계약업체의 한국인 근로자 지위와 관련한 귀부 문의에 대해, 당부의 검토결과를 아래와 같이 회보합니다.

- 아 래 -

1. 초청계약자의 한국인 근로자가 SOFA 제17조의 적용을 받는지 여부

/계속....

0051

ㅇ SOFA 제15조 3항(자)에서는 초청계약자에 대해 고용조건 및 사업과 법인의 면허와 등록에 관한 대한민국 법령적용 면제를 규정

ㅇ 상기 SOFA 15조 3항(자)의 고용조건에 관한 대한민국 법령으로부터의 면제는 초청계약자의 미국적 고용원등 외국인의 경우에 한하며, 한국인 고용원의 경우에는 SOFA 제17조에 의하여 고용조건등에 있어서 군사상 필요에 배치되지 않는한 아국 노동법령의 제 규정에 따라야 함

ㅇ 또한, 초청계약자와 한국인 근로자 사이에 분쟁이 발생할 경우, 제17조에 규정된 합중국 군대의 불평처리 또는 노동관계 절차를 통해 해결이 되지 않는 경우, 동조의 노동쟁의 조정 절차에 따라 아국 노동부의 관할권이 인정되는 것으로 해석됨

2. SOFA 규정과 국내법(헌법, 노동관계법등)과의 상충시 적용 우선 순위

ㅇ 우리 헌법 제6조 1항은 헌법에 의하여 체결.공포된 조약과 일반적으로 승인된 국제법규는 국내법과 같은 효력을 가진다고 규정하고 있음

/계속...... 0052

ㅇ 한.미 양국간 SOFA 는 헌법 제60조에 명시된 국회의 동의를 얻어 체결 공포된 조약으로 국내법과의 효력관계는 아래와 같음

- 헌법과의 관계에 있어, 조약의 국내법적 효력은 헌법(제6조 1항) 에 의해서 인정되는 것이므로 SOFA 규정의 효력은 헌법보다 하위에 있음

- 노동관계법등 국내 법률과의 관계에 있어, SOFA 는 국내법률과 동등한 효력을 가지며, 상호저촉시 국내법률 상호간의 경우처럼 일반적으로 신법우선의 원칙, 특별법 우선의 원칙이 적용됨. SOFA 와의 상충문제가 야기되는 개개 법률의 성격에 따라, 우선 적으로 적용되는 원칙이 달라짐. 끝.

0053

◎ 大韓民國憲法

1987年 10月 29日
全文 改正 公布

前文
第1章 總 綱 ······················ 1條~ 9條
第2章 國民의 權利와 義務 ········ 10~39
第3章 國 會 ························ 40~65
第4章 政 府
第1節 大統領 ···················· 66~85
第2節 行政府
第1款 國務總理와 國務委員 ······ 86~87
第2款 國務會議 ·············· 88~93
第3款 行政各部 ·············· 94~96
第4款 監査院 ················ 97~100
第5章 法 院 ······················ 101~110
第6章 憲法裁判所 ·············· 111~113
第7章 選擧管理 ················· 114~116
第8章 地方自治 ················· 117~118
第10章 憲法改正 ················ 128~130
附則 ································ 1~6

前 文

悠久한 歷史와 傳統에 빛나는 우리 大韓民國은 3·1運動으로 建立된 大韓民國臨時政府의 法統과 不義에 抗拒한 4·19民主理念을 계승하고, 祖國의 民主改革과 平和的 統一의 使命에 입각하여 正義·人道와 同胞愛로써 民族의 團結을 공고히 하고, 모든 社會的 弊習과 不義를 타파하며, 自律과 調和를 바탕으로 自由民主的 基本秩序를 더욱 확고히 하여 政治·經濟·社會·文化의 모든 領域에 있어서 各人의 機會를 균등히 하고, 能力을 最高度로 발휘하게 하며, 自由와 權利에 따르는 責任과 義務를 완수하게 하여, 안으로는 國民生活의 균등한 향상을 기하고 밖으로는 항구적인 世界平和와 人類共榮에 이바지함으로써 우리들과 우리들의 子孫의 安全과 自由와 幸福을 영원히 확보할 것을 다짐하면서 1948年7月12日에 制定되고 8次에 걸쳐 改正된 憲法을 이제 國會의 議決을 거쳐 國民投票에 의하여 改正한다.

1987年 10月 29日

第 1 章 總 綱

第 1 條 『 大韓民國은 民主共和國이다.
②大韓民國의 主權은 國民에게 있고, 모든 權力은 國民으로부터 나온다.

第 2 條 『大韓民國의 國民이 되는 요건은 法律로 정한다.
②國家는 法律이 정하는 바에 의하여 在外國民을 보호할 義務를 진다.

第 3 條 大韓民國의 領土는 韓半島와 그 附屬島嶼로 한다.

第 4 條 大韓民國은 統一을 指向하며, 自由民主的 基本秩序에 입각한 平和的 統一政策을 수립하고 이를 추진한다.

第 5 條 『大韓民國은 國際平和의 유지에 노력하고 侵略的 戰爭을 否認한다.
②國軍은 國家의 安全保障과 國土防衛의 神聖한 義務를 수행함을 使命으로 하며, 그 政治的 中立性은 준수된다.

第 6 條 『憲法에 의하여 체결·公布된 條約과 一般的으로 승인된 國際法規는 國內法과 같은 效力을 가진다.

0054

②外國人은 國際法과 條約이 정하는 바에 의하여 그 地位가 보장된다.

第7條 『公務員은 國民全體에 대한 奉仕者이며, 國民에 대하여 責任을 진다.

②公務員의 身分과 政治的 中立性은 法律이 정하는 바에 의하여 보장된다.

第8條 『政黨의 設立은 自由이며, 複數政黨制는 보장된다.

②政黨은 그 目的·組織과 活動이 民主的이어야 하며, 國民의 政治的 意思形成에 참여하는데 필요한 組織을 가져야 한다.

③政黨은 法律이 정하는 바에 의하여 國家의 보호를 받으며, 國家는 法律이 정하는 바에 의하여 政黨運營에 필요한 資金을 補助할 수 있다.

④政黨의 目的이나 活動이 民主的 基本秩序에 違背될 때에는 政府는 憲法裁判所에 그 解散을 提訴할 수 있고, 政黨은 憲法裁判所에 審判에 의하여 解散된다.

第9條 國家는 傳統文化의 계승·발전과 民族文化의 暢達에 노력하여야 한다.

第2章 國民의 權利와 義務

第10條 모든 國民은 人間으로서 尊嚴과 價値를 가지며, 幸福을 追求할 權利를 가진다. 國家는 개인이 가지는 不可侵의 基本的 人權을 確認하고 이를 보장할 義務를 진다.

第11條 『모든 國民은 法 앞에 平等하다. 누구든지 性別·宗敎 또는 社會的 身分에 의하여 政治的·經濟的·社會的·文化的 生活의 모든 領域에 있어서 차별을 받지 아니한다.

②社會的 特殊階級의 制度는 인정되지 아니하며, 어떠한 形態로도 이를 創設할 수 없다.

③勳章등의 榮典은 이를 받은 者에게만 效力이 있고, 어떠한 特權도 이에 따르지 아니한다.

第12條 『모든 國民은 身體의 自由를 가진다. 누구든지 法律에 의하지 아니하고는 逮捕·拘束·押收·搜索 또는 審問을 받지 아니하며, 法律과 適法한 節次에 의하지 아니하고는 處罰·保安處分 또는 强制勞役을 받지 아니한다.

②모든 國民은 拷問을 받지 아니하며, 刑事上 자기에게 不利한 陳述을 强要당하지 아니한다.

③逮捕·拘束·押收 또는 搜索을 할 때에는 適法한 節次에 따라 檢事의 申請에 의하여 法官이 발부한 令狀을 제시하여야 한다. 다만, 現行犯人인 경우와 長期 3年 이상의 刑에 해당하는 罪를 범하고 逃避 또는 證據湮滅의 염려가 있을 때에는 事後에 令狀을 請求할 수 있다.

④누구든지 逮捕 또는 拘束을 당한 때에는 즉시 辯護人의 助力을 받을 權利를 가진다. 다만, 刑事被告人이 스스로 辯護人을 구할 수 없을 때에는 法律이 정하는 바에 의하여 國家가 辯護人을 붙인다.

⑤누구든지 逮捕 또는 拘束의 이유와 辯護人의 助力을 받을 權利가 있음

0055

제출할 수 있다.

第53條 「國會에서 議決된 法律案은 政府에 移送되어 15日 이내에 大統領이 公布한다.

②法律案에 異議가 있을 때에는 大統領은 第1項의 期間내에 異議書를 붙여 國會로 還付하고, 그 再議를 요구할 수 있다. 國會의 閉會 중에도 또한 같다.

③大統領은 法律案의 일부에 대하여 또는 法律案을 修正하여 再議를 요구할 수 없다.

④再議의 요구가 있을 때에는 國會는 再議에 붙이고, 在籍議員 過半數의 출석과 出席議員 3分의 2 이상의 贊成으로 前과 같은 議決을 하면 그 法律案은 法律로서 확정된다.

⑤大統領이 第1項의 期間 내에 公布나 再議의 요구를 하지 아니한 때에도 그 法律案은 法律로서 확정된다.

⑥大統領은 第4項과 第5項의 規定에 의하여 확정된 法律을 지체없이 公布하여야 한다. 第5項에 의하여 法律이 확정된 후 또는 第4項에 의한 確定法律이 政府에 移送된 후 5日 이내에 大統領이 公布하지 아니할 때에는 國會議長이 이를 公布한다.

⑦法律은 특별한 規定이 없는 한 公布한 날로부터 20日을 경과함으로써 效力을 발생한다.

第54條 「國會는 國家의 豫算案을 審議·확정한다.

②政府는 會計年度마다 豫算案을 編成하여 會計年度 開始 90日 전까지 國會에 제출하고, 國會는 會計年度 開始 30日 전까지 이를 議決하여야 한다.

③새로운 會計年度가 開始될 때까지 豫算案이 議決되지 못한 때에는 政府는 國會에서 豫算案이 議決될 때까지 다음의 目的을 위한 經費는 前年度 豫算에 準하여 執行할 수 있다.

1. 憲法이나 法律에 의하여 設置된 機關 또는 施設의 유지·운영
2. 法律上 支出義務의 이행
3. 이미 豫算으로 승인된 事業의 계속

第55條 「한 會計年度를 넘어 계속하여 支出할 필요가 있을 때에는 政府는 年限을 정하여 繼續費로서 國會의 議決을 얻어야 한다.

②豫備費는 總額으로 國會의 議決을 얻어야 한다. 豫備費의 支出은 次期國會의 승인을 얻어야 한다.

第56條 政府는 豫算에 變更을 加할 필요가 있을 때에는 追加更正豫算案을 編成하여 國會에 제출할 수 있다.

第57條 國會는 政府의 同意 없이 政府가 제출한 支出豫算 各項의 金額을 增加하거나 새 費目을 設置할 수 없다.

第58條 國債를 모집하거나 豫算 외에 國家의 부담이 될 契約을 체결하려 할 때에는 政府는 미리 國會의 議決을 얻어야 한다.

第59條 租稅의 種目과 稅率은 法律로 정한다.

第60條 「國會는 相互援助 또는 安全保障에 관한 條約, 중요한 國際組織에 관한 條約, 友好通商航海條約, 主權의 制約에 관한 條約, 講和條約, 國家나 國民에게 중대한 財政的 부담을 지우

0056

는 條約 또는 立法事項에 관한 條約의 체결·批准에 대한 同意權을 가진다.

②國會는 宣戰布告, 國軍의 外國에의 派遣 또는 外國軍隊의 大韓民國 領域 안에서의 駐留에 대한 同意權을 가진다.

第61條 「國會는 國政을 監査하거나 특정한 國政事案에 대하여 調査할 수 있으며, 이에 필요한 書類의 提出 또는 證人의 출석과 證言이나 의견의 陳述을 요구할 수 있다.

②國政監査 및 調査에 관한 節次 기타 필요한 사항은 法律로 정한다.

第62條 「國務總理·國務委員 또는 政府委員은 國會나 그 委員會에 출석하여 國政處理狀況을 보고하거나 의견을 陳述하고 質問에 응답할 수 있다.

②國會나 그 委員會의 요구가 있을 때에는 國務總理·國務委員 또는 政府委員은 출석·답변하여야 하며, 國務總理 또는 國務委員이 出席要求를 받은 때에는 國務委員 또는 政府委員으로 하여금 출석·답변하게 할 수 있다.

第63條 「國會는 國務總理 또는 國務委員의 解任을 大統領에게 建議할 수 있다.

②第1項의 解任建議는 國會在籍議員 3分의 1 이상의 發議에 의하여 國會在籍議員 過半數의 贊成이 있어야 한다.

第64條 「國會는 法律에 저촉되지 아니하는 범위 안에서 議事와 內部規律에 관한 規則을 制定할 수 있다.

②國會는 議員의 資格을 審査하며, 議員을 懲戒할 수 있다.

③議員을 除名하려면 國會在籍議員 3分의 2 이상의 贊成이 있어야 한다.

④第2項과 第3項의 處分에 대하여는 法院에 提訴할 수 없다.

第65條 「大統領·國務總理·國務委員·行政各部의 長·憲法裁判所 裁判官·法官·中央選擧管理委員會 委員·監査院長·監査委員 기타 法律이 정한 公務員이 그 職務執行에 있어서 憲法이나 法律을 違背한 때에는 國會는 彈劾의 訴追를 議決할 수 있다.

②第1項의 彈劾訴追는 國會在籍議員 3分의 1 이상의 發議가 있어야 하며, 그 議決은 國會在籍議員 過半數의 贊成이 있어야 한다. 다만, 大統領에 대한 彈劾訴追는 國會在籍議員 過半數의 發議와 國會在籍議員 3分의 2 이상의 贊成이 있어야 한다.

③彈劾訴追의 議決을 받은 者는 彈劾審判이 있을 때까지 그 權限行使가 정지된다.

④彈劾決定은 公職으로부터 罷免함에 그친다. 그러나, 이에 의하여 民事上이나 刑事上의 責任이 免除되지는 아니한다.

第4章 政 府

第1節 大統領

第66條 ①大統領은 國家의 元首이며, 外國에 대하여 國家를 代表한다.

②大統領은 國家의 獨立·領土의 保全·國家의 繼續性과 憲法을 守護할 責務를 진다.

③大統領은 祖國의
위한 성실한 義務를
④行政權은 大統領을
政府에 속한다.

第67條 ①大統領은 國
等·直接·秘密選擧에
②第1項의 選擧에
者가 2人 이상인 때에
議員 過半數가 출석한
多數票를 얻은 者을
③大統領候補者가 1人
得票數가 選擧權者
이상이 아니면 大統領
없다.
④大統領으로 選擧될
國會議員의 被選擧權이
현재 40歲에 達하여야
⑤大統領의 選擧에
律로 정한다.

第68條 ①大統領의 任
때에는 任期滿了 70日
後任者를 選擧한다.
②大統領이 闕位된
當選者가 死亡하거나
유로 그 資格을 喪失
이내에 後任者를 選擧

第69條 大統領은 就任
음의 宣誓를 한다.
"나는 憲法을 준수하
하며 祖國의 平和的
自由와 福利의 增進
暢達에 노력하여 大統
責을 성실히 수행할
엄숙히 宣誓합니다."

第70條 大統領의 任期

0057

第 8 條와의 抵觸을 지적하면서 上記 法律의 改正과 적절한 行政措置를 요청하여 왔다.

이에 外務部는 上記 條約이 우리 나라 憲法 第 5 條 1項에 의하여 國內法에 受容되어 國內法과 同一한 效力을 가진다는 자신의 해석을 피력하면서, 다음 事項에 관하여 回示하여 줄 것을 法制處에 요청하였다.

(1) 上記 條約이 上記 法律에 대하여 特別法關係에 서 있다고 해석되지 아니하고 「新法優先의 原則」에 支配되어 法律이 優先하는지의 여부. 또는

(2) 上記 條約이 上記 法律에 대하여 特別法關係에 있다고 해석하고, 따라서 「特別法優先의 原則」에 支配되어 條約이 優先하는지의 여부.

위의 質疑에 대하여 法制處는 다음같이 答辯하고 있다. 즉, 「韓美友好·通商·航海條約」 第 7 條 및 第 8 條는 「新聞·通信 등의 登錄에 관한 法律」 第 5 條 및 第 7 條에 대하여 優先하는 效力을 가진다고 하면서 그 理由를 다음 세 가지로 集約하고 있다.

(1) 現行憲法 第 5 條 第 1 項은 締結·公布된 條約은 國內法과 동일한 效力을 갖는다고 규정하여 「國際法·國內法 同位說」의 입장을 취하고 있음에 비추어 締結·公布된 條約과 國內法간에 相衝되는 내용이 있을 때에는 國內法 相互間의 충돌이 있는 경우의 效力을 決定하는 一般原則에 따라 兩者間의 效力을 決定한다.

(2) 「韓美友好·通商·航海條約」은 그 人的 規律對象이 締約國民에 국한되어 있는 것이나, 「新聞·通信 등의 登錄에 관한 法律」 第 5 條 및 第7 條는 모든 外國人을 일반적으로 規律하고 있음에 비추어 前者는 後者에 대한 特別法關係에 있다.

(3) 위와 같이 볼 때 「特別法優先의 原則」에 따라 「韓美友好·通商·航海條約」 第 7 條 및 第 8 條는 「新聞·通信 등의 登錄에 관한 法律」 第 5 條 및 第 7 條에 優先한다.

1965年 7月 24日 外務部는 法制處에 대하여 「外國保險業者의 登錄」에 관한 質疑를 제출하였다. 質疑의 內容은 대략 다음과 같다.

駐韓 美國大使館에 의하여 美國人 X는 1954年 7月 9日 財務部에 韓國內에서의 營業을 위한 免許申請書를 제출한 이래 아직까지 免許를 취득하지 못하고 있는데 韓國政府는 「韓美友好·通商·航海條約」이 締結된 후(1957년), 同件을 保留하면서도 1958年 9月에 제출한 汎韓火災海上保險株式會社의 申請에 대하여는 免許를 주었으므로 內國民待遇를 규정한 第 7 條 違反이라고 하고 있다.

財務部가 條約締結 이후 「汎韓」에 대하여 新規免許를 주면서 X에 대하

0058

	분류번호	보존기간

발 신 전 보

번 호 : WJA-0331 900130 1851 BP 종별 :

수 신 : 주 일 대사 . ~~총영사~~

발 신 : 장 관 (미 안)

제 목 : 미군기지 내 일본인 고용원 해고 사례 및 대책

1. 주한미군 기지 일부 ~~통폐합등~~ 조정계획과 관련 미군부대내 한국인 근로자 해고 대책수립에 참고코자 하니 과거 유사사례에 있어서의 일.미 양국간 구체적 해결 결과등을 상세 파악 보고바람.

2. 일.미 양국은 주일 미군기지 이전에 따른 일본인 고용원 해고관련 제14회(74.1)및 제15회(75.1) 일.미 안전보장 협의회에서 해고시 90일전 사전통보와 재취업을 위해 최선을 다하도록 합의한 것으로 파악되고 있음을 참고바람.

(미주국장 김 삼 훈)

검토필(1990. 6. 30.)

예고문에 의거 일반문서로 재분류(1990. 12. 31.)
직위 성명

앙고재	90년 1월 30일	안보과	기안자		과 장		국 장		차 관	장 관
			이 상 학		(서명)		전결			(서명)

보안통제	외신과통제
(서명)	

0059

원 본

외 무 부

종 별 :

번 호 : USW-0507 일 시 : 90 0131 2026

수 신 : 장관(미안,아일)

발 신 : 주 미 대사

제 목 : 미.일 안보 관계 동향

대 WUS-0317

금 1.31 정태익 참사관이 미국무부 및 주미 일본 대사관 관계관을 접촉하여대호 사항에 관해 파악한바를 보고함.

일반(1990.6.30.)

예고문에의거 재분류(1990.12.31.) 직위 성명

1. 미.일 방위비 분담 협상 현황

일본은 주일 미군의 시설 개선비 및 주일 미군에 배속된 일본인의 노무비중수당(기본 봉급을 미측 부담)을 종래 50 프로 부담에서 FY 90(일본 회계년도는4.1 부터 게시됨)부터는 100 프로 부담하도록 미측과 합의하였음.FY 90 년 일본 방위 예산에 계상된 구체적 부담액은 노무비 679 억엔을 포함, 1,680 억엔(약 12 억불 상당)임. 미측은 일본측의 비용 분담액에 만족을 표시하고 있음. 미측이노무자의 기본 봉급까지 일측에 부담시키기 위해서는 미.일 행정협정을 개정하여야하는바 여사한 주장이 미의회 일부에서 제기되고 있을뿐이며 미 행정부는현 수준의 일측 내용 부담이 적절한것으로 평가하고 있음.

2. 니시히로 일본 방위청 차관 방미

가. 니시히로 일 방위청 차관은 국회 해산기를 틈타서 방미 하였으며, 현안문제 협상을 위해서 방미한것은 아님.동 차관은 1.28-31 방미후 유럽으로향발하였으며 유럽의 국방관계자를 접촉 동구 정세를 파악할 예정이며 베를린 방문이 포함되어 있음.

나. 니시히로 차관의 방미중 면담인사는 체니 국방장관, SCOWCROFT 안보보좌관, WOLFORWITZ 국방부 정책 담당 차관, KIMMITT 국무부 정무차관, SOLOMON 국무부 차관보, FORD 국방부 동아시아 담당차관보등임.

다. 체니 국방장관은 미국방 예산의 감축 내용에 관해 설명하였으며 아시아지역에서는 동구에서와같은 변화가 없으므로 미국의 전진 배치 전략에는 변화가

미주국 국방부	장관	차관	1차보	2차보	아주국	정문국	청와대	안기부

90.02.01 13:25

외신 2과 통제관 CW

0060

없을것이고 현수준의 분쟁 억지전략을 그대로 유지할것임을 확약하고 미.일 안보 체제가 동북아 및 아시아 안전에 가장 긴요한 기둥(PILAR)임을 재천명함.

라. 미.일은 지구적 동반자(GOLBAL PARTNER)로서 세계 평화와 안정을 위해 분별력을 발휘하여 협력 관계를 증진시킬 필요가 있음에 인식을 같이함.

마. 비용 분담에 관하여는 미.일간에 이미 합의된 사항이므로 구체적으로 언급이 없었으며 미측은 일반적으로 일본이 책임과 분담을 점차 확대해줄것과 미국의 전략적 지원국에 대한 일본의 지원이 계속 되기를 요망함.

(대사 박동진-국장)

예고:90.12.31 일반

예고문에 의거 재분류 함

원 본

외 무 부

종 별 : 지 급

번 호 : JAW-0550 일 시 : 90 0201 1446

수 신 : 장 관(미안,아일)

발 신 : 주 일 대사(일정)

제 목 : 미군 기지내 일본인 고용원 해고 사례 및 대책

대: WJA-0331

1. 대호, 당관은 일 외무성 지위 협정과에 표제건에 관해 문의 하였는바, 일측은 아측 요청 내용이 구체적이고 기술적인 사안이므로 자료 준비에 다소 시일이 필요하다고 언급하고, 2.6(화) 외무성 실무자 및 방위 시설청 노무 담당관이 동 문의에 대해 직접 설명 토록 하겠다고 하였음.

2. 상기 일 외무성과의 접촉 기회에 당관이 대호 이외에 추가로 일측에 문의할 사항이 있으면 회시 바람. 끝.

(공사 김병연-국장)

예고:90.12.31 까지

미주국 아주국

PAGE 1

90.02.01 15:32

외신 2과 통제관 FD

0062

원 본

외 무 부

종 별 : 지 급

번 호 : JAW-0664 일 시 : 90 0207 1436

수 신 : 장관(미안,아일)

발 신 : 주 일 대사(일정)

제 목 : 미군기지내 일본인고용원 해고사례 및 대책

대 : WJA-0331

연 : JAW-0550

대호관련, 당관이 외무성 지위협정과 및 방위시설청 노무기획과를 통해 파악한 미군기지내 일본인 고용원 해고관련 절차 및 대책등을 다음 보고함.

1. 법적근거(관련 법률 파편 송부예정)

가. '주류군 관계 이적자등 임시조치법'(1958.5.17. 제정)

0 주일미군의 이전, 철수, 감축등으로 인한 일본인 고용원의 이직 및 해고대책 수립을 위한 특별조치법의 성격임.

0 동법은 고용원이 이직전에 직업훈련 및 취직지도를 받을수 있도록 보장하고 있으며, 해고에 따른 특별수당 (최고 151 만 5 천엥까지 지급 가능)을 지급토록 규정

나. '고용대책법'(1966.7.21. 제정)

0 일반노동자에 전반적으로 적용되는 법률로서 직업전환시의 수당지급을 보장

다. 주일미군과 방위시설청간의 '기본 노무계약' 중 제 11 장 '자기의사에 의하지 않는 고용의 해제' 부분 (1957.3. 체결)

0 주일미군의 관리상의 사정에 따른 인원정리로 인해 야기되는 해고의 구체적인 시행절차 규정

2. 미.일간 해결경과

가. 주일 미군기지내 일고용원수는 1950 년대 전반까지는 약 20 만명에 달하였으나, 그후 매년 감소하여 1989.5 월말 현재는 22,397 명임. (고용원수 및 해고자수 통계는 공문으로 별도보고 예정)

나. 고용원 감축과정에 있어 1955-75 년 기간중에는 관리사정상의 인원정리에 의한 해고자수가 매년 5,000 명 이상에 달함에 따라 미.일 양국은 매년 개최된 미.일

예고문(1990.6.30) 일반

고문에 의거 재분류 (1990.12.31.) 직위 성명

미주국	차관	1차보	2차보	아주국	노동부

90.02.07 15:30

외신 2과 통제관 DH

0063

안전보장 협의회등 미.일간 각종회담시, 노무관계의 원만한 해결에 상호 노력키로 합의하였으며, 일본은 1958.5. 사회문제화되는 양상을 띠기 시작한 주일 미군기지 고용원 해고문제에 대한 해결책의 일환으로 '주류군 관계 이직자등 임시 조치법'을 제정하게 되었음.

다. 1985 년 이후에는 해고자수가 매년 500 명 미만으로 줄어들고, 임시 조치 법에 따라 이직전 직업훈련 및 취업지도가 착실히 실시됨으로 인해 고용원측의 해고에 대한 불만 또는 요구는 상당히 감소되고 있음.

라. 미.일간의 협의체널은 공식적으로는 미.일 합동위원회 산하의 노무분과위원회 (방위시설청 노무부장 및 주일 미군관계자 참석) 로 되어 있으나, 실제로는 거의 활용되지 않고 있음.

0 오히려 주일미군내 J-14 (민간인 노동과) 와 방위시설청 노무부간의 비정기 회합을 통해 구체적인 문제를 해결해 나가고 있음.

3. 해고절차 및 이직대책

가. 원칙

0 미측이 예산상의 제한, 인원과잉 또는 기구변경등으로 인해 인원감소의 필요성이 있다고 판단될때에는 일본측에 인원정리의 이유를 사전 통지하여야 함.

0 미.일 양측은 고용의 안정을 최대한 확보하기 위해, 충분한 사전 조정을 하여야 함.

0 인원정리의 요구는 미측이 발의하고, 일측이 실시함.

0 구체적인 절차는 기본 노무계약상의 규정에 따름

나. 사전 통보시기

0 기본 노무계약 제 11 장 A 절 6 항에 따르면 적어도 해고전 45 일전에 인원정리 요구를 일측에 통지하도록 되어 있음

0 그러나 실제로는 1970.1.20. 당시 오바따 방위청 사무차관과 FRANKLIN 주일 미군 참모장간의 구두양해에 의거, 미측은 해고 전 90 일전까지 일측에 해고사실을 통보해 오고 있음.

다. 이직대책 (공문으로 별도보고 예정). 끝

(공사 김병연-국장)

예고:90.12.31. 까지

기 안 용 지

분류기호 문서번호	미안 01225-	(전화 : 720-2324)	시 행 상 특별취급	
보존기간	영구. 준영구 10. 5. 3. 1.	장		관
수 신 처 보존기간				
시행일자	1990. 2. 12.			

보조기관	국 장	전 결	협조기관		문 서 통 제
	심의관				검열 1990. 2. 12 통제관
	과 장				
기안책임자		권 희 석			발 송 인

경 유 수 신 참 조	노동부장관	발신명의	발송필 1990. 2. 12 외무부
제 목	주한미군 한국인 근로자 대책		

예고문에 의거 일반문서로 재분류(1990. 6. 30.)

예고문에 의거 재분류(1990.12.31.) 직위 성명

관련문서 : 노정 32220-1707(90.2.6)

1. 최근 주한미군 감축 움직임에 관한 현재의 상황은 다음과 같습니다.

가. 한.미 양국정부 당국은 아직 주한미군 철수에 대한 계획을 합의한 바 없으며, 양측은 과거와 마찬가지로 미군문제를 포함한 한.미 안보협력관계를 계속 협의해오고 있음. 최근 주한미군 감축에 관한 언론 보도(대규모 감축등)내용이 사실과 일치하지는 않음.

0065

/계속......

나. 정부는 한반도에서의 안보상황에 긍정적 변화가 없는한, 주한미군의 급격한 변화가 바람직하지 않다는 입장을 견지하고 있으며 미국 정부도 같은 인식을 갖고 있음.

다. 그러나 주한미군 규모는 지난 10년간 수천명 규모로 계속 증감되어온 바 있으며, 한.미 양국정부가 지난 1.29일 주한 미공군 기지 3개의 통폐합(90년부터 2년간 미군 약2000명 감축)을 공동발표한 바와 같이 미국의 세계전략상 고려와 재정사정등 요인으로 부분적인 규모의 단계적 조정가능성은 있을 수 있음.

2. 상기와 같이 주한미군의 부분감축 가능성을 감안, 귀부에서 주한미군 한국인 고용안정을 위한 대비책을 강구하는 것이 필요할 것으로 판단 됩니다.

3. 일본의 유사한 사례에 있어 일본정부가 취한 조치 내용(주일대사 보고 전문, JAW-0664)을 송부하니 관련 업무에 참고하시기 바랍니다.

/계속.....

0066

4. 한편 전국 주한미군 노동조합으로 부터의 청원서가 당부에도 송부되어

왔기에 별첨과 같이 회신하였음을 참고로 알립니다.

첨 부 : 1. 관련전문 사본1매.

2. 당부회신 공문 사본1매. 끝.

0067

일보과

노 동 부

노정 32220-1707 503-9730 1990. 2. 6

수신 외무부장관

참조 미주국장

제목 주한미군 한국인 근로자 대책협의 요청

주한미공군 감원결정 및 지상군 감원 계획이 최근 신문지상을 통해 보도됨에 따라 주한미군에 종사하고 있는 23,000여 근로자들은 심리적으로 크게 동요하고 있으며, 그러한 정책결정시 동 근로자에 관한 고용안정 대책이 결여되어 있어 주한미군 노사관계가 크게 불안해질 것으로 예상됩니다.

따라서 당부는 주한미군내 노사관계를 조속히 안정시키고, 주한미군 감원에 따른 사회불안 요인을 사전 제거하기 위하여 조속한 시일내에 관계부처 협의가 이루어져야 한다고 봅니다.

참고로 주한미군 노동조합에서는 '90.1 중순에 전조합원의 서명을 첨부하여 고용대책에 관한 청원을 당부에 제출한 바 있으며, '90.1.31 한.미 정부당국의 책임있는 고용안정대책을 촉구하는 특별결의문을 체택한 바 있읍니다.

귀부의 신속한 조치를 바랍니다.

첨부 주한미군 노동조합 특별결의문 및 관련공문 사본 각 1부. 끝.

선 결			결재		
접수일시	1990. 2. 8	3071	공람		
처리과	노	동		부	장

노정국장 전결

0068

미 원 처 유

처리기한 : 90. 2. 10

전국주한미군노동조합

전주노 제90-9호 793-1862 1990. 1. 31.

수 신 노동부 장관 귀하

제 목 주한미군 한인근로자 구제방안 제시

1. 이는 고용안정 대책 청원('90.1.15)과 관련입니다.

2. 금번 한미 양국정부간 협의에 따라 주한미군 철수계획이 수립되어 그동안 여론으로만 떠들썩하던 동문제가 이제는 확실성있게 발표되었으며, '90.2.14일이면 더욱 확실한 발표가 있을것으로 생각됩니다.

이러한 철군결정은 이미 양국간에 오랜기간을 두고 정책 결정을 내리게 된것으로 알고 있습니다.

이미 잘알고 계시겠지만 주한미군내에서 각종 지원업무에 종사하는 25,000여 종업원은 이미 40여년 전부터 현재까지 유지해오고 있는 상태이지만 그동안 정부당국이나 주한미군을 대표하는 미국방성이 근로자들에 대한 대책을 전혀 고려하지 않은점에 대하여 전체 근로자들은 흥분과 울분을 금치 못하는 바입니다.

또한 한국인 근로자들은 언어의 장벽과 문화의 차이로 많은 시련을 극복하면서 오로지 국가의 안보와 외교적 봉사정신으로 최선을 다하며 충실히 직무에 임하여 왔으나 현실적으로 모든 노력의 댓가를 인정 받지 못함은 물론 일반외자기업의 폐업으로 실직을 당하듯이 무방비한 조치는 그동안 충절에 대한 배신감마저 느끼고 있는 것입니다.

국장		결재	과장
접수일시	1990. 2. 3 시 분	호 617	
처리과	노정과		

0063

따라서 정부는 25,000여 종업원과 그의 가족들에 대한 구체적인 구제방안을 제시할것을 요구하는 바이며 조합이 검토한바에 의하면 한국군 내에도 신장비 교체 및 각종 무기 현대화에 따라 많은 경험을 가지고있는 주한미군내 한국인 근로자들을 필요로 할것으로 알고있어 이를 심중있게 교섭하여 사전 인력에 대한 대책을 포괄해서 정책적인 대책이 있어야 될것입니다.

또한 이미 주한미군과 노동부간에 숙의된바 있듯이 동계획에 이직 희망자는 누구를 막론하고 교육에 참여하여 이직에 효율적 전환이 되도록 정책수립을 해야 할것입니다.

현재로는 3개지역의 공군에 국한되 있으나 앞으로 점진적인 확대 가능성에도 대비하여 주시기 바랍니다.

주한미군 25,000여 한국인 근로자를 대표하여

전 국 주 한 미 군 노 동 조 합
위 원 장 강 인 식

0070

한.미 정부당국의 책임있는 고용안정 대책에 관한

특 별 결 의 문

우리는 6.25 남침이후 40여년간이라는 오랜세월동안 온갖 시련과 함께 주한미군 작전업무를 지원해오며 국토방위의 일익을 담당해 왔으며 경제발전과 민간 외교사절이라는 사명감을 가지고 충실히 근무해 왔다.

현 국제관계는 동서냉전의 시대를 청산하고 이념을 초월한 화합의 분위기가 조성되고 있으며 폐쇄적이던 동구공산국가의 개방과 함께 민주화 물결로 국제관계가 크게 변모해가고 있으나 아직도 북한은 6.25당시와 같은 집권체제속에 적화통일의 망상을 버리지 못하고 있으며 남북이 대치상태에서 주한미군 철군을 우려하는바이며 우리는 주한미군 25,000여 한인직원들의 고용안정 대책을 위해 한국정부 당국과 주한미군 당국에 확실한 고용안정 대책을 청원(90.1.15)한바 있으나 근간 한.미 양국당국이 한인근로자들에 아무런 대책없는 주한미공군 일부 철수발표(90.1.30)에 큰 분노와 충격을 금치 못하는 바이다.

우리 주한미군 25,000여 근로자들은 40여년간을 온갖 어려운 상황속에서 주한미군과의 합동으로 군사상 필요한 장비의정비와 작전상의 지원업무만을 일관해 왔으며 일반사회업무와는 특이한 관계로 만일의 사태에 실업문제가 야기될시 매우 심각한 문제라 아니할수 없다.

0071

이러한 특수한 상황하에서 근무하고 있음에도 주한미군 철수계획을 수립함에있어 한.미 양국정부당국이 한인근로자들에 대한 고용안정 대책을 전혀 고려하지 않은점에 대해 분노를 금치 못하며 강력히 항의하는 바이다.

우리는 주한미군감축 및 철수계획과 무관하지않는 똑같은 직결된 관계에 있으므로, 금번 미국방장관의 내한(90.2.14) 한국정부당국과 철수대책 숙의과정에서 한인근로자들의 고용안정 문제를 책임성있게 다뤄야 할것이며, 주한미군 25,000여 한인근로자들의 대표와 면담을 촉구하는 바이다.

우리도 외국군대는 언제가 나가야 한다는것과 자주적인 민족통일을 염원하는 바이나 금번 한.미 양국정부당국이 주한미군 철수계획을 발표함에있어 40여년간을 온갖 시련속에서도 성실하게 근무해온 25,000여 한인근로자들의 고용안정 문제에 대해 일언반구의 거론조차없는 사실에 대해 실망과 분노를 금치 못하는 바이며, 한.미 양국정부당국은 주한미군 철수계획에 따른 주한미군 25,000여 한인근로자들에게 책임있는 고용안정 결정을 내려줄것을 강력히 촉구하는 동시에 만일 한.미 정부당국이 책임있는 고용안정 대책에 결정이 없을시는 전체 한인근로자들은 과감한 투쟁도 불사할것을 만천하에 천명하며 다음과같이 강력히 결의 한다.

다　　　　음

1. 한국정부 당국은 주한미군 철수계획을 발표함에 있어 전체 한인근로자들에 대한 고용안정 대책에 일언반구의 거론도 없는 무책임성을 강력히 항의하며, 책임있는 고용안정 대책을 수립하라.

0072

1. 미정부 당국은 주한미군 철수계획을 수립함에있어 40여년간을 충실히 근무해온 전체 한인근로자들에 대한 고용안정 대책없는 무책임한 철군 계획에 대해 분노를 금치 못하며, 책임있는 고용안정 정책을 밝힐것을 강력히 촉구한다.

1. 우리는 금번 주한미군 철수문제와 관련하여 내한하는 미국방장관과 고용안정 대책 협의를 위해 주한미군 25,000여 한인직원들의 대표자와 면담을 촉구한다.

전 국 주 한 미 군 노 동 조 합

중 앙 위 원 회 위 원 일 동

0073

7221

기 안 용 지

분류기호 문서번호	미안 01225-	(전화 : 720-2239)	시 행 상 특별취급
보존기간	영구 · 준영구. 10. 5. 3. 1.	장 관	
수 신 처 보존기간			
시행일자	1990. 2. 17		

보조기관 국 장	전결	협조기관	문 서 통 제
심의관			
과 장			발 송 인
기안책임자	권 희 석		

경 유 수 신 참 조	노동부 장관 노정 국장	발신명의	
제 목	자료송부		

1. 관련 문서 : 미안 1225-382 (90.2.12)

2. 주일미군 일본인 고용원해고와 관련 하여 일본정부가 수립한 대책자료를 별첨 송부하니 귀업무에 참고하시기 바랍니다. 끝.

첨 부 : 관련자료 1매

0074

1505 - 25(2 - 1) 일(1)갑
85. 9. 9. 승인 "내가아낀 종이 한장 늘어나는 나라살림" 190mm×268mm 인쇄용지 2급 60g /m'. 가 40-41 1988. 8. 31.

긴

주 일 대 사 관

1990. 2. 9. 발송
FEB 9, 1990
주일대사관

일본(정)700-108
수신 장관
참조 미주국장, 아주국장
제목 미군기지내 일본인 고용원 해고사례 및 대책

연 : JAW - 0664

연호 일 정부의 미군기지내 일본인 고용원 해고관련, 이직대책, 해고절차 및 관련자료를 별첨 송부하니 업무에 참고하시기 바랍니다.

첨부 : 1. 이직대책
2. 해고절차
3. 주일미군 고용원 및 해고자수 통계
4. "주류군관계 이직자등 임시조치법"
5. 기본노무계약 제11장 부분사본. 끝.

(1996. 6. 30.)
예고문에 의거 재분류(1990. 12. 31.)
직위 성명
1990. 2. 10

주 일 대

주일본국대한민국대사관인

0075

(첨부 1)

해고시 이직대책

"임시조치법" 및 "고용대책법"등에 의거, 이직자에 대해 다음과 같은 대책을 수립, 시행하고 있음.

가. 방위시설청 소관

- 이직전 직업훈련 실시(운전교습, 워프로등 직업기술훈련이 주종)
- 특별수당 지급(금액은 근무년수에 따라 결정되며, 최고 151만5천엥까지 지급될 수 있음)

나. 노동성 소관

- 해고후 공공직업훈련 실시
- 공공직업안정소의 취업지도
- 직업전환에 따른 수당 지급
  - 취직 촉진 수당
  - 구직활동비
  - 훈련수당
  - 이전비
  - 직장적응훈련비
  - 특정구직자 고용개발조성금
  - 취업준비금등 7개 종류
- 채무보증

다. 대장성 소관

- 주류군관계 이직자를 위한 임시주택 공여
- 반환국유재산의 양도 및 임대
- 정부관계 금융기관 융자시 편의제공

※ 특별수당액표는 별첨 참조

0076

特別給付金の額

項	第１表		第２表	
	離職又は死亡の日までの在職期間	特別給付金の額	離職の日までの在職期間	特別給付金の額
１	６月以上　１年未満	(10万5千円) １０万２千円	――	――
２	１年以上　３年未満	(13万3千円) １２万９千円	１年以上　３年未満	(9万4千円) ９万千円
３	３年以上　５年未満	(17万2千円) １６万７千円	３年以上　５年未満	(10万4千円) １０万千円
４	５年以上　７年未満	(22万5千円) ２１万８千円	５年以上　７年未満	(11万8千円) １１万４千円
５	７年以上　９年未満	(27万8千円) ２６万９千円	７年以上　９年未満	(13万3千円) １２万９千円
６	９年以上１１年未満	(34万3千円) ３３万３千円	９年以上１１年未満	(15万9千円) １５万４千円
７	１１年以上１３年未満	(41万円) ３９万８千円	１１年以上１３年未満	(18万5千円) １７万９千円
８	１３年以上１５年未満	(47万7千円) ４６万４千円	１３年以上１５年未満	(21万千円) ２０万５千円
９	１５年以上１７年未満	(54万4千円) ５２万７千円	１５年以上１７年未満	(25万円) ２４万２千円
１０	１７年以上１９年未満	(62万3千円) ６０万４千円	１７年以上１９年未満	(28万9千円) ２８万円
１１	１９年以上２１年未満	(70万2千円) ６８万千円	１９年以上２１年未満	(34万3千円) ３３万３千円
１２	２１年以上２３年未満	(78万2千円) ７５万８千円	２１年以上２３年未満	(39万7千円) ３８万５千円
１３	２３年以上２５年未満	(87万3千円) ８４万７千円	２３年以上２５年未満	(46万円) ４４万６千円
１４	２５年以上２７年未満	(96万7千円) ９３万８千円	２５年以上２７年未満	(52万7千円) ５１万２千円
１５	２７年以上２９年未満	(106万千円) １０２万９千円	２７年以上２９年未満	(59万5千円) ５７万７千円
１６	２９年以上３１年未満	(116万7千円) １１３万２千円	２９年以上３１年未満	(67万千円) ６５万千円
１７	３１年以上３３年未満	(129万9千円) １２６万円	３１年以上３３年未満	(75万千円) ７２万９千円
１８	３３年以上３５年未満	(143万千円) １３８万８千円	３３年以上３５年未満	(83万千円) ８０万５千円
１９	３５年以上	(156万3千円) １５１万５千円	３５年以上	(91万千円) ８８万４千円

注１　平成元年４月１日以降適用

２　上段（　）書きは、平成２年度予算計上単価である。

区分

第１表：・人員整理
・業務上死亡
・業務上傷病

第２表：・特例解雇
・特別常用従業員の人員整理

0077

(첨부 2)

주일미군 고용원 해고절차

구분		개요	절차	미일간의견의불일치가 있는 경우
고용원측에 귀책사유가 있는경우	부적격 해고	미측으로부터 업무상 부적격 사유가 인정된 경우	-미측은 일측과 협의, 인사조치 요구서를 일측에 송부 -일측, 동 내용을 고용원에게 통지	미.일합동위원회에 위임
	신체장애에 따른 해고	육체 또는 정신적 장애	-미측은 건강진단을 실시, 관계 서류를 일측에 송부 -미측은 일측과 협의, 인사조치 요구서를 일측에 송부 -일측은 동 내용을 고용원에게 통지	"
	병.상해에 의한 취로 불가능 해고	①업무상 병.상해 ②업무외의 병.상해 ③업무외의 결핵	①휴업보장비가 지급되는 최종일에 해고 ②180일의 무급휴가 최종일에 해고 ③병.상해 수당이 지급되는 최종일에 해고(상기의 경우, 고용원이 동 기간중 건강이 회복되면 근무에 복귀)	
	정신이상에 따른 해고	정신이상의 경우	-일본의 전문의가 정신이상이 있음을 결정하는 경우에 미측의 요구에 의거 해고	
	제재 해고	제재의 대상이 되는 중대한 위반행위가 있는 경우	-미측은 일측과 위반행위의 유무에 관해 협의한 후, 인사조치 요구서를 일측에 송부 -일측, 동 내용을 고용원에게 통지	미.일합동위원회에 위임
	보안 해고	보안상 위협이 있다고 인정되는 경우	-미측이 필요한 조사를 실시한 후, 보안상 위협이 있다고 인정하는 경우, 그 판정결과를 방위시설청장관에게 송부 -방위시설청장관으로부터 이의 없음을 통지받거나, 판정결과 송부후 4주가 경과하게 되는 경우, 미측은 일측에 해고를 요구 -일측은 미측의 요구후 즉시 해고 조치	

0078

구 분		개 요	절 차	미일간의견의불일치가 있는 경우
고용원의 신청에 의한경우	사 직	고용원이 사직을 희망하는 경우	적어도 2주전에 사표제출	
	55세 이상, 근속 15년 이상	55세 이상으로 15년 이상 근속한 고용원에 있어서 본인 또는 미측의 신청에 의해 상호 합의하는 경우	고용된 본인 또는 미측중 어느 일방으로부터 발의 가능	
일정조건을 충족, 자동적으로 해고되는경우	정 년	60세 생일을 맞는 경우	60세 생일을 맞는 상용고용원은 6월30일 또는 12월31일에 고용 종료	
	특별상용고용원(64세)	특별상용고용원(만 60세 정년이후 재고용된 자)이 64세의 생년을 맞는경우	64세 생일을 맞는 상용고용원은 6월30일 또는 12월31일에 고용 종료	
	특별고령고용원(당초 종사해온 업무의 종료)	특별고령고용원의 당초 종사업무가 종료한 경우	특별고령고용원이 당초 종사해온 업무가 종료한 경우, 미측이 고용 해제	
	고용기간의 만료.	고용기간이 만료된 경우	일용고용원, 한정기간고용원, 계절고용원, 특수기간고용원 및 시급제 임시고용원의 고용은 그 고용기간의 만료에 의해 자동 종료	
미측의 관리상의 사정에 의한경우	인원정리	미측예산상의 제한, 인원과잉 또는 기구변경등에 의해 인원을 감소할 필요성이 있는 경우	-미측은 가능한한 일측에 인원정리의 이유를 통지 -인원정리요구는 미측이 발의, 일측이 실시	
	특례해고	59세의 생일을 맞은 고용원은 미측의 업무관리상의 필요에 따라 해고되는 경우	-미측은 인사조치요구서를 일측에 송부 -일측은 동 내용을 고용원에게 통지	
기 타	사 망	고용원이 사망한 경우	-미측, 인사조치요구서를 일측 송부 -일측은 동 내용을 유족에 통지	

0079

別添 6

在日米軍従業員数の推移

年度＼契約別	基本労務契約及び船員契約関係	諸機関労務協約関係（HPTを含む）	計
	人	人	人
昭和47	36，559	7，143	43，702
48	30，020	4，345	34，365
49	25，890	3，441	29，331
50	21，534	3，009	24，543
51	20，141	2，883	23，024
52	19，403	2，671	22，074
53	18，570	2，447	21，017
54	18，097	2，487	20，584
55	17，910	2，554	20，464
56	17，837	2，701	20，538
57	17，678	3，007	20，685
58	17，595	3，210	20，805
59	17，498	3，305	20，803
60	17，440	3，677	21，117
61	17，217	4，135	21，352
62	17，351	4，401	21，752
63	17，332	4，732	22，064
平成 元	17，527	4，870	22，397

注：各年度とも3月末日現在である。
ただし、平成元年度は、5月末日現在である。

在日米軍従業員の解雇者数の推移

年度＼契約別	基本労務契約及び船員契約関係	諸機関労務協約関係	計
	人	人	人
昭和47	3，766	3，700	7，466
48	6，790	3，105	9，895
49	4，398	3，143	7，541
50	5，074	559	5，633
51	2，735	297	3，032
52	1，346	310	1，656
53	1，568	307	1，875
54	937	124	1，061
55	757	85	842
56	759	159	918
57	771	73	844
58	928	67	995
59	873	106	979
60	978	191	1，169
61	416	73	489
62	284	84	368
63	187	47	234
平成 元	0	0	0

注：平成元年度の解雇者数は、5月末日現在である。
↳臨措法上の解雇者
（人員整理、特例解雇、業務上の死傷病）

0080

10

「駐留軍関係離職者等臨時措置法」及び「雇用対策法」 抜粋

駐留軍関係離職者等臨時措置法（抄）

昭和三三・五・一七法律一五八号

（目的）
第一条 この法律は、日本国に駐留するアメリカ合衆国の軍隊又は本邦の領域内にあつた国際連合の軍隊の撤退等に伴い、多数の労務者が特定の地域において一時に離職を余儀なくされることの実情にかんがみ、これらの者に対し特別の措置を講じ、もつてその生活の安定に資することを目的とする。

（中央駐留軍関係離職者等対策協議会の設置）
第三条 総理府に、中央駐留軍関係離職者等対策協議会（以下「中央協議会」という。）を置く。

（中央協議会の所掌事務）
第四条 中央協議会は、第一条の目的を達成するため、駐留軍関係離職者等に対する施策について関係行政機関相互の連絡調整を図るものとする。

（中央協議会の組織）
第五条 中央協議会は、会長及び委員十三人以内をもつて組織する。

3 委員は、関係行政機関の職員の中から、内閣総理大臣が任命する。

（職業訓練等についての特別措置）
第十条 駐留軍関係離職者又は第二条第一号、第四号若しくは第八号に掲げる者に該当する労務者である者に対する公共職業訓練施設の行う職業訓練については、必要に応じ、職業訓練校の設置、新たな教科の追加、夜間における職業訓練等特別の措置が講ぜられるものとする。

2 国は、予算の範囲内において、政令の定めるところにより、職業訓練校に係る前項の特別の措置に要する経費の全部又は一部を負担することができる。

3 防衛施設庁長官は、防衛庁設置法（昭和二十九年法律第百六十四号）第五条第三十七号に掲げる事務として、第二条第一号に掲げる者に該当する労務者である者が離職した場合に速やかに他の職業に就くことができるようにするため、講習会の開催等職業に必要な知識技能を授けるための特別の措置を講ずることができる。

（就職指導等）
第十条の二 公共職業安定所は、駐留軍関係離職者であつて次の各号に該当すると公共職業安定所長が認定したものに対し、労働省令の定めるところにより、その者の再就職を促進するために必要な職業指導（以下「就職指導」という。）を行なうものとする。

一 当該離職の日が昭和三十九年一月一日以後であること。

二 第二条第一号に掲げる者に該当する労務者として一年以上在職していたこと。

三 労働の意思及び能力を有すること。

四 当該離職の日以後において新たに安定した職業についたことのないこと。

五 前にこの項の規定による認定を受けたことのないこと。

2 公共職業安定所は、駐留軍関係離職者であつて次の各号のいずれかに該当すると公共職業安定所長が認定したものに対しても、前項の就職指導を行なうことができる。

一 前項各号（第四号を除く。）に該当する者であつて当該離職の日以後新たに安定した職業についた日の翌日から起算して一年以内にその者の責に帰すべき理由又はその者の都合によらないでさらに離職し、かつ、その離職が同項第一号の離職の日の翌日から起算して三年以内であるもの

二 前項の規定による認定を受けた後において新たに安定した職業についたことによりその認定が第五項の規定により取り消された者であつて当該職業についた日の翌日から起算して一年以内にその者の責に帰すべき理由又はその者の都合によらないでさらに離職し、かつ、その離職が前項第一号の離職の日の翌日から起算して三年以内であるもの

4 第一項及び第二項の規定による認定は、当該認定を受けた者の第一項第一号の離職の日の翌日から起算して三年を経過したときは、その効力を失う。

（給付金の支給）
第十条の三 国は、駐留軍関係離職者がその有する能力に適合する職業に就くことを容易にし、及び促進するため、駐留軍関係離職者又は事業主に対して、雇用対策法の規定に基づき、給付金を支給するものとする。

（駐留軍関係離職者のための住宅）
第十一条 国は、アメリカ合衆国の軍隊から返還された国有財産（国有財産法（昭和二十三年法律第七十三号）に規定する国有財産をいう。以下同じ。）であつて駐留軍関係離職者の住宅の用に供することを適当と認めるもの及びその他の国有財産で第二条第一号に掲げる者の住宅の用に供されていたものを、必要がある場合においては、駐留軍関係離職者の就職を容易にするためその臨時の住宅の用に供するよう配慮するものとする。

（返還された国有の財産の譲渡及び貸付）
第十二条 国は、アメリカ合衆国の軍隊から返還された国有の財産（国有財産及び物品管理法（昭和三十一年法律第百十三号）に規定する物品のうち国が所有するものをいう。以下同じ。）を、駐留軍関係離職者が有する株式若しくは出資の金額の合計額がその資本の額若しくは出資の総額の二分の一をこえる法人又はその経営する事業に従事する従業員の過半数が駐留軍関係離職者である法人に対し、通常の条件よりも有利な条件で、譲渡し、又は貸し付けることができる。ただし、国有財産法その他国有の財産の管理及び処分に関する他の法令の規定の適用を妨げない。

（資金の融通のあつせん）
第十三条 関係行政機関は、駐留軍関係離職者の経営する事業、前条に規定する法人の経営する事業その他多数の駐留軍関係離職者が関係している事業について、駐留軍関係離職者の自立に資するため、その必要とする事業資金の融通のあつせんに努めなければならない。

（特別給付金の支給）
第十五条 政府は、第二条第一号に掲げる者に該当する労務者であつて、政令で定める期間以上在職したものが、アメリカ合衆国の軍隊の撤退、移動、部隊の縮少若しくは予算の削減その他政令で定める理由の発生に伴い離職を余儀なくされ、又は業務上死亡した場合には、予算の範囲内において、政令の定めるところにより、当該離職を余儀なくされた者若しくはその者の遺族又は当該死亡した者の遺族に対し、特別給付金を支給することができる。

→ 特例解雇

（援護業務）
第十八条 雇用促進事業団は、雇用促進事業団法（昭和三十六年法律第百十六号）第十九条に規定する業務のほか、当該業務の遂行のみによつては駐留軍関係離職者の再就職の促進に関する措置がなお不十分であると認められる現状に対処するため、駐留軍関係離職者が事業を開始する場合において、必要な資金の借入れに係る債務の保証及びこれに附帯する業務を行うことその他駐留軍関係離職者の再就職の促進及びその生活の安定に関し必要な業務を行う。

附 則

（施行期日）
1 この法律は、公布の日から施行する。

3 この法律は、公布の日から起算して三十五年を経過した日にその効力を失う。

雇用対策法（抄）

昭和四一・七・二一法律一三二号

（職業転換給付金の支給）
第十三条 国及び都道府県は、他の法令の規定に基づき支給するものを除くほか、労働者がその有する能力に適合する職業につくことを容易にし、及び促進するため、求職者その他の労働者又は事業主に対して、政令で定める区分に従い、次の各号に掲げる給付金（以下「職業転換給付金」という。）を支給することができる。

一 求職者の求職活動の促進とその生活の安定とを図るための給付金

二 求職者の知識及び技能の習得を容易にするための給付金

三 広範囲の地域にわたる求職活動に要する費用に充てるための給付金

四 就職又は知識若しくは技能の習得をするための移転に要する費用に充てるための給付金

五 求職者を作業環境に適応させる訓練を行なうことを促進するための給付金

六 前各号に掲げる給付金以外の給付金であつて、政令で定めるもの

0081

第11章　自己の意思によらない雇用の解除（人員整理及び特例解雇）

（昭.58.12.22.改定第385号改正　昭.59.1.1.適用）

A節　人員整理

（昭.43.　1.12.改定第156号8c(2)改正　昭.42.8.1.適用）
（昭.45.　3.10.改定第204号7a改正）
（昭.45.　3.31.改定第205号8c(2)改正　昭.45.4.1.適用）
（昭.50.　2.27.改定第284号1c改正、1d(2)、5b追加）
（昭.50.　6.25.改定第290号1d、e、f、4、5、6b、c、e、g、9、10改正）
（昭.51.　6.29.改定第310号4改正）
（昭.58.12.22.改定第385号6b本文改正）

1　定　　義

a　人員整理

人員整理とは、3に定めるところにより、人員を削減するため、1人又はそれ以上の従業員の雇用をその意思に反して解除することをいう。

b　競合地域

競合地域とは、競合地域として指定された1組織体又は組織体の1群をいう。

c　競合職群

競合職群は、1競合地域内において職種名及び等級を等しくするすべての職務を含むものとする。ただし、特別常用従業員については、別個の競合職群を常用従業員とは別に設けるものとする。A側は、職務及び責任が類似している職種名を1競合職群に包含することについて、6に定める協議内にB側の勧告を考慮することができるものとする。

d　認められる雇用期間

人員整理のための認められる雇用期間は、第4章L節に定めるところと同一の基準による場合に従業員が有することとなる継続した雇用期間の長さとし、1952年4月29日前から引き続き勤務している従業員については、同日前の継続した雇用の長さを含むものとする。ただし、この規定は、特別常用従業員には適用しないものとする。

e　在籍者名簿

－147－　　0082

(1) 常用従業員の在籍者名簿とは、B側が、1競合地域内の常用従業員を競合職群別に、及び認められる雇用期間の長さの順に列記して作成した記録文書をいう。

(2) 特別常用従業員の在籍者名簿とは、B側が、1競合地域内の特別常用従業員を競合職群別に、及び生年月日の新しさの順に列記して作成した記録文書をいう。

f 人員整理のための分離点

(1) 常用従業員の分離点とは、人員整理によって解雇される常用従業員の氏名と雇用にとどめられる常用従業員の氏名とを分ける在籍者名簿上の点をいい、従業員の氏名を、解雇されるべき数だけ、同名簿の最下段から上に向ってかぞえて決定されるものとする。認められる雇用期間の最も長い従業員を在籍者名簿の最上段に、また、認められる雇用期間の最も短い従業員を同名簿の最下段に置くものとする。

(2) 特別常用従業員の分離点とは、人員整理によって解雇される特別常用従業員の氏名と雇用にとどめられる特別常用従業員の氏名とを分ける在籍者名簿上の点をいい、従業員の氏名を、解雇されるべき数だけ同名簿の最下段から上に向かってかぞえて決定されるものとする。生年月日の最も新しい従業員を在籍者名簿の最上段に、また、生年月日の最も先の従業員を同名簿の最下段に置くものとする。

2 競合地域の設定

競合地域は、可能な限り広範囲、かつ、施設単位に、A側が設定するものとする。B側は、競合地域の設定及び変更が行なわれた場合には、直ちに通知を受けるものとする。

人員整理の適用

人員整理は、通常、予算上の制限、人員過剰又は機構の変更に基づき、競合地域を閉鎖し、又は競合地域内の競合職群における人員の総数を減少させる必要がある場合に限り行なわれるものとする。

4 整理を最小限度にすること

a 両当事者は、人員整理が予期される場合には、その人員整理を最少限度にするために、できる時は必ず調整を行うものとする。職場の能率的な運営に特に支障がなければ、出来る限り、その人員整理の通告が現に発せられる前に、B

側の代理者は退職希望者を推薦し、契約担当官代理者はそれを受理することができるものとする。

b A側は、人員整理されることとなっている従業員をもって、その先任順に、できる限り欠員を補充するものとする。その従業員が、欠員である職位を占めるだけの資格があり、かつ、これに同意する場合には、同一競合地域内において配置され、又は転任されるものとする。A側が欠員を補充するために人員の提供を要求する必要がある状態である場合には、B側は、第1章の規定によってその要求を処理するものとする。ただし、この規定は、特別常用従業員には適用しないものとする。

5 人員整理の基準

a 人員整理手続に基づき雇用を解除すべき個々の常用従業員を選定するための基本的な基準は、常用従業員として認められる雇用期間の長さとする。ただし、別に定めるところにより、退職を希望する従業員には優先権が与えられるものとする。

b 人員整理手続に基づき雇用を解除すべき個々の特別常用従業員を選定するための基本的な基準は、生年月日の新しさの順とする。ただし、別に定めるところにより、退職を希望する従業員には優先権が与えられるものとする。

c 特別常用従業員は、同一競合地域における同一職種の常用従業員に先立ち人員整理されるものとする。特別常用従業員の人員整理は、1 e (2)、1 f (2)及び6 b (2)の規定に従って処理されるものとする。

6 手　続

A側は、人員整理すべき従業員数及び職種を決定する場合には、できる限りB側にその理由を通知し、雇用の安定を最大限に確保するために、十分な事前の調整を図るものとする。人員整理要求は、A側が発議し、B側が実施するものとする。

a 要求の時期及び内容

契約担当官代理者は、できる限り事前に、かつ、解雇通知発出日の少なくとも15日前までに、要求書をB側の代理者に送付するものとする。要求書には、次の事項を明記するものとする。

(1) 人員整理の理由

3に掲げる人員整理の理由。契約担当官代理者は、人員調整の詳細な理由

0083

を知らせることが可能であり、かつ、適当と認める場合には、要求に応じ、B側の代理者にこれを通知するものとする。

(2) 人員整理の範囲

解雇する職種別従業員数。施設の組織機構内において、職種が整理される場所を明確にする十分な資料を添附するものとする。

(3) 効力発生日

人員整理に基づく解雇の効力の発生日

b 在籍者名簿の作成

B側の代理者は、人員整理要求書を受領したときは7日以内に、競合地域及び競合職群別の在籍者名簿を常用従業員（フルタイム）、常用従業員（パートタイム）、特別常用従業員（フルタイム）及び特別常用従業員（パートタイム）に分けて作成するものとする。これらの人員整理のための名簿は、それぞれ別個で、かつ、独立したものとして考慮され、相互に競合しないものとする。B側の代理者は、分離点を表示した在籍者名簿1部を該当の部隊の契約担当官代理者に送付するものとする。在籍者名簿は人員整理通知書発出日の少なくとも7日前には、すべての従業員が見ることができるような部隊の掲示板に掲示するとともに、要求に応じて従業員又は正当に認められた組合の代表者に閲覧させるため労務管理事務所に備えておかなければならないものとする。

(1) 常用従業員のこの在籍者名簿は、常用従業員を認められる雇用期間の長さの順に列記して作成するものとし、認められる雇用期間の長さが同一であるために同順位となる場合で、なお順位をつけて一方の従業員が留任し、他方の従業員が解雇される結果となるべき場合には、年下の従業員を解雇のために選ぶことにより順位をつけるものとする。

(2) 特別常用従業員のこの在籍者名簿は、特別常用従業員を生年月日の新しさの順に列記し、生年月日の最も新しい従業員を在籍者名簿の最上段に、また、生年月日の最も先の従業員を同名簿の最下段にして作成するものとする。

c 退職希望者

(1) 競合地域内

B側の代理者は、人員整理の発効日の14日前まで、該当の競合地域及び競合職群に属するかぎりどの常用従業員からでも、人員整理による退職希望

の申出を受理するものとする。ただし、この期間内に、この申出の数が該当の競合職群内での整理すべき常用従業員の数に等しくなった場合には、その競合職群内での人員整理による退職希望の申出は、それ以上受理しないものとする。特別常用従業員にあっては、この規定は、特別常用従業員の在籍者名簿に列記された者のみに適用するものとする。

(2) 競合地域外

前記による人員整理による退職希望の申出の数が不足であり、かつ、競合地域外の同様の職群の従業員が辞職を希望していることが判明した場合にB側の代理者の勧告があったときは、契約担当官代理者は、その辞職を受理すること、及び人員整理すべき常用従業員をその常用従業員の辞職により欠員となる職務へ転任させることを考慮することができるものとする。ただし、この規定は、特別常用従業員には適用しないものとする。

d 人員整理通知書

B側の代理者が人員整理要求書を受領した後15日の期間内に、一の競合地域及び競合職群内で、退職希望者の数が人員整理すべき従業員の数より少ない場合又はc(2)によって転任が行なわれる場合には、B側の代理者は、残りの数に等しい数の人員整理通知書を発出するものとする。人員整理通知書は、人員整理要求書を受理した日の後15日以内に発出するものとする。ただし、人員整理要求書で、通知の発出について、より遅い日を指定している場合には、この限りでない。各人員整理通知書には、従業員が通知を受領した日の後、少なくとも30日以後の日を解雇発効日として明記するものとする。従業員はその明記された解雇発効日に解雇されるものとする。B側は、人員整理による退職希望者の氏名及び人員整理通知書を発出した従業員の氏名をA側に通知するものとする。

e 人員整理通知書の撤回

人員整理通知書発出の後、解雇発効日の14日前までは、前記cの規定に従って、同一の在籍者名簿の分離点より上の従業員が退職を希望し、又は申出た場合には、分離点より下の同数の従業員を、1fの定めるところにより常用従業員にあってはその認められる雇用期間の長さの順に、また、特別常用従業員にあってはその生年月日の新しさの順に雇用にとどめるものとする。ただし、この場合には、これらの従業員が人員整理通知書の撤回について文書をもって

0084

同意することを要するものとする。

f 解雇手当

A側が30日の予告期間の満了前の人員整理の発効日を希望する場合には、契約担当官代理者は、その旨をB側の代理者に文書により通知するものとし、B側の代理者は、指定された日を解雇発効日とする人員整理通知書を従業員に発出するものとする。なお、A側が人員整理の発効日を繰り上げることを希望する場合は、契約担当官代理者は、その旨をB側の代理者に文書により通知するものとし、B側の代理者は、該当従業員に対し、新たな発効日を示す人員整理変更通知書を発出するものとする。前記の30日の期間が満了する前に人員整理される従業員に対しては、第4章B節に定める解雇手当を支給するものとする。

g その他の調整

(1) 人員整理による解雇発効日の前に、在籍者名簿の分離点より上にその氏名がある常用従業員が他の手続で解雇され、又は自己の意志で退職する場合には、同名簿により、雇用が解除されるべき従業員の数について相応の調整をするものとする。人員整理による解雇に選定された同名簿上の常用従業員はその認められる雇用期間の長さの順に雇用にとどめられるものとする。ただし、この場合には、それらの従業員が人員整理通知書の撤回に同意することを要するものとする。

(2) 人員整理による解雇発効日の前に、在籍者名簿の分離点より上にその氏名がある特別常用従業員が他の手続で解雇され、又は自己の意志で退職する場合には、同名簿により雇用が解除されるべき従業員の数について相応の調整をするものとする。人員整理による解雇に選定された同名簿上の特別常用従業員はその生年月日の新しさの順に雇用にとどめられるものとする。ただし、この場合には、それらの従業員が人員整理通知書の撤回に同意することを要するものとする。

7 通　則

a 権利及び給付

この章の4、6c及び8c(2)に定めるところにより雇用を解除される従業員に対しては、その解除が本人の意思によらないものとして、次に掲げるものを除き完全な権利及び給付を与えるものとする。

(1) 4に定めるところにより雇用を解除される従業員に対しては、その者がA側の認める期日に退職することに同意する場合でなければ、第4章L節6に定める人員整理退職手当の支給を認めないものとする。

(2) 解雇手当は、人員整理における希望退職者には、支給しないものとする。

b 管理休暇

従業員は、解雇予告期間内は、新たな就職口を探すため、3日の有給管理休暇をとることができるものとする。人員整理の発効日が延期される場合には、従業員は、各10日間の延期につき1日の追加の管理休暇をとることができるものとする。この休暇に代わる給与の支給は、行なわないものとする。

c 傷病休暇中の人員整理

従業員が第7章C節に定める傷病による就労不能である間に、在籍者名簿上人員整理の対象となる場合には、次に掲げる措置をとるものとする。

(1) 業務外の傷病

結核以外の業務外の傷病の場合には、B側は、人員整理による解雇発効日に効力を発生する人員整理通知書を発出するものとし、従業員には、退職手当の全額を支給するものとする。

(2) 業務外の結核及び業務上の傷病

業務外の結核及び業務上の傷病の場合には、従業員は、人員整理の対象とされるが、人員整理通知書の発出は、次の場合の一に該当するまで、保留するものとする。

(a) 従業員が傷病手当金又は休業補償費を支給される最後の日以前に回復する場合には、その給付がなされる最後の日の後30日目に効力を発生する人員整理通知書を発出するものとし、その従業員には、30日分の休業手当及び退職手当の全額を支給するものとする。

(b) 従業員が、(a)の日まで回復しなかった場合には、第10章3f(2)及び(3)に定めるところにより解雇するものとする。

(c) 8aに規定する閉鎖の場合には、この種の就労不能の従業員は、人員整理に含まれるものとし、他のすべての従業員に対すると同様に適当な人員整理通知書を発出するものとする。

d 妊娠休暇中の人員整理

女子従業員が、第7章D節に定める妊娠休暇をとっている間に、在籍者名簿上人員整理の対象となる場合には、人員整理通知書の発出は、妊娠休暇が終わるまで保留するものとする。この場合には、妊娠休暇の最終日の後30日目に効力を生ずる人員整理通知書を発出するものとし、従業員には30日分の休業手当及び退職手当の全額を支給するものとする。8aに規定する閉鎖の場合には、妊娠休暇中の従業員は、人員整理に含まれるものとし、他のすべての従業員に対すると同様に、適当な人員整理通知書を発出するものとする。

e 転任及び配置転換の制限

いかなる従業員も、人員整理を計画している競合地域に、雇用を解除する目的で、転任又は配置転換させられることはないものとする。

f 雇用の制限

人員整理を行なわなければならないことが判明している期間及び人員整理の効力発生日の後2月以内は、臨時に雇用する場合又は緊急を要する場合を除き、人員整理を予定している競合地域内の競合職群には、新たに従業員を雇用しないものとする。

g 人員整理期間中の死亡

従業員が、人員整理の予告を受けた後又は退職希望者として受理された後人員整理の発効日までの間に死亡した場合には、遺族は、従業員が死亡しなければ受給資格があった人員整理退職手当の死亡日現在における相当あん分割りに等しい金額の受給を認められるものとする。

8 閉鎖、漸次閉鎖又は所在地の移動

a 閉　鎖

1の競合地域が、全従業員を同一の日に解雇して閉鎖になる場合には、次に掲げる措置をとるものとする。

(1) 解雇の要求

A側は、予定される閉鎖の期日に関する通告書及び解雇予告を全従業員に発する旨の要求書を、できる限り事前に、かつ、解雇通知書の発出日の少なくとも15日前にB側の代理者に送付するものとする。

(2) 解雇の通知

B側の代理者は、全従業員に所要の解雇予告を発するものとする。

(3) 解雇手当

30日の予告期間が満了する前に閉鎖が行なわれる場合には、解雇通知書

に、解雇発効日及び所定の解雇手当を支払う旨を記載するものとする。

(4) 管理休暇

従業員は、解雇予告期間内は、新たな就職口を探すため、3日の有給管理休暇をとることができるものとする。人員整理の発効日が延期される場合には、従業員は、各10日間の延期につき、1日の追加の管理休暇をとることができるものとする。この休暇に代わる給与の支給は、行なわないものとする。

b 漸次閉鎖

一の競合地域が段階的に閉鎖になる場合には、次に掲げる措置をとるものとする。

(1) 通　告

A側は、予定される漸次閉鎖の期日に関する通告書を、できる限り事前に、かつ、解雇通知の発出日の少なくとも15日前に、B側の代理者に送付するものとする。

(2) 手　続

この章に定める人員整理手続に従うものとする。ただし、漸次閉鎖の下における特殊な事情に適応するため、新たな競合地域を設定することができるものとする。

(3) 要　求

人員整理要求書には、従業員の漸次削減を整然と行なうために適用すべき競合地域を記載するものとする。

c 所在地の移動

1組織体又は組織体の一群が他の場所に移動する場合には、次に掲げる措置をとるものとする。

(1) 通　告

A側は、予定される移動の期日に関する通告書を、できる限り事前に、B側の代理者に送付するものとする。

(2) 手　続

(a) 通勤距離内

現在の所在地を管轄する契約担当官代理者及びB側の代理者が現在の所在地から通常通勤できる距離内にあると決定した地域に移動が行なわれる

0086

場合には、全従業員を新たな所在地に転動させるものとする。この転動を拒否する従業員は、第１０章の規定に従って辞職したものとみなされ、この契約に定める他のいかなる雇用の終了手続にもかかわりなく、所在地移動の日をもって雇用が終了するものとする。この場合、転動のため基本給又は諸手当が減少する結果となるときは、従業員は、７ａに定める権利及び給付を得て辞職することができるものとする。また、移動の結果従業員の現住所からの通勤が移動前より著しく、困難となる場合には、従業員は、両当事者の合意に基づき、右に定めると同様にして、辞職することができるものとする。

(b) 通勤距離外

(a)に定めるところにより現在の所在地から通常通勤できる距離外にあると決定された地域に移動が行なわれる場合には、転動希望を表明しない従業員は、７ａに定める権利及び給付を得て、所在地移動の日をもって解雇されるものとする。この解雇は、この契約に定める他のいかなる雇用の終了手続にもかかわりなく、Ａ側の要求に基づいて、３０日の予告を与えた上で実施されるものとする。

(c) 給与及び諸手当

(a)及び(b)により、新たな所在地に転任する従業員には、新たな所在地に適用される給与及び諸手当のみを支給するものとする。ただし、第４章Ａ節６に規定する調整手当を除く。

d 制　　限

漸次閉鎖の場合において、妊娠休暇中の従業員及び結核又は業務上の傷病により就労不能の従業員は、漸次閉鎖の最終段階において解雇されるものとする。

苦情の申立

人員整理通知書を受領した従業員は、常用従業員にあってはその認められる雇用期間が、また、特別常用従業員にあってはその生年月日が正しく決定されていないと信ずるときは、Ｂ側で定めた手続に従って、その措置について、Ｂ側に苦情の申立てをすることができるものとする。解雇は、苦情の申立てがあった場合においても、延期されないものとする。従業員の申立てが正当である旨の決定が行われた場合には、その従業員を復職させ、解雇の日から復職の日までの通常給与を支給するものとする。

10　再 雇 用

人員整理の日の後１２月以内に、同一の競合職群及び競合地域内又は同一のＢ側の代理者の管轄区域内で、人員を雇用する必要が生ずる場合には、人員整理された常用従業員は、適格で、かつ、Ｂ側の代理者にその者より住所の変更が通知されている限り在籍者名簿で決定された認められる雇用期間の順に、再雇用されるものとする。

Ｂ節　特例解雇

（昭.58.12 22.改定第385号追加　昭.59.1.1.適用）

1　特例解雇

Ａ側の業務管理上の必要により、第５９回の誕生日を迎えた常用従業員を解雇することができるものとする（以下「特例解雇」という。）。

2　Ａ側の決定権限

暦年の四半期ごとに、Ａ側は、特例解雇の対象となり得る従業員を次の三つのグループに分けるものとする。

a　５９歳で特例解雇により解雇される従業員

これらの従業員の解雇は、次の３に従って手続されるものとする。

b　６０歳で定年により雇用の終了する従業員

これらの雇用の終了は、第１０章３ｊに従って手続されるものとする。

c　第１０章３ｊに規定する定年による雇用の終了の後に、従業員の同意の上で特別常用従業員として再雇用される従業員

この特別常用従業員としての再雇用は、第１章Ｂ節９に従って手続されるものとする。

3　手　　続

a　解雇発効日

特例解雇は、常用従業員の第５９回の誕生日以後の３月３１日、６月３０日、９月３０日又は１２月３１日のいずれか最も早い日に限り発効するものとする。

b　要求の時期及び内容

契約担当官代理者は、特例解雇の発効日の少なくとも４５日前までに要求書をＢ側の代理者に送付するものとする。この要求書には、発効日及び解雇理由としての「特例解雇」を明記するものとする。

0087

c 解雇通知書

B側の代理者は、特例解雇により解雇される常用従業員に解雇通知書により解雇発効日の少なくとも30日前までに解雇予告を与えるものとする。B側の代理者は、解雇通知書を発出した従業員の氏名を契約担当官代理者に通知するものとする。

d 前記aの規定にかかわらず、次に掲げる期間内に第59回の誕生日を迎えた又は迎える常用従業員の特例解雇の発効日は、次のとおりとする。

期間	特例解雇の発効日
1983年1月1日から同年1月31日まで	1984年3月31日
1983年2月1日から同年6月30日まで	1984年4月30日
1983年7月1日から同年9月30日まで	1984年6月30日
1983年10月1日から同年12月31日まで	1984年9月30日
1984年1月1日から同年3月31日まで	1984年12月31日
1984年4月1日から同年6月30日まで	1985年3月31日
1984年7月1日から同年12月31日まで	1985年6月30日
1985年1月1日から同年6月30日まで	1985年9月30日
1985年7月1日から同年9月30日まで	1985年12月31日

4 傷病休暇中の特例解雇

解雇日に業務上の傷病により労働者災害補償保険法に基づく休業補償費を受けている従業員の解雇は、第10章7によるものとする。業務外の傷病休暇中の従業員及び業務外の傷病又は結核による無給休暇中の従業員の解雇は、延期されることはないものとする。

第12章 苦情処理手続

0088

"노 사 관 계 안 정"

노 동 부

근기01254-4826 503-9742 1990.4.3.

수신 외무부장관

제목 질의서 이첩

한국노동조합총연맹으로부터 한.미 행정협정 노무조항 개정에 대한 건의 사항이 있어 동 건의서 사본 1부를 송부하니 적절한 조치를 취하여 주시기 바랍니다.

첨부 : 건의서 사본1부. 끝.

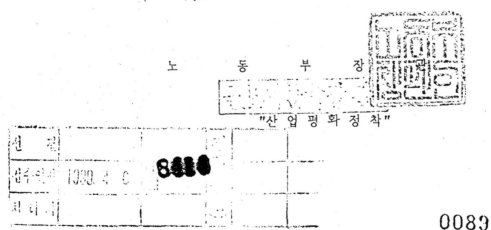

노 동 부 장 관

"산 업 평 화 정 착"

선 결		
접수일시	1990. 4. 0	8888
처리과		

0083

노동 ―권익위해정치활동보장―

韓國勞動組合總聯盟

서울特別市 永登浦區 汝矣島洞 35番地

WWbskc FEDERATION OF KOREAN TRADE UNIONS

電話 (782) 3884~7

DATE 1990. 3. 3.

노총정연 제 97 호

수 신 수신처 참조

제 목 한.미행정협정 노무조항의 개정요구

1990년 2월 21일 - 22일 양일간에 걸쳐 개최된 당연맹의 '90년도 전국 대의원대회에서 첨부와 같은 의안을 채택하고 이의 해결을 위한 적극적인 노력을 경주하기로 결의한 바, 당연맹의 요구사항을 정책에 최대한 반영하여 주시기 바랍니다.

첨 부 : 한.미행정협정 노무조항 개정의안 1부. 끝.

No. 3 송 1990. 3. 05 한국노동조합총연맹

5651

한 국 노 동 조 합 총 연 맹

위 원 장 박

수신처 : 민자당 최고의원, 평민당 총재, 청와대, 국회노동위원회 위원장, 노동부 장관, 외무부 장관

노조 탄압하는 삼성 제품 사지 맙시다

0090

WWbskc

요 구 내 용

1. 한.미행정협정(SOFA) 노무조항의 개정

1) 제 17조 1항

주한미군은 고용원 정의에서 "한국국적을 가진 민간인으로 하며"로 되어 있으나 제8조(출입국)은 미군구성원(여권 및 사증) 군속 및 그들 가족에 관한 한국의 법령으로부터 면제된다고 규정하고 있는 바, 미군 혹은 군속 가족이 대한민국 국적을 가진 민간인 일자리에 취업하는 것은 출입국 관리법 목적외 사항이므로 우리의 실업자보호차원에서 규제조항이 삽입되어야 함.

- 한.미행협 노무조항의 목적사항은 원칙적으로 한국의 노동관계법령을 따르게 되어있으므로 "규제"사항을 명백히 해야함.

2) 제 17조 3항

"본조의 제규정과 미군의 군사상 필요에 배치되지 않는한" 미군은 그들의 고용원을 위하여 설정한 고용의 조건 보상 및 노사관계에 있어서 대한민국의 노동관계 법령을 준수하기로 되어있다.

- "배치되지 아니하는 한도"의 해석상 난문제로 대한민국법 적용이 애매하므로 그 정의를 "전쟁 및 절박한 국가비상시"로 명문화 해야함.

3) 제 17조 4항

동조항에 쟁의냉각기간이 70일로 되어있으나 10일로 개정되어야 함.

- 대한민국법을 준수한다는 원칙에 따라 반드시 개정되어야 함.

0091

2. 주한미군의 예산감축 및 기지이전으로 인한 감원대책 수립

주한미군의 예산감축 및 기지이전이 구체화되면서 기구축소 등으로 한인근로자들의 집단적 대량감원이 예상되므로 KNOP(이직교육)교육등의 구제방안 마련이 절실히 요망됨.

3. 주한미군산하 경비용역 하청업체의 덤핑입찰 금지

1) 주한미군산하 경비용역 하청과정에서 발생하는 덤핑입찰의 문제점을 지적하며, 미8군계약처의 공정원칙에 입각한 입찰정책으로 수정할 것을 요청함.

- 외기노련산하 경비노동조합협의회는 미8군계약처와 경비용역업체들의 비인도적인 입찰정책으로 인권유린 및 국내 악덕업자들의 덤핑입찰로 근로자들은 최저임금을 밑겉이하는 저임금으로 생활고에 시달리고 있음.

0092

AGREEMENT BETWEEN
JAPAN AND THE UNITED STATES OF AMERICA
CONCERNING SPECIAL MEASURES RELATING TO
ARTICLE XXIV OF THE AGREEMENT UNDER
ARTICLE VI OF THE TREATY OF
MUTUAL COOPERATION AND SECURITY BETWEEN
JAPAN AND THE UNITED STATES OF AMERICA,
REGARDING FACILITIES AND AREAS AND
THE STATUS OF UNTIED STATES ARMED FORCES
IN JAPAN

Japan and the United States of America,

Confirming that the United States armed forces maintained in Japan under the Treaty of Mutual Cooperation and Security between Japan and the United States of America and the Agreement under Article VI of the Treaty of Mutual Cooperation and Security between Japan and the United States of America, Regarding Facilities and Areas and the Status of United States Armed Forces in Japan (hereinafter referred to as "the Status of Forces Agreement"), both signed at Washington on January 19, 1960 (hereinafter referred to as "the United States armed forces"), contribute to the security of Japan and the maintenance of international peace and security in the Far East,

Recognizing that stable employment of the workers who are employed by Japan and render labor services to the United States armed forces or to the organizations provided for in paragraph 1 (a) of Article XV of the Status of Forces Agreement (hereinafter referred to as "the workers") is conducive to the effective operations of the United States armed forces,

Noting that recent economic changes involving both countries may jeopardize stable employment of the workers,

Recognizing that, for the purposes of seeking to maintain stable employment of the workers and thereby ensuring the effective operations of the United States armed forces, it is necessary to take special measures relating to Article XXIV of the Status of Forces Agreement which sets forth the principles on the sharing of expenditures incident to the maintenance of the United States armed forces,

Have agreed as follows:

ARTICLE I

Japan will bear, for the duration of this Agreement, a part, not to exceed one-half, of the expenditures in paying the following allowances to the workers:

(a) adjustment allowance, family allowance, commutation allowance and housing allowance;

(b) summer allowance, year end allowance and term end allowance; and

(c) retirement allowance.

ARTICLE II

Japan will determine, for each Japanese fiscal year, the actual amount of the expenditures that Japan will bear under Article I and will promptly notify the United States of America of such determination.

ARTICLE III

Japan and the United States of America may consult on all matters regarding the operation of this Agreement through the Joint Committee provided for in paragraph 1 of Article XXV of the Status of Forces Agreement.

ARTICLE IV

This Agreement shall be approved by Japan and the United States of America in accordance with their respective internal legal procedures. This Agreement shall enter into force on the date when diplomatic notes indicating such approval are exchanged, and shall remain in force until March 31, 1992.

IN WITNESS WHEREOF the undersigned, duly authorized for the purpose, have signed the present Agreement.

DONE in duplicate at Tokyo in the Japanese and English languages, both equally authentic, this thirtieth day of January, 1987.

FOR JAPAN:

Tadashi Kuranari

FOR THE UNITED STATES OF AMERICA:

Michael J. Mansfield

AGREED MINUTES TO THE AGREEMENT BETWEEN JAPAN AND THE UNITED STATES OF AMERICA CONCERNING SPECIAL MEASURES RELATING TO ARTICLE XXIV OF THE AGREEMENT UNDER ARTICLE VI OF THE TREATY OF MUTUAL COOPERATION AND SECURITY BETWEEN JAPAN AND THE UNITED STATES OF AMERICA, REGARDING FACILITIES AND AREAS AND THE STATUS OF UNITED STATES ARMED FORCES IN JAPAN

In connection with the discussions on Article I of the Agreement between Japan and the United States of America concerning Special Measures relating to Article XXIV of the Agreement under Article VI of the Treaty of Mutual Cooperation and Security between Japan and the United States of America, Regarding Facilities and Areas and the Status of United States Armed Forces in Japan (hereinafter referred to as "the Agreement"), the representatives of Japan and the United States of America have agreed to record the following:

1. It is confirmed that the allowances mentioned in Article I do not include those portions which have been already included in the part borne by Japan before the entry into force of the Agreement.

2. It is confirmed that "retirement allowance" in Article I (c) of the Agreement includes retirement allowances of any type except for retirement allowances for workers separated by the United States armed forces or by the organizations provided for in paragraph 1 (a) of Article XV of the Status of Forces Agreement through reduction in force and for workers whose employment is terminated for

0096

duty-connected disability or death due to duty-connected injury or illness.

Tokyo, January 30, 1987

FOR JAPAN:

Tadashi Kuranari

FOR THE UNITED STATES OF AMERICA:

Michael J. Mansfield

PROTOCOL AMENDING THE AGREEMENT
BETWEEN JAPAN AND THE UNITED STATES OF AMERICA
CONCERNING SPECIAL MEASURES RELATING TO
ARTICLE XXIV OF THE AGREEMENT UNDER
ARTICLE VI OF THE TREATY OF MUTUAL COOPERATION
AND SECURITY BETWEEN JAPAN AND
THE UNITED STATES OF AMERICA,
REGARDING FACILITIES AND AREAS AND
THE STATUS OF UNITED STATES
ARMED FORCES IN JAPAN

Japan and the United States of America,

Desiring to amend the Agreement between Japan and the United States of America concerning Special Measures relating to Article XXIV of the Agreement under Article VI of the Treaty of Mutual Cooperation and Security between Japan and the United States of America, Regarding Facilities and Areas and the Status of United States Armed Forces in Japan (hereinafter referred to as "the Special Agreement"), signed at Tokyo on January 30, 1987,

Have agreed as follows:

Article I

Article I of the Special Agreement is amended by deleting "a part, not to exceed one-half," and substituting in lieu thereof "all or a part".

0098

Article II

This Protocol shall be approved by Japan and the United States of America in accordance with their respective internal legal procedures. This Protocol shall enter into force on the date when diplomatic notes indicating such approval are exchanged, and shall remain in force for the period of the Special Agreement.

IN WITNESS WHEREOF, the undersigned, duly authorized for the purpose, have signed the present Protocol.

DONE in duplicate at Tokyo in the Japanese and English languages, both equally authentic, this second day of March, 1988.

FOR JAPAN:

Sousuke Uno

FOR THE UNITED STATES OF AMERICA:

L. Desaix Anderson

광 주 직 할 시

사회 32440-9093 (224-9454) 1990. 4. 25

수신 외무부 장관

제목 주한미군 철수로 인한 근로자 전업대책 건의

주한미군 철수계획에 따라 광주기지 비행장에 근무한 한국인 고용인들이 일자리를 잃게되는바 퇴직금은 매월 봉급과 같이 합산지급되어 퇴직시 통상받는 퇴직금도 받을수 없어 퇴직다음달부터 생계유지가 곤란할뿐만아니라 장년층에 있는자가 대부분이어서 년령초과로 지역에서의 재취업도 어려운 실정에 있어 부득이 다음 사항을 요구하고 있어 건의합니다

1. 고용현황

0.근로자 : 350명 (남자 313,여자 37)

.직종별 : 소방26,운전30,영선126,건물관리30,행정29,식당(PX)90 , 기타 19

.연령별 : 20-29세 20명

30-39세 64명

40-60세 266명

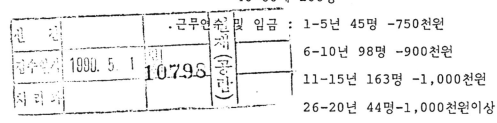

.근무연수 및 임금 : 1-5년 45명 -750천원

6-10년 98명 -900천원

11-15년 163명 -1,000천원

26-20년 44명-1,000천원이상

2. 건의사항

0.정부에서 별도의 퇴직금이나 생계대책비 지원

0.근로자 전업특별 대책

.실업자 전업훈련 이수과정 수료에 따른 전업훈련비 및 유사직종

0100

사회 32440-　　(224-9454)　　1990. 4. 25

취업알선 특별조치. 끝.

광 주 직 할 시 장

0101

MINISTRY OF FOREIGN AFFAIRS
REPUBLIC OF KOREA

5. 8 진행

April 23, 1990

Gen. Thomas A. Baker
Deputy Commander
United States Forces, Korea

Dear Gen. Baker:

I would like to acknowledge receipt of your letter dated April 13, 1990 in which you requested review on some issues raised by the USFK Korean Employees Union.

I share with you the opinion that the services and morale of the USFK Korean employees are important in maintaining the effectiveness of USFK and consequently serve for the mutual interest of the Republic of Korea and the United States. For this and other reasons of security cooperation and shared responsibility, I am always ready to positively consider any proposal regarding such matters as are made in vour letter. I have willingly reviewed those matters and enquired related agencies, the results of which are enclosed herewith.

Sincerely,

Kim Sam Hoon
Director General
Bureau of American Affairs
Ministry of Foreign Affairs
Republic of Korea

Enclosure

0102

MINISTRY OF FOREIGN AFFAIRS
REPUBLIC OF KOREA

April 23, 1990

Gen. Thomas A. Baker
Deputy Commander
United States Forces, Korea

Dear Gen. Baker:

I would like to acknowledge receipt of your letter dated April 13, 1990 in which you requested review on some issues raised by the USFK Korean Employees Union.

I share with you the opinion that the services and morale of the USFK Korean employees are important in maintaining the effectiveness of USFK and consequently serve for the mutual interest of the Republic of Korea and the United States. For this and other reasons of security cooperation and shared responsibility, I am always ready to positively consider any proposal regarding such matters as are made in your letter. I have willingly reviewed those matters and enquired related agencies, the results of which are enclosed herewith.

Sincerely,

Kim Sam Hoon
Director General
Bureau of American Affairs
Ministry of Foreign Affairs
Republic of Korea

Enclosure

담당	과장	심의관	국장

0103

Topic 1 : Private taxi permit(business Medallion) for USFK drivers

1. According to Article 15 of the Enforcement Regulation for Automoblile Transportation Business Act, Regulation No.357., as amended on September 10, 1987, the rule of selecting accident free drivers for granting taxi permits is as follows:

   a. Business car drivers(white and yellow plates), 6 Years of driving with 5 accident free years.

   b. Privately employed drivers(green plate), 11 years of driving with 10 accident free years.

2. Therefore, as USFK drivers pertains to the second category above, when they fulfill the conditions required of privately employed drivers they shall be eligible for business Medallions. Further implementational rules to solve problems of discrepancies between demand and supply for Medallions is to be decided by each provincial government as provisioned in Artice 2 of the said regulation.

0104

Topic 2 : Claims resulting from accidents involving Korean employee drivers

1. Claims settlement procedures on USFK Korean employee involved claims are detailed in Article 23, Paragraph 5 of the SOFA. According to this provision USFK Korean employee drivers, when on duty, need not be enforced any personal claim settlement so far as civil jurisdiction is concerned. USFK Korean drivers need some in advance knowledge on the SOFA claims article to prevent any undue involvement in claims. According to the aforementioned article USFK Korean employee drivers are also exempt from proceedings for the enforcement of any judgement by civil jurisdiction on a matter arising from the performance of their official duties.

2. Article 4 of the Special Act Concerning the Disposition of Traffic accidents exempts traffic accident incursors under insurance from being prosecuted by criminal jurisdiction. However, according to Article 4 of the Enforcement Decree on Automobile Damage Reparation Guarantee Act, Decree No. 17718 as amended on 29 June 1985, USFK owned vehicles are exempted from compulsory insurance, thus being it impossible to apply the said Special Act.

3. Therefore, to make USFK Korean employee drivers subject to the Special Act Concerning the Disposition of Traffic Accidents, it is required that USFK owned vehicles be put under a voluntary "general insurance" provisioned in Article 5 of the Automobile Damage Reparation Guarantee Act, Law No. 3774.

0105

공 란

공 란

공 란

공　　　란

공　　란

기 안 용 지

분류기호 문서번호	미안 01225-19999	(전화 : 720-2324)	시 행 상 특별취급	
보존기간	영구.준영구. 10. 5. 3. 1.	장 관		
수 신 처 보존기간				
시행일자	1990. 5. 4.			

보조기관	국 장	전 결	협조기관		문서통제
	심의관				검열 1990. 5. 7 통제관
	과 장				
기안책임자		김 인 철			발 송 인

경 유 수 신 참 조	광주직할 시장	발신명의	1990. 5. 0 외무부
제 목	광주 공군기지 고용원 장래 대책		

대 : 사협 32440-9093(1990.4.25)

1. 주둔군 지위협정에 의거 주한미군은 군사상 필요에 의한 경우 언제든지 고용원에 대한 고용을 종료시킬 수 있읍니다. (제17조에 대한 합의의사록 2항)

2. 따라서 광주 공군기지 고용원 장래 대책 문제는 한.미간 외교 경로를 통해서 해결될 사안이 아니며 전업 주선등 실업대책 차원에서 추진되어야 할 문제로 판단되는 바, 노동문제 관할 당국인 노동부에 동 문서를 이첩하였음을 알려드립니다. 끝.

0111

기 안 용 지

분류기호 문서번호	미안 01225- 19998	(전화 : 720-2324)	시 행 상 특별취급
보존기간	영구.준영구. 10. 5. 3. 1.	장 관	
수 신 처 보존기간			
시행일자	1990. 5. 4.		

보조기관	국 장	전 결	협조기관	문 서 통 제
	심의관			
	과 장			
기안책임자		김 인 철		발 송 인

경 유		발신명의	
수 신	노동부장관		
참 조	국방부장관(사본)		
제 목	문서이첩		

1. 광주직할시는 광주 공군기지에 배치된 주한미군 제42 전부 통신대가 '91 중반까지 철수함에 따른 동 기지 근무 350명의 한국인 고용원 장래 대책을 건의하여 왔습니다.

2. 주한미군의 군사상 필요에 의한 고용종료에 대한 대책은 전업 주선등 실업대책 차원에서 추진되이야 할 문제로 판단되는 바, 귀부에 동 문서를 이첩하오니 적의 조치하여 주시기 바랍니다.

첨 부 : 동 문서1부. 끝.

0112

교육·노동

실마리 못찾는 미군 경비용역업체 파업농성

생계비 밑도는 저임이 근본원인

파업 80일 넘기며 전국확산기미

미8군쪽 "용역업체 내부문제다" 팔짱만

정부도 "사용자 확실치않아" 개입 꺼려

"15년 근무했는데 여기서 버는 돈으로는 다섯식구 생활이 곤란합니다. 미군쪽이 우리의 최저생계비 지급 요구를 들어주지 않는 한 우리의 파업과 농성은 계속될 수밖에 없습니다."

매서운 바람이 온몸을 파고드는 추위 속에서 19일 오전 경기도 의정부시 가능2동 미 항공대 앞에서 농성을 벌이고 있는 미군 경비노동자들의 얘기다.

19일로 80일째를 맞은 주한미군 경비용역업체 노조원들의 파업·농성은 아직도 아무런 사태 해결의 실마리를 찾지 못한 채 오히려 퍼져가고 있어 경비노동자들의 농성도 당분간 계속될 수밖에 없을 것으로 보인다.

지난 12일 문산지역 미군부대 경비를 담당해오던 (주)한국경보 노조(위원장 박종칠·40) 소속 노조원 3백여명과 서울·춘천·횡성지역 미군부대 경비원 4백80여명이 새로 파업에 동참함으로써 파업은 전국으로 퍼져갔다.

그러나 미8군쪽은 이번 사태를 용역업체의 내부문제로만 돌리고 있고, 정부도 사용자가 확실치 않다는 등의 이유로 전혀 개입을 하지 않고 있다.

파업이 전국으로 퍼져가자 파업에 참가하고 있는 (주)신원기경·(주)봉신기업·(주)경화실업·(주)한국경보 등 4개 노조로 구성된 '경비노동협의회'는 지난 13일 긴급회의를 갖고 △임금 10만원 정액 인상과 상여금 6백%로 인상 △현행 3년 단위의 계약을 해마다 실시할 것 △인원이 감축되지 않고 고용조건이 악화되지 않는 고용승계 보장 △현 노조집행부의 대표권 인정 등의 요구사항을 재확인하는 한편 미8군과의 직접협상을 요구하고 나섰다.

(주)신원기경 등 미군부대 경비를 맡아온 3개 용역업체 노조원 1천2백여명은 지난 10월1일 (주)한국경보가 지난해에 비해 불과 3%밖에 인상되지 않은 금액에 경비업무를 낙찰받자 덤핑낙찰 철회 등을 요구하며 전면 파업에 들어갔다. 이들 노조원들은 부대 앞에서 교대로 농성을 벌이며 (주)한국경보의 대체인력 투입을 저지해왔다. 이 과정에서 신·구업체 노동자간의 몸싸움이 잦았으며 지난달 19일에는 의정부시 금오동 캠프에세이온 앞에서 대체인력 투입을 저지하는 노동자들에게 미군 헌병이 도끼자루를 휘둘러 상처를 입히고 20일에는 노동자들의 비닐막사를 장갑차로 밀어붙여 물의를 빚었다.

또 경비노동자들의 파업이 70여일을 넘어서자 미8군 계약처는 지난 11일 "(주)한국경보가 업체간 담합을 통해 계약단가를 부당하게 높이려 했다"는 이유로 이 회사와의 계약을 일방적으로 취소하고 (주)신천개발(사장 구천서)을 새로운 용역업체로 선정함으로써 당시까지 경비업무를 계속해온 (주)한국경보의 노동자들까지 파업에 가담, 모든 경비용역업체 노동자들의 파업으로 퍼진 것이다.

이같이 경비노동자들의 파업농성이 악화일로를 치닫고 있는 근본적인 이유는 경비노동자에 대한 지속적인 저임금의 강요에 있다는 것이 노동자들의 얘기다.

(주)신원기경 노조에 따르면 노동자들의 평균연령은 45살이고 평균 경력이 13년인데도 평균월급은 생계비에도 못미치는 26만원에 불과하다는 것이다.

미8군은 용역업체와 3년 장기계약을 맺어, 임금상승률이 물가상승률을 밑돌고 있으며 용역업체에 대해 총계약액의 20%를 회사운영비와 이익금으로 우선 보장해주고 있어 용역업체의 덤핑입찰을 유도하고 있다고 노동자들은 주장하고 있다.

(주)신원기경 최해근(44) 노조위원장은 "미군쪽이 경비원의 생계비는 전혀 고려하지 않고 덤핑을 유도해 임금을 착취하고 있고 용역업체도 자기 이익만을 위해 과당경쟁을 해 오늘의 사태가 일어났다"며 "미군쪽이 사태해결의 의지를 보이지 않으면 2천여 경비원이 직접 투쟁에 나설 것"이라고 밝혔다.

이에 대해 미군쪽은 이번 파업사태는 용역업체 내부의 문제로, 계약 절차에는 잘못이 없으며 노조원들은 계약의 당사자가 아니라는 이유로 직접협상을 거부해 왔다. 그러나 추운 날씨에 경비에 나설 수밖에 없는 일선 미군들 사이에서 불평이 크게 쌓이고 있어 미군쪽도 더이상 이 문제를 내버려두고 있을 수만도 없는 입장이다.

경비노동자들과 노동전문가들은 이번 사태의 해결을 위해 한국정부가 적극적으로 나서줄 것을 바라는 한편 미군쪽의 구조적인 임금착취를 막을 수 있는 제도적·법적 장치를 마련해야 한다고 입을 모으고 있다.

〈의정부=김학준 기자〉

0113

인터뷰

전교조 위원장 3대 내리 뽑힌 윤영규씨

"지를 지지해 준 것은 일선학교 조합원교사 중심의 대중활동을 더욱 강화시키라는 …라고 생각합니다."

…난 13일부터 15일까지 실…된 전교조 제3대 위원장 선…에서 재선된 윤영규(54·전…

…며 후원회원은 3만5천여명이다.

―내년도 활동계획은?

=현장이 중심이 돼 참교육 실천을 대중적으로 추진하겠다. 무엇보다도 교과활동을 충실히 하면서 전교조가 확실한 정책 대안세력임을 국민들에 보여주겠다. 실업학교·사립·초등·에…

에이즈 예방법…

선원노련서 법개정…

'외항선원만…

일반인에 보[redacted]자…

선원 감염거[redacted] 줄…

전국선원노동조합연맹(선원노련·위원장 김부웅)이 [redacted]면역결핍증(에이즈)에 노출될 위험이 많은 해외여행객을 제외한 채 외항선원들에게 강제검진을 받도록 한 에이즈예방법 시행령은 형평에 어긋난 차별규정이라면서 개정을 요구하고 나섰다.

선원노련은 최근 지난 88년 6월부터 시행되고 있는 에이즈예방법 시행령의 개정을 요구하는 서명작업을 벌인 데 이어 보사부 등 관계부처에 지난 10일 시행령개정 청원서를 냈다.

선원노련은 내년에도 이를 중점사업으로 채택, 법 개정이 이루어지지 않으면 보사부를 항의방문하고 전국적 조합원규탄대회를 열기로 하는 등 조직적 투쟁을 벌일 계획이다.

선원노련쪽이 이번 시행령에서 문제삼고 있는 부분은 제10조 제2항2호의 "국제항해에 취항하는 선박에 근무한 사람"을 에이즈 강제검진대상으로 규정한 조항이다.

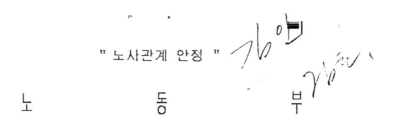

" 노사관계 안정 "

노 동 부

노정 32220 -16438 (503-9730) 1990. 11. 27.

수신 외무부장관

참조 미주국장

제목 주한미군 경비업체 근로자 충돌 사건에 따른 유감 표명

12. 12.

1. 사건의 배경 및 개요

'90.9.30자로 주한미군 경비용역 계약기간이 만료됨에 따라 신원기경 등 기존 3개사 대신 한국경보(주)에서 신규로 주한미군과 계약을 체결한 바 있으나 기존업체 근로자들이 한국경보의 저가응찰을 규탄하면서 지난 10월1일부터 집단행동에 돌입하여 지금까지도 한국경보에서 용역경비를 수행하지 못하고 있는 상태에서, 한국경보가 11.19. 17:30경 의정부시 금오동 소재 미군 6137포대에 봉고차로 근로자 6명을 투입하자 19:00경 이를 반대하는 신원기경 근로자 및 가족과 봉고차를 호위하던 미군사이에 충돌이 발생, 10여명이 타박상을 입고 한 노조원의 부인은 미군짚차 바퀴에 치여 전치 8주의 골절상을 입고 가료중이며, '90.11.20. 05:00경 미군부대에서 장갑차 2대와 자주포 1대를 동원, 부대앞에 설치되어 있던 비닐간이 막사를 철거하였습니다.

2. 동 사건에 대한 당부의 입장

○ 이번사건이 발생된 근본 배경은 주한미군과의 경비용역 계약시 한국경보에 저가로 낙찰됨에 따라 그동안 저임금에 불만을 가진 근로자들이 임금인상 등 기대감이 좌절되고, 한국경보에 대한 깊은 불신감으로 상호 대화분위기 조성이 안되는데 있습니다.

0114 33586

노정 32220 - (503-9730) 1990. 11. 27.

ㅇ 따라서 기존 신원기경 등 조합원 및 가족들의 한국경보 경비업무 수행 저지행위 자체가 비록 법으로는 보호받지 못한다 하더라도 미군이 이들의 집단행동을 저지하고 시설물을 철거하기 위하여 장갑차 및 자주포를 동원한 것은 과잉 제지 행위라고 볼 수 있으므로 주한미군 사령관의 공식 사과와 미국정부의 적절한 유감표명이 있어야 한다고 보는 바, 귀 부에서 외교경로를 통하여 조치하여 주시기 바랍니다.

첨부 : 사건관련 동향 사본 1부(기 송부). 끝.

반송 1990. 11. 28 노동부

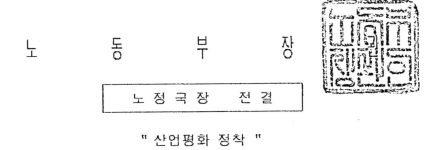

노 동 부 장

노정국장 전결

" 산업평화 정착 "

0115

(問) 美軍이 장갑차로 警備用役業体 籠城勞組員을 밀어 부치고 暴行을 하였다고 新聞에 보도되었는데 그 經緯는?

(答) ◦ 新聞 報道 内容

90.11.24 및 11.25字 경향신문, 중앙일보, 조선일보, 한겨레신문 등에 의하면

- 美軍이 탱크등을 동원하여 농성노조원을 밀어부치고
- 도끼자루로 暴行하여 勞組員 4명이 입원치료중이라고 보도하고 있으나

◦ 事件 經緯는

- 90.11.18. 17:30경 의정부시 금오동 소재 미군 1/37 부대에 한국경보(주)에서 봉고차로 근로자 6명을 搬入시키자 17:40 경 시위하던 勞組員 및 家族 20여명이 6/37 부대 정문에 집결하여

0116

미군과 衝突하여 구영회 (勞組委員長) 등 신원기경 노조원 10여명이 미군의 곤봉에 의해 타박상을 입었고, 신원기경 노조원 김명환의 부인 박춘자는 미군 경찰차 바퀴에 오른쪽 발목이 치여 전치 8주의 골절상을 입고 의정부시 소재 성모병원에 입원 치료중임.

- 同衝突 過程에서 신원기경 노조원들은 미군 경찰차 및 미군 건물에 돌을 던졌으며, 投石 現場에서 議政府警察署에 연행된 신원기경 노조원 조재영은 미군측의 고발 (경찰차 및 건물 파손 피해액 780,000원)에 따라 폭력행위 등으로 구속(구속일자 90.11.21)됨.

- 90.11.19. 23:00 경 대부분의 신원기경 노조원들은 自進 解散하고 노조원 10여명만 부대정문 앞의 비닐간이막사에 대기 계속중

- 90.11.20. 05:00경 미군부대에서 장갑차 2대와 지프 1대가 정문 밖으로 나왔으며, 신원기경 노조원들이 모두 피하자 비닐간이 막사를 파괴하였음.

0117

○ 따라서 일부언론에 보도된 바와 같은 탱크로 노조원을
밀어부치거나, 박춘자외에 다른 노조원이 폭행으로
부상당하여 病院에 입원 치료받은 사실은 없음.

0118

4-52

공 란

공 란

기안
회신
안보과
SOFA 개정후

전 국 외 국 기 관 노 동 조 합 연 맹

전외노련 제90-126호 757-2355 1990. 12. 18.

수 신 외무부 장관

제 목 한·미 행협 노무조항 개정에 관한 건의서 회신 요청

1. 귀부의 발전과 정무에 바쁘신 장관님의 건승을 기원합니다.

2. 폐노련에서는 한.미행정협정 제17조 노무조항 개정에 관해 수차 건의서를 제출하였습니다만 회신이 없으므로 그에 대한 회신을 요청드리오니 선처하여 주시기 바랍니다. 끝.

수신
1990. 12. 18

위원장 김 규

선 결			결재(공람)
접수일시	1990. 12. 24	번호	
처리과	35887		

0121

" 노사관계 안정 "

기안 상기건을 回信要

노　　동　　부

노정 32220 - 21　　(503-9730)　　1991. 1. 8.

수신 외무부장관

참조 안보과장

제목 SOFA 관련 질의

1. 성남시 수정구 오야동 소재 미 8군 K-16 비행장 우유제조장 (초청계약업체) 에서 근무하다가 해고당한 [redacted]이 동 사업체 대표 (초청계약자) [redacted]를 상대로 부당해고 취소 요망에 대한 진정서가 당부에 제출되어 그 내용을 조사한 바 상기 사업주가 진정인을 부당 해고한 사실이 조사 되었으나 (※ 부당해고시 해당 사업주는 5 년이하의 징역 또는 3,000만원 이하의 벌금, 근로기준법 제107조),

2. 상기 사업체는 한미행정 협정에 의거 국내법의 적용을 받지 않는다는 진술을 하고 있는 바, 상기 사업체가 근로기준법 등 노동관계법의 적용을 받고 있는지 여부에 대해 질의하오니 조속히 회신해 주시기 바랍니다.

첨부 : 진정서 처리결과 사본 1부. 끝.

노　동　부　장

노 정 과 장　전 결

1991. 1.10. 768

" 산업평화 정착 "

0122

성 남 지 방 노 동 사 무 소

수신 소장

참조 근로감독과장

제목 진정서처리결과보고

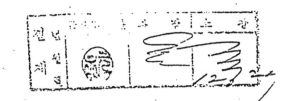

성남시 오야동 K-16 비행장내 우유제조창에서 근무중 해고를당한 [redacted]이 사업주 [redacted] 및 외기노련 서울지부 낙농분회 분회장 [redacted]을 상대로 진정한 부당해고취소 및 취업방해 철회등의 진정건에 대하여 조사하고 아래와 같이 보고합니다

1. 진정인 인적사항

주소 : [redacted]

성명 :

2. 피진정인 인적사항

1) 피진정인

. 회사명 : K-16 비행장내 우유제조창

. 소재지 : 성남시 오야동 K-16 미8군 비행장내

. 직책 : 사업주

. 성명 : [redacted]

2) 피진정인

. 회사명 : K-16 비행장내 우유제조창

. 소재지 : 성남시 오야동 K-16 미8군 비행장내

0123

· · 성명 : [redacted]

3. 진정내용

진정인은 K-16 비행장내 우우공장에 1958년 입사하여 90.10.1 자로 정년퇴직후 동사에 90.11.1 자로 임시고용원으로 취업근무중 90.11.5 07:05분경 당사노동조합에서 진정인의 취업은 부당하다고 하면서 진정인의 취업을 취소하지 않으면 작업을 할수 없다고 작업을 거부하므로서 사업주는 노동조합의 요구사항을 받아드려 진정인을 해고시킨것은 부당하니 진정인의 해고를 취소하고 노동조합은 진정인의 취업을 방해하지 말것에 대하여 진정

4. 조사내용

가. 진정인 [redacted]은 1958년 위사에 입사하여 1990.10.1 자로 정년퇴직한후 90.11.1 위사에 임시직으로 입사하여 근무중

동사노동조합에서 인사부조리에 대한 시정을 요구하면서 90.11.5 07:05분경부터 작업을 거부하고 사업주와 협상하여 동일 17:00경에 노동조합의 요구사항에 대하여 아래와 같이 합의를 한후 동일 19:30분터 작업을 재개하여 다음날 04:00작업을 종료 하였음

진정인의 해고는 노.사가 합의하여 인사부조리에 대한 해결방안으로 이미 취업된 진정인은 90.11.8 사업주로 부터 7일후에 해고할것으로 해고 예고되어 동년 동월 15일에 해고 조치됨

0124

- 합의내용 -

①. 노동조합과 관계를 정상화 한다

가 . 매월1회 정기노사회의를 한다

나 . 노조나 사용주의 필요에 따라 수시로 개최 한다

②. 불합리한 인사행정문제

가. 재고용된 정년자 문제는 취소한다 ([redacted])

나. 노조에서 요구한 4개항은 10일간의 여유를 두고 해결한다

([redacted]).

③. 정년연장은 일체 하지 않는다 .

④. 일체 조합권의 처벌및 인사행정은 노조측과 충분히 사전 협의결정한다

⑤. 오늘 이후 보복조치와 오늘의 사태에 대해 보복등을 절대 하지 않는다

나. 노동조합에서 인사부조리해결을 위한명분으로 작업거부를 한 배경을 보면

- 86년도 [redacted] (고소사건계류중) 외 3명에 대하여 부당전보로 실제 직급이 1~2 등급 강등되어 임금이 인하되었으며

- 진정인 [redacted] 은 생산반장으로 재직시 사업주편에 서서 근로자를 혹독하게 일을 시켰으며 이와 같은사유로 노조측과 사이가 좋지 않은 [redacted] 이 정년퇴직하자 사업주는 인시공 까지 해고시키면서 [redacted] 을 고용한 것은 부당한 처사라고 주장하고 있으며

- [redacted] 을 재고용한 또 다른 사유는 현재인사부장인 [redacted] 이 91년3월에

0125 정년퇴직 한후 다시 재고용 하기위한 포석이라고 주장하고 있음.

.. 조사자 의견

가. 진정인 [redacted]의 해고는 노동조합에서 인사부조리등의 해결을 위하여 작업거부등의 방법을 통하여 노사합의하에 이루어 졌으나 인사권은 사업주의 고유권한으로 볼때 사업주는 아무런 잘못도 없는 진정인 [redacted]을 해고시킨것은 부당한 해고로 판단되나 동 사업체가 국내법을 적용 받는지여부에 대하여 노동부 장관의 질의후 그결과에 따라 처리하고자 하며

나. 노동조합 분회장인 피진정인 [redacted]은 조합원들과 인사부조리 해결을 위하여 작업거부등으로 진정인의 해고를 유발케한것은 노동관계법의 적용 대상이 되지않는것으로 사료됨

. 조치

상기조사내용에 대하여 진정인에게 중간회시후 장관의 질의 회시 결과에 따라 처리하고자합니다. 끝.

1990 . 12 . 27

성남지방노동사무소

근로감독관 송 원 영

0126

기 안 용 지

분류기호 문서번호	미안 01225- 2238	(전화 : 720-2324)	시 행 상 특별취급	
보존기간	영구.준영구. 10. 5. 3. 1.	장 관		
수 신 처 보존기간				
시행일자	1991. 1 .16 .			

보조기관	국 장	전 결	협조기관		문 서 통 제
	심의관				검열 1991. 1. 18 통제관
	과 장				
기안책임자		김 인 철			발 송 인

경 유		발신명의	발송 1991. 1. 18 외무부
수 신	노동부장관		
참 조	노정국장		

제 목 초청 계약자에 대한 대한민국 노동 관계법 적용 여부에 관한 의견

1. 노정 32220-211(91.1.8) 관련 입니다.

2. SOFA에는 노무관계를 규정하는 제17조에 고용주로 합중국 군대와 초청계약자를 열거하고(17조 1항(가)) 노사관계등에 대해 대한민국 노동관계 법규에 따른 의무를 합중국 군대(동조 3항), 미국정부(동조 합의 의사록 제2)및 고용주(동조 합으 의사록 제4)등에 대해 명시하고 있으며 초청계약자 전반에 대해 규정하는 별도의 조항에 초청계약자는 고용조건에 있어 대한민국 법령의 적용으로부터 면제 받음을(15조 3항

/계 속... 0127

(자)) 명시하고 있읍니다.

3. 상기 조항들을 초청계약자가 국내 노동 관계법을 따르지 않아도 되는 것을 규정한 것으로 해석할 경우 주한미군보다 초청계약자에게 보다 많은 특권을 부여한다는 모순이 있는바, 국내 노동관계 법규준수 의무는 초청계약자에도 적용된다는 것이 일반적인 해석이었읍니다.

4. 한편 상기해석을 명문화하기 위해 현재 발효를 위한 국내절차 진행중인 새로운 SOFA의 시행 양해사항에 SOFA 제17조 3항에 규정된 합중국 군대 개념에 초청계약자가 포함되도록 하였읍니다.

5. 참고로, 현실적으로 과거에 초청계약자가 아국 법원에 기소된 경우가 있음을 알려드립니다. 끝.

0128

외교문서 비밀해제: 주한미군지위협정(SOFA) 41

주한미군지위협정(SOFA) 주한미군 한국인 고용원 문제

초판인쇄 2024년 03월 15일
초판발행 2024년 03월 15일

지은이 한국학술정보(주)
펴낸이 채종준
펴낸곳 한국학술정보(주)
주 소 경기도 파주시 회동길 230(문발동)
전 화 031-908-3181(대표)
팩 스 031-908-3189
홈페이지 http://ebook.kstudy.com
E-mail 출판사업부 publish@kstudy.com
등 록 제일산-115호(2000. 6. 19)

ISBN 979-11-7217-052-3 94340
979-11-7217-011-0 94340 (set)